DE FIXER

Van Joseph Finder is verschenen:

Nick Heller Thrillers:
Fraude ◈
Bedrog ◈

De Moskou Club
Het Orakel Project
Het Uur Nul
De Krijgsraad
Paranoia ◈
Bedrijfsongeval
Killersinstinct
Vijandige overname
Verdacht ◈
De fixer ◈

◈ Ook als e-book verschenen

JOSEPH FINDER

DE FIXER

UITGEVERIJ LUITINGH-SIJTHOFF

Uitgeverij Luitingh Sijthoff en Drukkerij Koninklijke Wöhrmann BV vinden het belangrijk om op milieuvriendelijke en duurzame wijze met natuurlijke bronnen om te gaan.

Oorspronkelijke titel: *The Fixer*
Vertaling: Pieter Janssens
Omslagontwerp: Studio Jan de Boer
Omslagfotografie: Plainpicture Ltd

ISBN 978 90 245 7061 4
NUR 332

www.lsamsterdam.nl
www.boekenwereld.com

Voor Henry

1

Dit Queen Anne-pand uit 1903 in een prachtige straat in West-Cambridge staat op een groot, vlak perceel met veel volgroeide bomen. Mooi geproportioneerde vertrekken en sierlijk houtwerk. Schuifdeuren en twee functionerende open haarden met de oorspronkelijke keramische tegels. Het huis moet worden opgeknapt; zie bijgevoegd inspectieverslag.

Het huis was een bouwval. Je kon er niet omheen. De advertentie stond al zeven maanden online en had aanvankelijk veel belangstelling getrokken en één zo laag bod dat de makelaar er niet eens op had gereageerd. De man had de advertentie zelf opgesteld en hij was er terecht trots op. Het was een geweldige advertentie. Het was ook een enorme hoop slap gelul, zoals iedereen uiteindelijk ontdekte als ze het huis zagen. Een schaamteloze leugen. Het huis was een ramp. Een bodemloze put. Potentiële kopers namen gewoonlijk de vlucht als ze een minuut of twee door het bouwvallige interieur hadden gestommeld.

Dus kampeerde Rick Hoffman, die het ouderlijk huis in Clayton Street zeventien jaar geleden was ontvlucht en plechtig had gezworen dat hij er nooit meer zou terugkeren, in zijn vaders voormalige werkkamer, op de eerste verdieping. Het kon in Boston vinnig koud zijn in december, maar hij had de belachelijk veel energie slurpende verwarming dichtgedraaid en sliep met al zijn kleren aan in een voor poolexpedities geschikte slaapzak op de oude leren bank, naast een olieradiator. De werkkamer rook vaag naar kattenpis. Alle muren werden in beslag genomen door hoge, wankele boekenkasten met glazen deuren, vol juridische werken. Op het bureau van zijn vader stond een stokoude IBM-pc, in vroeg-computer ivoorgeel, die in een museum thuishoorde, en een oude Oki Data-matrixprinter. Als de jaren tachtig ooit zouden terugkomen, zou hij er klaar voor zijn. Zijn oude slaapkamer, waar hij had gewoond tot hij ging studeren, was nu een opslagplaats voor kapotte meubels en kartonnen dozen vol dossiers. Dus sliep hij op een leren bank in een kamer zou koud als een koelcel, in een vage geur van kattenpis.

Dit, realiseerde hij zich, was het dieptepunt van zijn leven.

Hij had nergens anders om te wonen. Een week geleden was hij gedwongen geweest zijn appartement in Back Bay te verlaten, dat hij had gedeeld met zijn (nu) ex-verloofde, tot Holly had verteld dat ze niet meer met hem wilde trouwen. Hij had een paar nachten doorgebracht in een motel in Soldiers Field Road in Brighton, maar zijn geld raakte te snel op. Hij had geen inkomsten meer. Hij had zijn cv naar tientallen tijdschriften en dagbladen gestuurd en niet één antwoord gekregen. Hij had zijn horloge, zijn mooie Baume & Mercier, op eBay verkocht en zijn dure kleren op een website gezet waar je 'enigszins gebruikte kwaliteitskleding' kon kopen of verkopen.

Zijn geld was bijna op. Hij mocht van geluk spreken dat hij een plek had waar hij gratis kon intrekken. Maar hij voelde zich niet bijster gelukkig in de koude bouwval in Clayton Street, het huis waarin hij en zijn zus waren opgegroeid.

Wendy, drie jaar jonger dan Rick, woonde in Bellingham, in de staat Washington, met haar partner Sarah, die een veganistisch restaurant had. 'Verkoop het hele zootje toch,' had ze tegen Rick gezegd. 'Het huis is een krot, maar de grond is vast een paar honderdduizend dollar waard. Ik zou het geld goed kunnen gebruiken.'

Voordat Holly de verloving had verbroken en hem uit hun appartement in Beacon Street had geschopt, had dat een goed plan geleken. Maar Rick had een dak boven zijn hoofd nodig, in elk geval tot hij weer werk had, overeind was gekrabbeld.

Tot twee maanden geleden was hij adjunct-hoofdredacteur geweest van *Back Bay*, een glossy gewijd aan de rijkaards en beroemdheden van Boston, de ritselaars en regelaars. Het besteedde precies genoeg slaafse aandacht aan topkoks, chique trouwerijen en beste barkeepers, met net dát vleugje sarcasme – een evenwichtsact op het scherpst van de snede – om inhalige en ambitieuze lezers te trekken die zichzelf intelligent en wereldwijs vonden, maar dat niet waren.

Een jaar of zeven, acht geleden had een grote private investeerder, een zekere Morton Ostrow, de tent overgenomen, *Back Bay* een geldinfuus gegeven en het gladder en meer glossy gemaakt, het speeltje van een rijkaard. Het luidde een gouden tijd in van hoge salarissen en bijna ongelimiteerde onkostenvergoedingen. Je moest geld uitgeven om geld te verdienen, zei hij vaak. Hij verplaatste de redactielokalen van een klein maar elegant huis van rode bakstenen in Arlington Street in Back Bay naar een verbouwde fabriek in Harrison Avenue, in de sinds kort in trek zijnde, van kunstenaars vergeven SoWa-wijk in South End. Bakstenen en spanten, enorme negentiende-eeuwse industriële ramen en gladde betonnen vloeren. Feestjes in het donker, bunkerachtige clubs waar niemand binnenkwam, gesponsord door Ketel 1 of Stoli Elit.

Rick, die de film *All the President's Men* op een ontvankelijke leeftijd had gehuurd en erdoor geobsedeerd was geweest, had altijd Woodward of Bernstein willen worden, een onversaagde verslaggever die zich specialiseerde in het opsporen van overheidsfraude en samenzweringen op hoog niveau. Hij ging aan de slag bij de stadseditie van *The Boston Globe* en trok veel aandacht met onthullingen over winstgevende privégevangenissen. Hij schreef een artikel over corruptie bij de stedelijke taxibedrijven en een serie over hoe makkelijk het was om onder boetes wegens rijden onder invloed uit te komen. Hij was misschien, hield hij zichzelf voor, op de goede weg omhoog geweest naar een Woodward-en-Bernstein-status als hij niet op een boekpresentatie in Cambridge Mort Ostrow had ontmoet. Ostrow, een kleine, gedrongen kikvors van een man, mocht Rick onmiddellijk. Hij werd voor een idioot salaris weggekocht bij de *Globe* om de aandacht die *Back Bay* aan de 'machtselite' schonk op te vijzelen – schandaaltjes op Harvard, gekonkel in het parlement van Massachusetts, geroddel onder de pasja's van de hedgefondsen. Hij kreeg vergunning om door te prikken en aan het spit te steken.

Hij verwierf een groot appartement in Beacon Street en een bijpassende mooie, blonde vriendin. Hij en Holly bezochten elke avond wel een feest of een diner. Hij kon binnen een halfuur een tafel krijgen in de kleinste, meest exclusieve restaurants, het soort dat maanden tevoren volgeboekt is (niet jaren; het was hier tenslotte Boston). Als hij een pak droeg, was het door de kleermaker van Ostrow gemaakt (met echte knoopsgaten in de manchetten, het fijnste kamgaren, volledig gevoerd), voor een vriendenprijsje. Hij ontbeet elke week met Mort Ostrow aan diens vaste tafel in de Bristol Lounge van het Four Seasons.

Het was best een goed leven, zolang het duurde.

De radiator suisde en borrelde. Hij hoorde iets... *ritselen* ergens vlakbij in de muren. Een zacht rumoer, een krabbelend knaagdier. Muizen? Ratten? Eekhoorns? Er kon in de lange tijd dat het huis leeg had gestaan van alles naar binnen zijn gekomen door de schoorstenen of de ventilatiesleuven. Wie weet zaten er knaagdieren of vogels in de spouw. Hij stond op, luisterde even zwijgend, hoorde het zachte, krabbelende geluid in de buitenmuur van de werkkamer en ramde met zijn vuist op de muur.

Er klonk een harde dreun toen een van de boekenkasten omviel, zodat de inhoud op de grond kletterde en het glas versplinterde.

'Shit,' zei hij. Maar het gekrabbel was in elk geval opgehouden.

Overal lagen stukken glas, venijnige scherven die glinsterden in het ochtendlicht. Rode gebonden delen van *The Massachusetts Law Reporter* lagen uitgespreid op de vloer. Ricks vader, Leonard, was advocaat geweest, een eenmanspraktijk met enkele schimmige figuren als cliënt: stripdanseressen, pornobazen, clubeigenaars. Hij had kantoor gehouden in Washington Street in het centrum van Boston. Maar hij had altijd een duplicaatreeks van zijn wetboeken in zijn werkkamer thuis gehad.

Rick ging op zoek naar stoffer en blik om de glasscherven op te vegen. De bezemkast was naast de keuken, een verdieping lager.

Er had zich een dikke deken van stof en afval verzameld op de houten trap, waaronder een paar fijngeknepen bierblikjes en een achtergelaten condoomverpakking. Er waren tieners binnen geweest – vandaar het kapotte raam – maar waarschijnlijk geen krakers. Geen permanente bewoners. Het huis was in de achttien jaar sinds Lens infarct het merendeel van de tijd verhuurd geweest. Maar toen het langzaam in verval raakte en niet meer onderhouden werd, was de kwaliteit van de huurders navenant achteruitgegaan. De laatsten waren zo ruig en verloederd geweest, dat de buren begonnen te klagen. Drie jaar geleden had Rick het uit de verhuur gehaald.

Het was donker in de gang – de lampen in de plafonnière waren doorgebrand – maar hij kende de weg op zijn duimpje. Hij kon geblinddoekt door het huis lopen. Hij vond de bezemkast en een hoop plastic boodschappentassen, maar geen bezems. Wel een oude rolveger die, als hij het nog deed, de meeste glasscherven toch niet zou opnemen. Hij keek in de keuken om zich heen. Nog meer bierblikjes, bierflessen en achtergelaten Big Mac-doosjes.

'Geen beweging, klootzak!' riep iemand.

Rick schrok op. Hij draaide zich om en zag een lange, magere, kalende man in een jekker en hoge schoenen.

'O, jij bent het,' zei de man. 'Hé man, leuk je te zien, Rick!'

'O, hai, Jeff.' Hij glimlachte opgelucht. 'Even geleden.'

'Sorry, joh, ik wilde je niet laten schrikken. Ik dacht dat het die verrekte Rindge and Latin-jochies waren.' Hij hield een sleutelbos op en rammelde ermee. 'Wendy heeft me een jaar of drie geleden een set sleutels gegeven en gevraagd of ik een oogje in het zeil kon houden.'

'Geen punt.' Rick schudde zijn hoofd. 'En luister, ik stel het echt op prijs.'

Jeff Hollenbeck woonde in het huis ernaast; hij was er opgegroeid en had het na de dood van zijn ouders geërfd. Hij was een jaar of zo jonger dan Rick. Hij en Rick waren niet echt vrienden, maar ze hadden heel wat potjes basketbal gespeeld, één tegen één op de oprit van Jeffs ouders, met de ring die aan de garagemuur hing. Jeff, altijd al lang, mager en atletisch, had meestal gewonnen. Toen Jeff naar Rindge and Latin ging, de plaatselijke openbare middelbare school, was Rick naar de Linwood Academy gegaan, zodat hun toch al minimale vriendschap nog verder was verwaterd. Bovendien begon Jeff de spot te drijven met Ricks 'mietjesuniform': de blauwe blazer, het witte overhemd en de rood en grijs gestreepte schooldas. Allemaal gegronde redenen voor genadeloze puberspot, maar niet echt geweldig voor hun vriendschap.

Jeff had op de middelbare school een drugsperiode gehad, was één keer bijna van school getrapt, maar was tijdig genoeg opgekrabbeld om naar het Bunker Hill Community College te gaan. Rick wist niet meer wat Jeff deed voor de kost – iets in de bouw misschien? Zijn kalende hoofd was aan de zijkanten opgeschoren. Als tiener had hij het tot op zijn schouders gedragen. Nu had hij, alsof hij de kaalheid bovenop wilde goedmaken, een dunne, vlekkerig-grijze sik. Zijn ogen waren waterig blauwgrijs.

'Ik denk dat het nieuws dat het huis leegstaat op school de ronde deed en er is een stel jongelui die het gebruiken om te feesten en te neuken of wat dan ook. Als ik ze hoor, kom ik hierheen en jaag ik ze weg. Hoe is het met je vader?'

Rick glimlachte bedroefd en schudde zijn hoofd. 'Nog hetzelfde.'

'Hetzelfde, ja? Ik neem aan dat hij... nog in dat verpleeghuis is?'

Rick knikte. 'Hij eet en wordt de godganse dag voor de tv geparkeerd, en dat is zijn leven, snap je...?' Het was meer dan triest. Het was hartverscheurend zoals zijn vader was geworden.

'Wendy woont nog steeds in Oregon?'

'Washington, maar inderdaad.'

'En jij bent de grote snoeshaan van *Boston Magazine*?'

Rick haalde zijn schouders op, te moe om de naam van het tijdschrift te corrigeren. Dat zou betekenen dat hij ook zijn functiebenaming moest corrigeren, die geen functie meer was. Plus dat het iets plezierigs had in de echte wereld te zijn, waar het nieuws van zijn ontslag nog niet was doorgedrongen. Het was verfrissend ergens te zijn waar niemand het doffe dreunen van de tamtams kon horen.

Dat hij zelf pas gehoord had toen het al te laat was.

Hij was de laatste die in de gaten had dat hij ontslagen zou worden. Zijn cijfers – abonnementen en losse verkoop in elk geval – waren prima. Hij had tegen Holly gezegd dat hij salarisverhoging verwachtte. Er werd zelfs gesproken over eindejaarsbonussen als het tijdschrift het 'beter deed dan verwacht'.

Later was hij er natuurlijk achter gekomen dat de praatjes dat zijn dagen geteld waren al weken de ronde hadden gedaan. Mort had een paar rampzalige investeringen gedaan. Hij was gigantisch de boot in gegaan met een goudmijn en een Chinees bosbouwbedrijf. Zijn fortuin was zomaar in rook opgegaan. Tenminste, volgens de geruchten.

Rick kwam erachter tijdens een ontbijt in het Four Seasons, nadat hij had besteld, voordat hij zijn eerste kop koffie leeg had.

Het was niet zo dat hij ontslagen werd, dat was het absoluut niet; zijn functie werd opgeheven. Mort stopte met de papieren editie. Hij kon zich de vette salarissen en onkostenvergoedingen niet meer veroorloven. Trouwens, de luxestrategie werkte niet. De advertentieafdeling gaf altijd korting om de pagina's maar vol te krijgen, vulde de lege plekken te opvallend met huizenadvertenties. Tijd voor ingrijpende veranderingen! Hij sneed in het personeelsbestand, liet zijn overbetaalde redacteuren gaan. Vaste banen werden omgezet in freelancewerk, per stuk betaald, dat wil zeggen per webartikeltje. Het stond Rick natuurlijk vrij de nieuwe hoofdredacteur/uitgever, een verachtelijke kleine rat op dure gympen en met een bespottelijke Buddy Holly-bril, die Rick een jaar geleden had aangenomen als webredacteur, ideetjes voor artikelen toe te sturen.

Tegen de tijd dat zijn omelet met geroosterde asperges en prosciutto werd opgediend was de eetlust Rick vergaan.

'Woon je nog steeds aan de overkant van de rivier?' vroeg Jeff.

'Nee, ik ga verhuizen.' Rick had geen zin om in details te treden. In elk geval niet tegenover Jeff.

Een opgetrokken wenkbrauw. 'Hierheen?'

Rick schudde zijn hoofd. 'Ik bedoel, voor korte tijd, ja, maar het is tijd om te verkopen.'

'Ze adverteren er al even mee. Geen kopers, hm?'

Rick spreidde zijn handen uit. 'We hebben één belachelijk laag bod gekregen. Het huis is een krot.'

'Er moet zeker iets aan gebeuren. Maar het bouwskelet is goed. Als iemand er wat tijd en geld tegenaan zou willen gooien, kan het aardig worden.'

'Zo denk ik er ook ongeveer over. Misschien een timmerman naar binnen sturen, een stukadoor, de vloeren schuren, nieuw verfje...'

'Je denkt er toch niet over om het zelf te doen?'

'Ik peins er niet over. Niet mijn vak.'

'Heb je al iemand?'

Rick schudde nogmaals zijn hoofd. 'Mijn banksaldo is een beetje krap. Misschien over een paar maanden.' Hij zei het nonchalant, alsof het slechts een kwestie van tijd was voordat er een tsunami aan geld binnenrolde.

Jeff bracht zijn gewicht over op zijn andere been. 'Ik zou het best willen aannemen. Je weet toch dat dat mijn vak is?'

'O ja?'

'Ja. Aannemer, timmerman, ingrijpende renovaties, de hele reut.' Hij haalde een visitekaartje uit de borstzak van zijn jekker en gaf het aan Rick. JEFF HOLLENBECK AANNEMERS-BEDRIJF, stond er. 'Ik heb nu een paar mannetjes die voor me werken. Ik weet niet wat je in gedachten hebt, maar ik wil je best matsen, weet je – jeugdvrienden en zo.'

'Hm.' Hij had Jeff nooit gezien als een serieuze volwassene, laat staan een geslaagde aannemer.

'Je wilt niet weten wat de huizen in dit blok opbrengen, man. Te gek gewoon. Alsof... ken je het huis van D'Agostino aan de overkant?'

'Ja.'

'Ik geloof dat ze er één komma vijf miljoen voor hebben gekregen, en het is niet half zo mooi als dit... zou kunnen zijn, bedoel ik.'

'Anderhalf miljoen? Voor die gribus?'

'Ik weet het, het is idioot. Ik bedoel, als je er goed wat werk in steekt, zou je er makkelijk twee miljoen voor kunnen krijgen. Meer zelfs.'

'Ik heb er niet echt de... contanten voor, ik moet eerlijk tegen je zijn.'

Jeff knikte. 'We zouden misschien een deal kunnen sluiten. Bijvoorbeeld dat mijn bedrijf het werk doet en ik een deel van de opbrengst krijg. Iets verzinnen wat goed is voor ons allebei.' Hij haalde een pakje Marlboro en een zippo uit zijn zak. 'Mag ik?'

'Neem je me in de maling? Alles om die stank van kattenpis uit mijn neusgaten te verdrijven.'

Jeff grinnikte terwijl hij een sigaret opstak. 'Ik ruik het gelukkig niet.'

'Boven, in de werkkamer van mijn vader, is het niet te harden. Plus dat er ongedierte in de spouw zit.'

Jeff blies twee rookpluimen uit. 'Dus wat denk je ervan?'

Rick zweeg even. Hij dacht: *waarom ook niet?* Dit kon tamelijk pijnloos worden. 'Wanneer zou je kunnen beginnen?'

'Elk moment. Nu bijvoorbeeld.'

'Niet druk?'

'Het is in de winter altijd minder druk. Ik bedoel, ik heb een paar grote klussen in het vooruitzicht voor maart of april...'

'Het is een interessant voorstel. Als we het eens kunnen worden, bedoel ik.'

'Nou, denk er eens over na. En laat me intussen eens kijken waar die stank boven vandaan komt. Ik heb zo het idee dat ik het weet.'

Jeff volgde Rick naar boven. 'Jezus,' zei hij terwijl hij de condoomverpakking met de punt van zijn schoen aanraakte. 'Ze kunnen hun eigen smerigheid niet eens opruimen.'

Toen ze in de werkkamer aankwamen zei Jeff: 'Dus dat was de klap die ik hoorde.' Hij snoof. 'Ja, nou ruik ik het. Getver. Wacht even, ik ben zo terug.'

Hij stommelde de trap af. Rick raapte net de grootste glasscherven op toen Jeff in de deuropening verscheen, met in zijn ene hand stoffer en blik en een koevoet in de andere.

'Dacht dat je deze wel kon gebruiken.' Hij gaf Rick de stoffer en het blik. Toen zei hij, met de koevoet zwaaiend: 'Als je het huis echt wilt opknappen, kan ik de muur openbreken om te zien wat het probleem is.'

Rick haalde zijn schouders op. 'Ga je gang, waarom ook niet?'

Jeff liep voorzichtig naar het midden van de kamer, om de glasscherven heen. Toen bleef hij staan, hield zijn hoofd scheef en luisterde. Even later begon het geritsel opnieuw. Jeff volgde het geluid naar de buitenmuur en bleef toen een paar seconden staan. Hij trok de zware paneeldeur van de kast open aan de druk bewerkte koperen knop. Hij zag het touwtje, het trekkoord, en trok eraan om de kale peer die tegen het schuine plafond zat aan te doen.

Jeff knikte glimlachend. 'Ze zitten in de kruipruimte. Eekhoorns, wed ik. Ze komen binnen door ventilatiesleuven in het dak of knagen gaten in de architraven. Misselijke kleine krengen.'

Hij hief de koevoet op en ramde het kromme uiteinde in de achterwand van de kast. Een stuk muur liet krakend los. Het was geen gestuukt latwerk, zag Rick, maar een vlak stuk multiplex van zo'n vijfentwintig of dertig centimeter breed en ongeveer een meter lang.

'Daar komt ie,' zei Jeff. 'Makkelijk zat.'

Hij stapte opzij toen de langwerpige plaat in een wolk van stucwerk op de bodem van de kast viel. Er was een groot gat in de achterwand van de kast verschenen, te smal om erdoorheen te kruipen, maar breed genoeg om een glimp van het schemerige interieur op te vangen. Er klonk een gepiep en een snel trippelen, als van regen op het dak, het paniekerige scharrelen van kleine beestjes.

'Eekhoorns,' zei Jeff. 'Ik wist het wel.' Hij hoestte. 'Wauw. Smerig.'

Rick deed een stap naar voren om het te bekijken.

'Ik heb de pest aan eekhoorns,' zei Jeff. 'Niets meer dan ratten met een pluimstaart.'

Hij ramde de koevoet nogmaals in de wand en trok de volgende plaat los, die met een krijsend geluid van spijkers op hout losliet en op de bodem kletterde.

'Geen stucwerk hier,' zei Jeff. 'Raar. Alsof ze dat multiplex alleen hebben geschilderd.'

'Wat is het, een nest?' vroeg Rick. 'Ik wil niet dat die verrekte eekhoorns door het huis rennen.'

'Nee, als er een nest is, zit dat waarschijnlijk aan de andere kant van het huis. Dit hier is hun latrine.'

'Latrine?'

'Eekhoorns bevuilen hun eigen nest meestal niet.'

'Denk je dat ze er nog in zitten?' vroeg Rick.

'Misschien, misschien ook niet. Als er jongen in het nest zitten, gaan ze niet weg.'

'Dus wat nu?'

'Vangen, dat is het beste. Of ze verjagen en de gaten dichten met staalwol of kippengaas.'

Rick kon nu wat beter in de kruipruimte kijken. In het zwakke, vlekkerige licht – door een heleboel kleine gaatjes in het dak, vermoedde hij – zag hij de omtrekken van een soort stapel, een ongeveer halve meter hoge hoop.

'Kijk uit waar je loopt, man,' zei Jeff.

Rick zette nog een paar passen, door de opening in de kruipruimte. Hij bukte zich – door het schuine dak was er geen ruimte om te staan.

'Weet je,' zei Jeff, 'als je een paar van die muren hier wilt doorbreken, kunnen we wat meer vloeroppervlak creëren. Slaaphoekje, kinderkamer, wat dan ook. Je zou er zelfs wat dakramen in kunnen maken – dat zou mooi zijn. Ik heb leuke dingen gedaan met Velux-ramen.'

Ricks ogen wenden aan het donker en hij liep verder naar de stapel. Een lap zwart plastic op wat waarschijnlijk dozen waren. Dat verklaarde het dichtgetimmerde deel van de kastwand. Op een bepaald moment in de eeuw of zo dat het huis bestond, was de kruipruimte, gewoonlijk verloren ruimte, in gebruik genomen voor opslag. Misschien toegankelijk via de kast. Er was een luik, een demonteerbaar paneel in aangebracht. Misschien hoorde het bij de oorspronkelijke constructie.

'Voorzichtig daar,' zei Jeff. 'Ik heb eekhoorns gezien die mensen aanvielen. Ze hoeven niet eens hondsdol te zijn. Als je hun nest verstoort...'

Rick trok aan een punt van het plastic, maar het kwam niet

omhoog; het was vastgeniet aan een tweede lap. Hij rukte nog eens, harder nu, en enkele nieten lieten los en vielen op de vloer en nu kon hij naar binnen kijken.

'Jezus,' zei hij.

Hij keek nogmaals. Het drong niet tot hem door wat hij zag.

'Ben je gebeten?' vroeg Jeff grinnikend.

Er was weinig licht, maar net genoeg om het getal *100* te zien en het gezicht van Benjamin Franklin. Het leek een luchtspiegeling. Hij stak zijn hand door het gat in het plastic en trok aan het eerste het beste wat hij te pakken kreeg.

Een stapel biljetten van honderd dollar, zo te zien. Een wikkel met daarop twee keer het getal 10.000 deelde de stapel in tweeën.

Zijn hand trilde, realiseerde hij zich.

'Wat is het, man?' vroeg Jeff.

'Niks,' zei Rick.

2

Zijn eerste opwelling was: wegstoppen. Zonder er zelfs maar over na te denken draaide hij zich om, stelde zich op tussen Jeff en de stapel onder de lap plastic en benam hem het uitzicht.

... uitzicht op wat?

Wat die opdoemende stapel, enkele tientallen centimeters hoog en meer dan een meter breed, ook was, Rick wist wat erbovenop lag: hopen geld. Stapeltjes biljetten van honderd dollar. Misschien niet de hele hoop, dat zou krankzinnig zijn, ronduit onvoorstelbaar. Stapels geld boven op... wat? Een hoop kranten, misschien dossiermappen.

Het kon niet alleen maar geld zijn. Dat was onmogelijk. Hij gooide het stapeltje weer op de hoop.

Hij kon niet helder denken. Hij moest het opnieuw bekijken, maar zonder Jeff erbij. Want wat hij gezien had was om gek van te worden. Hij had tienduizend dollar in zijn hand gehad. Honderd briefjes van honderd. In één stapeltje. En dat was nog maar het topje van de ijsberg.

Geld dat overduidelijk niet van zijn vader was, want Len had geen geld.

'Het leek wel geld wat je in je hand had,' zei Jeff. Iets in zijn stem, zachter en insinuerend, was veranderd. Hij klonk agressiever.

Er trok een schaduw over zijn gezicht. Zijn ogen kon Rick niet zien.

Rick probeerde onverschillig te grinniken, maar zijn mond was droog en het klonk als *hah*, smalender dan hij bedoeld had. 'Dat zou ik wel willen.' Hij kroop door de opening in de wand, zodat Jeff achteruit moest stappen. 'Een hoop oude declaraties, meer niet.'

'Nou, laten we ze dan in het licht slepen.'

'Een andere keer.' Rick stem klonk mat en verveeld. Hij keek op zijn horloge. 'Ik moet ervandoor.'

'Nou, wacht eens even – hebben we een deal?'

'In principe wel, maar we moeten bespreken wat voor werk je doet, hoelang het gaat duren en zo.'

'Ja, natuurlijk.'

'Ik denk niet over grondige renovatie; het is maar dat je het weet.' Rick legde een hand op Jeffs schouder, op het ruwe canvas van zijn jekker, en loodste hem de kamer uit en naar de trap. 'Zo min mogelijk breekwerk. Voornamelijk reparaties en verbeteringen. Eerste en tweede verdieping. Behang over de scheuren.'

'Ik weet niet of ik het daarmee eens ben, Rick. Het hele huis zit vol rottend hout. Fikse waterschade. Waarschijnlijk als gevolg van een versleten regenpijp – het water druipt al jaren in het plafond. Of misschien komt het door verstopte goten en lekkende dakbedekking. De regen sijpelt al jaren het huis binnen en veroorzaakt natte plekken. Zodat het hout rot en beschimmelt. Ik moet het rotte hout en de stuclaag op sommige plekken weghalen. Niet overal. Een paar plekken maar.'

Rick kreunde. 'Meen je dat?'

'Ik zal het je laten zien.'

Rick schudde zijn hoofd. 'Ik geloof je wel, maar ik wil dat je een plan maakt. Zet het op papier, dan krijgen we geen misverstanden.'

'Natuurlijk, natuurlijk.'

'Hoe snel zou het kunnen?'

'Ik kan er vanavond al aan beginnen. Zoals ik al zei, het is niet druk in deze tijd van het jaar.'

'Klinkt goed,' zei Rick.

Zodra hij Jeff de deur uit had gewerkt rommelde Rick in de keukenladen en vond een zaklamp. Hij knipte hem aan, maar de batterijen waren leeg. Tussen een hoop losse boterhamzakjes vond hij een staafbatterij, die hij ruilde voor een van de oude, en die leverde net genoeg energie om een zwak licht voort te brengen.

Hij keerde terug naar de werkkamer van zijn vader. Het raam daarvan keek uit op de tuin van de Hollenbecks, wat betekende dat Jeff naar binnen kon kijken. Maar als hij de jaloezieën neerliet, zou de werkkamer in duister worden gehuld en de plafondlamp hier was ook doorgebrand. Het zou ook raar overkomen als hij de jaloezieën dichtdeed, alsof hij iets voor Jeff probeerde te verbergen.

Hij liet ze open en ging weer naar de kruipruimte. Het rook er nog steeds naar eekhoornpis, maar het kon hem nu weinig schelen. Hij richtte de aarzelende, waterige lichtbundel op de stapel onder het plastic. Hij trok eraan, hard, en rukte nog enkele nietjes los. Hij sloeg de lap terug en richtte het licht op wat er te zien was.

Het was een keurige, vierkante stapel, ongeveer een halve meter hoog en zo'n zestig, zeventig centimeter in het vierkant, die een muffe geur verspreidde. Voor zover hij kon zien in de zwakke lichtbundel die hij over de stapel heen en weer bewoog terwijl hij lukraak stapeltjes oppakte, waren het allemaal bankbiljetten. Van boven tot onder.

Hij kon 398 stapeltjes tellen voordat de zaklamp de geest gaf. De meeste ervan – 290 stapeltjes – bestonden uit biljetten van honderd dollar; de rest – 108 stapeltjes – waren briefjes van vijftig. Hij vond een verfomfaaide benzinebon in zijn portemonnee en krabbelde er een berekening op. Het was alles bij elkaar 3.440.000 dollar.

Meer dan 3,4 miljoen dollar.

Hij kreeg een vreemd, duizelig gevoel, alsof hij halsoverkop in de ruimte viel. Zijn hoofd tolde. Hij pakte een stapeltje op en liet het langs zijn duim ritselen. Hij ademde de muffe geur in. Hij rook schimmel en tabak, oplosmiddel, inkt en zweet. Sommige biljetten zagen eruit alsof ze nooit in de roulatie waren geweest. Ze waren knisperend nieuw en niet beduimeld. Andere hadden ezelsoren en waren verfomfaaid.

Hij keek naar de beeltenis van Benjamin Franklin, net uit het midden, op de voorkant van het biljet, met haren tot op zijn schouders en een gezicht alsof hij last had van constipatie. Het zag er beslist echt uit, geen vals geld, al was hij geen expert.

Hoelang was die stapel hier verborgen geweest? De biljetten zagen er nieuw uit – niet gebruikt in elk geval – maar ze zaten waarschijnlijk al enkele tientallen jaren in de muur.

Hij wist alleen dat hij ze hier niet kon laten liggen.

3

Hij haalde een handvol plastic supermarkttassen uit de bezemkast – een paar van Star Market en een paar van Whole Foods, nog uit de goeie ouwe tijd, toen ze plastic tassen verstrekten. De stapeltjes pasten in zes tassen, maar toen hij probeerde er een op te tillen, scheurde de tas en viel het geld op de grond. Hij stopte elke tas in een andere en sleepte de dunne tassen voorzichtig met twee tegelijk de trap af. Toen ze onder aan de trap stonden, probeerde hij er twee tegelijk te dragen. Onmogelijk: het gewicht kon hij wel hebben, maar het pakket was te groot. Hij wilde niet het risico lopen dat er een tas scheurde tussen het huis en zijn auto, zodat het geld over de oprit dwarrelde.

Zeker niet als Jeff hiernaast toekeek. Waarom was hij verdomme niet ergens op karwei, om een flat in Watertown te renoveren of een gloednieuw huis te bouwen? Wat voerde hij de hele dag uit als hij geen werk had aangenomen?

De kofferbak van zijn oude, rode BMW 3-serie – het rood was een vergissing geweest, een uit een lange rij vergissingen; de politie ging echt vaker achter rode auto's aan – lag vol troep. Een sporttas, een stapel tijdschriften die hij in een optimistische bui had willen lezen op zijn hometrainer – een set startkabels. Hij schoof het zootje opzij, stopte oude *Entertainment Weekly's* en *Back Bay's* zo ver mogelijk naar voren tot er genoeg ruimte was voor de zes tassen vol geld. Hij keek om zich heen om er zeker van te zijn dat Jeff – of wie ook – niet om de een of andere reden toekeek, en tilde de tassen voorzichtig in de kofferbak.

Hij klom achter het stuur en bleef even zitten om na te denken over waar hij 3,4 miljoen dollar veilig kon opbergen. De meest voor de hand liggende plek was uiteraard een bank. Een depositokluis. Die had hij niet; het enige wat hij van kluizen wist was wat hij in films of op tv had gezien. Hij meende zich een standaardformaat van enkele tientallen centimeters diep en misschien twintig tot vijfentwintig centimeter breed te herinneren. Hadden ze ook grotere maten? Hij nam aan dat je om een grotere kon vragen als je dat wilde.

Zijn bank had een vestiging op Harvard Square. Hij startte de auto en reed via Clayton Street naar Huron Avenue en verder door Garden Street naar het plein. Hij dacht nu wat helderder en begon te twijfelen of hij met zes boodschappentassen vol geld de Bank of America binnen kon lopen. Was het überhaupt toegestaan contant geld in een depositokluis op te bergen? Hij stopte langs het trottoir op een plek waar een stopverbod gold en zette zijn knipperlichten aan.

Hij opende de Safari-browser op zijn telefoon en zocht. Het antwoord was niet duidelijk. Banken moesten de belastingdienst op de hoogte brengen van stortingen van meer dan tienduizend dollar. Maar dat sloeg op stortingen op bankrekeningen. Niet op het opbergen van stapels bankbiljetten.

Evengoed zouden banken sinds 11 september de bewegingen van grote hoeveelheden geld waarschijnlijk nauwlettend in de gaten houden, ja? Voor het geval het verband hield met onrechtmatig verkregen winst. Misschien kon de Amerikaanse overheid je geld zelfs in beslag nemen als ze dacht dat je betrokken was bij criminele activiteiten. Hij wist het niet, maar zou er niet van opkijken.

Als hij de vestiging van de Bank of America op Harvard Square binnenkuierde met zes boodschappentassen vol geld, voornamelijk briefjes van honderd, kon hij net zo goed op een klaroen blazen en de wereld verkondigen dat hij cokedealer was. Hij zou in de gaten worden gehouden, dat stond vast – hoe kon een bankbediende die het niet te druk had met sms'en of haar Facebook-pagina checken hem níét in de gaten houden als hij een lading geld naar binnen sjouwde? De kassier zou de assistent-manager roepen en...

Het leek niet meer zo'n goed idee om al dat geld naar een bank te brengen.

Het leek zelfs niet zo'n goed idee om zijn geld waar dan ook naartoe te brengen in slappe boodschappentassen. Niet alleen vanwege het risico dat ze zouden scheuren, maar ook omdat iedereen kon zien wat erin zat. Dat was vrágen om beroving.

Hij zette zijn knipperlichten uit, voegde zich weer in het verkeer en reed terug zoals hij gekomen was en toen naar Massachusetts Avenue, waar hij een 7-Eleven-avondwinkel vond. Hij parkeerde op een plek die hij vanuit de winkel in de gaten kon houden, kocht haastig een pak vuilniszakken (zwart, extra sterk) en ging terug naar de auto. Net toen hij de kofferbak wilde openen drong het opeens tot hem door hoe kwetsbaar hij was.

Elke willekeurige voorbijganger, iedereen die uit een auto in het toeterende, langsrazende verkeer keek, zou in de kofferbak kunnen kijken. Zoveel geld – die krankzinnige, amper te geloven smak geld – was niet iets waarmee je te koop wilde lopen.

Hij reed de auto het parkeervak uit en zette hem andersom, met de neus naar voren. Dat was veiliger. Nu zou niemand in de winkel hem kunnen zien als hij toevallig keek. Maar er was zo te zien niemand in de 7-Eleven dan de caissière. Hij drukte op de knop van de afstandsbediening, het kofferdeksel sprong open en daar waren ze, zes grote, propvolle boodschappentassen, waarvan het doorschijnende plastic op ploffen stond. Hij keek voor de derde keer achterom en ging, gerustgesteld dat niemand naar hem keek, aan de slag en trok een grote, ondoorzichtige zwarte vuilniszak over de kleinere, vol wettige valuta.

Toen gooide hij het deksel dicht.

Hij keek nog eens om om er zeker van te zijn dat niemand iets had gezien. Hij zag een truck langsrijden met op de zijkant de woorden COSMOS OPSLAGRUIMTEN en hij kreeg een idee.

Cosmos Opslagruimten was een hoge blokkendoos van B2-blokken in een korte straat van identieke blokkendozen vlak bij de Fresh Pond-rotonde, een naamloze rij van glasschadebedrijven en sanitairleveranciers. Het leek pas geschilderd, felgeel, als een kleurpotlodendoos. Hij parkeerde recht voor de deur, deed de BMW op slot en ging naar binnen. De opslagruimten bestonden uit rijen en nog eens rijen aangepaste palletrekken. Aan een bureau achter een raam zat een jonge vent met in beide oorlellen grote ringvormige piercings. Hij beantwoordde Ricks vragen op een toon die duidelijk maakte dat hij wel iets leukers wist dan in een box in een opslagruimte zitten. Hij schoof een klembord door de gleuf.

Tien minuten later had Rick de kleinste box gehuurd die ze hadden, op een verdieping, zoals alle kleinere boxen, en alleen bereikbaar via een verrijdbare stalen ladder.

De op bewegingsmelders reagerende lampen gingen aan toen hij door de gang liep, op zoek naar zijn box. Hij vond nummer 322, rolde de ladder ernaartoe, klom naar het hoogste platform en probeerde de sleutel. Het slot sprong open, maar het duurde even voordat hij had uitgevogeld hoe hij het stalen rolluik moest openen. *Rustig man*, zei hij tegen zichzelf. Hij haalde diep adem en inspecteerde de ruimte. De box was zo'n een meter twintig breed, een meter vijftig hoog en een meter tachtig diep. Ruimte te over. Vanbinnen was de box schoon en droog.

Het was geknipt. Een anonieme box in een gebouw waar niemand wie dan ook veel aandacht schonk.

Hij duwde een karretje naar de parkeerplaats en laadde de kofferbak leeg.

Tien minuten later had hij alle zes de zwarte vuilniszakken naar de box verplaatst. Hoewel er verder niemand leek te zijn die spullen kwam brengen of ophalen en er niemand was dan de jonge vent met de grote ringen in zijn oorlellen, opende Rick de zakken pas toen hij op zijn hurken in de box zat. Niet dat het nodig was. Hij wilde alleen maar kijken of het geld erin zat, of het nog steeds echt was. Hij weerstond de aandrang om het nogmaals te tellen. Hij keek om zich heen – de kust was veilig – stak zijn hand in een van de zakken, haalde er een paar stapeltjes uit en stopte ze in de binnenzak van zijn Mountain Hardwear-donsjack. Hij pakte nog een paar stapeltjes en stopte er een in alle vier de zakken. Zijn ski-jack was nu honderdduizend dollar waard.

Een zakcentje.

Toen hij klaar was trok hij het stalen rolluik omlaag, deed het op slot en keek om zich heen. Zijn hart bonsde en er verschenen zweetdruppels op zijn voorhoofd. Hij trok een paar keer aan het slot om er zeker van te zijn dat het dicht was.

Er was waarschijnlijk maar één persoon die wist hoe al dat geld verdomme in de kruipruimte in het huis in Clayton Street terecht was gekomen. Hoe het daar was gekomen en wat het daar deed.

Slechts één persoon.
En die man – Ricks vader – kon niet praten.

4

De tekst op het whiteboard naast de deur van de kamer van Leonard Hoffman luidde, in grote, krullerige purperen letters:

Leonard was advocaat in Boston
heeft 1 zoon en 1 dochter

Een soortgelijk bord hing naast de kamerdeur van alle bewoners in het Alfred Becker Nursing and Rehabilitation Center. Het moest het verplegend personeel eraan herinneren dat degenen die aan hun zorgen waren toevertrouwd echte mensen waren, met een echt gezin en een echt leven, en het gaf hun wat gespreksstof.

Alle verpleegkundigen en therapeuten deden alsof ze dol waren op Leonard, waarschijnlijk deels omdat dat bij hun werk hoorde, om familie die op bezoek kwam in de waan te brengen dat elke pa of oma hun lieveling was. Wat iets navrants had, want als Leonard Hoffman had kunnen praten, zouden ze pas echt gek op hem zijn geweest.

Hij had vroeger een, wat ze noemen, enorme persoonlijkheid gehad. Hij was innemend, grappig, sentimenteel. Hij hield van vrouwen en flirtte met ze op een manier die vleiend was, die absoluut niet klef was, zelfs niet voor een man van zijn leeftijd. Vrouwen waren altijd 'meisjes' voor hem. Ze waren 'lieverd' en 'schat' en 'poppie'. Als een ernstig infarct hem niet zou hebben beroofd van zijn vermogen om te flemen en te sjansen, zouden de verpleegsters stralend om hem heen hebben gestaan en quasi-berispend met hun wijsvinger hebben gezwaaid. Hij had nooit weerstand kunnen bieden aan een woordspeling of een grap. Als hij volledig over zijn spraakvermogen zou hebben beschikt, zou Leonard de mollige, donkerharige verpleegster met een knipoog hebben gevraagd: 'Weet je zeker dat je geen Griekse bent? Want voor mij zie je eruit als een godin.' Tegen de donkerogige verpleegster Jewel, de Caribische schoonheid, zou hij hebben gezegd: 'Je bent vast een Jamaicaanse – Jamaicaansen maken me gek!'

En ze zouden het prachtig hebben gevonden.

Hij was indertijd een beetje een rokkenjager geweest. Hij had zich altijd flamboyant gekleed, met een voorkeur voor felle gestreepte overhemden en dubbelknoops streepjespakken zoals Al Capone die gedragen had kunnen hebben, en kleurrijke dassen met bijpassend pochet.

Nu droeg hij een broek met een koord en een pyjamajas.

Maar het leven was geen *Spaar de spotvogel*. Lenny was niet bepaald Atticus Finch en Rick was Scout niet. Hun verstandhouding had niets omfloersts. Ze was gespannen, afstandelijk en frustrerend.

'Je hebt je lunch niet aangeraakt,' zei Rick.

Het gehaktbrood was afstotelijk beige, de erwten afzichtelijk felgroen. Vóór zijn infarct zou Len bij wijze van antwoord zijn vingertoppen op het eten hebben gelegd en gezegd hebben: 'Zo, ik raak het aan.'

Maar nu keek Len Rick slechts onheilspellend aan. Zijn gelaatsuitdrukking veranderde zelden. Hij had een doordringende, bijna onthutste blik, alsof hij net iets bloedstollends had gezien. Rick bezocht zijn vader bijna elke zondag, had dat sinds het infarct zo vaak mogelijk gedaan, maar hij kon nog steeds niet wennen aan zijn vaders gekwelde blik.

'Eerlijk gezegd,' zei hij, 'snap ik niet dat ze verwachten dat je die smerigheid opeet. Maar ik zal je geen ijsje mogen geven als je je gehaktbrood niet opeet.'

Zijn vader draaide zijn hoofd naar het raam en keek naar het verkeer in Brookline. Er zat een kloddertje speeksel in zijn linkermondhoek. Rick pakte het servet dat op zijn lunchblad lag en depte het speeksel op.

Het waren moeilijke tijden geweest sinds Lens lankmoedige, trouwe secretaresse, Joan, hem achttien jaar geleden na de lunchpauze, languit op de grond liggend had aangetroffen. Hij was in allerijl per ambulance naar het Mass General-ziekenhuis vervoerd, waar ze constateerden dat hij een wat ze noemden 'linkszijdige verlamming' had. Zijn linkerkransslagader, verkalkt en verstopt door tientallen jaren steaks en roomijs, was gesprongen en de bloedtoevoer naar zijn linkerhersenhelft was grotendeels geblokkeerd. Hij had een enorme laesie in de frontale, temporale en pariëtale kwabben.

Ze legden hem aan de beademing en legden uit dat hij waarschijnlijk afatisch was – wat betekende dat hij niet kon praten, waarschijnlijk niet kon lezen of schrijven, en ze wisten niet in hoeverre hij begreep wat er tegen hem gezegd werd. Rick vermoedde dat zijn vader een plant zou zijn. Wendy, als jongere zus, legde zich neer bij alle beslissingen van haar broer.

Na een week werd Leonard naar een revalidatiekliniek gebracht, waar hij een tijd lang vooruit leek te gaan. Een arbeidstherapeut had hem weer leren lopen, wat hij nu verwoed en wankelend deed, waarbij hij met zijn verstijfde rechterbeen zwaaide. Meestal gebruikte hij een rolstoel. Met zijn rechterarm kon hij niets meer. De rechterkant van zijn gezicht was verlamd. Een logopediste, een grote zwarte vrouw die Jocelyn heette, had tevergeefs geprobeerd met hem te communiceren. Het zag er niet goed uit.

Tot Jocelyn Rick op een dag in de gang voor de kamer van zijn vader had aangeklampt en had gezegd: 'Hij begrijpt ons. Ik weet het zeker.'

Ze trok hem de kamer in en gaf een demonstratie door een paar voorwerpen voor Len op tafel te leggen. Een sleutelbos, haar horloge, haar bril. 'Leonard, zou je naar het horloge willen kijken?' vroeg ze.

Leonard bewoog zijn ogen naar rechts en staarde onmiskenbaar naar haar roze Fossil-horloge.

Er was daar iemand, dacht Rick terneergeslagen.

Maar afgezien van dat ene kunstje scheen Len geen vooruitgang te boeken en een maand later werd hij naar een verpleeghuis gebracht, waar hij de godganse dag in een rolstoel voor de tv zat. Rick had nog steeds geen idee van hoeveel zijn vader begreep als je tegen hem praatte.

Hij was die ochtend niet geschoren, of misschien alleen maar slecht geschoren; op zijn kin en zijn ingevallen wangen zaten hier en daar grijze baardplukjes. Zijn vingernagels waren lang en geel en moesten dringend geknipt worden.

'Hé, pa, ik laat het huis wat opknappen.'

Len draaide zich om en keek in zijn richting. Zijn blik was vijandig, minachtend, zoals hij de laatste tijd altijd keek.

Tegen zijn vader praten had iets weg van tegen zichzelf praten, met dit verschil dat Rick sommige onderwerpen – Holly en zo, het brandende wrak van zijn carrière – angstvallig vermeed.

'Herinner je je Jeff Hollenbeck van de buren nog? Hij is tegenwoordig aannemer en hij doet het voor een zacht prijsje.'

Len staarde voor zich uit en knipperde een paar keer met zijn ogen.

'Weet je nog dat ik zei dat we het huis gingen verkopen

nu er niemand meer woont?' Hij zei er niet bij dat hij op de bank van Len sliep. Dat was te deprimerend en Len hoefde het niet te weten.

'Dus ik wilde je iets vragen.' Hij keek naar Lens ogen. 'Ik heb er iets gevonden... in het huis.' Hij wachtte even, keek achterom naar de deur en toen weer naar zijn vader. 'In de muur. Naast je werkkamer.'

'Ik dácht wel dat het Rick was!' riep een luide vrouwenstem. Rick draaide zich om en zag de hulp die hij de aardigste vond van allemaal, een dikke blonde vrouw, Brenda, die de kamer binnenviel. Ze was een jaar of vijftig en had een pagekapsel van dik, glanzend haar. Ze droeg een babyblauwe jasschort en had een vlinderbril met kleine bergkristalletjes, wat aanstellerig artistiek aandeed. De bergkristalletjes fonkelden in het licht van de plafonnière. Ze lachte haar brede, vette glimlach. 'Wacht, het is toch geen zondag, wel?'

'Nee, ik heb de boel wat omgegooid.'

'Poeh, dan ben ik toch niet de kluts kwijt.'

'Behandelt mijn vader je een beetje fatsoenlijk?'

'Je pa is een schat,' zei ze. 'We zijn allemaal dol op Leonard.' Ze wisten alle twee dat Brenda er geen idee van had wat voor iemand Leonard was, of hij een schat was of een monster. De man praatte niet, reageerde zelfs niet. Maar Rick stelde het toch op prijs dat ze het zei.

Ze keek op haar horloge. 'Het is bijna tijd voor *Judge Judy* en ik weet dat hij dat niet wil missen.'

'Pa en ik moeten nog even praten.' Zijn vader had nooit naar *Judge Judy* of welke rechtbankserie ook gekeken, in de tijd dat hij zijn mening nog kon geven, en hij betwijfelde of Len het nu leuk vond. En zo ja, dan kon hij het niemand laten weten.

'Leonard, wat is er met je lunch, lieverd?' vroeg ze. 'Geen trek vandaag?'

'Ik denk dat hij niet erg van gehaktbrood houdt.'

Toen Brenda aanstalten maakte om weg te gaan, vroeg Rick: 'Heb je een nagelschaartje?'

'Natuurlijk.' Ze draaide zich een kwartslag om, pakte een nagelschaartje uit een lade en gaf het met een zwierig gebaar aan Rick.

'Laat me je handen eens zien, pa.' Hij pakte Lens linkerhand en begon zijn vaders dikke, gegroefde nagels te knippen, en Brenda dribbelde de kamer uit.

Rick knipte langzaam. Zijn vader stak zijn handen uit, om beurten. Het deed vreemd intiem aan. Alsof je voor een klein kind zorgde. Hij bedacht hoe alles vroeg of laat terugkomt. Hij realiseerde zich met een schok dat zijn ogen traanden.

Hij stopte met knippen. 'Jeff en ik hebben op proef wat gesloopt,' zei hij zacht, 'en we hebben de muur naast je werkkamer opengebroken, achter in de kast.' Lens mond was bevroren in die hooghartige uitdrukking, maar zijn waterige ogen keken bezorgd. Ze volgden die van Rick. 'Er zat geld in. Een enorme smak geld. Miljoenen dollars. Heb je enig idee hoe dat daar is gekomen?' Rick slikte. 'Is het van jou?'

Lens rusteloze ogen kwamen tot stilstand en keken recht in die van Rick.

'Is het van jou?'

De blik van de oude man boorde zich in de zijne. Toen knipperde hij snel met zijn ogen, drie of vier keer. Nerveus misschien.

'Wil je me iets duidelijk maken, pa?' Zijn vader kon soms met zijn ogen knipperen, één keer voor ja en twee keer voor nee. Maar niet altijd, en niet consequent. Kon hij het soms niet meer, ging het op en af? Of gaf hij zijn pogingen op? Rick had geen idee.

Het knipperen stopte en werd na enkele tellen hervat.

'Als je eens één keer knipperde voor ja en twee keer voor

nee? Dat geld dat ik gevonden heb – is dat van jou? Eén keer voor ja, twee keer voor nee.'

Len keek Rick strak en zonder te knipperen aan, hield zijn blik enkele seconden vast.

Knipperde toen twee keer.

'Nee,' zei Rick. 'Het is níét van jou, correct?'

Niets. Toen één knippering.

Ja.

'Oké, zo komen we ergens.' Ricks hart begon sneller te kloppen. 'Weet je... weet je van wie het is?'

Niets. Er gingen vijf, tien seconden voorbij en Len knipperde niet. Hij wendde zijn blik af, knipperde een paar keer, maar het leek niets te betekenen.

'Pa, van wie is het?' vroeg Rick voordat hij zich realiseerde dat hij geen vraag kon stellen waarop niet met ja of nee kon worden geantwoord. 'Ik probeer het opnieuw: weet je van wie het is?'

Nu knipperde Len snel, niet een of twee keer. Vele keren, te veel om te tellen.

Het was moeilijk te zeggen, maar het leek alsof hij bang was.

5

Hij had honderdduizend dollar die een gat in zijn jack brandden en geen bestedingsruimte meer op zijn creditcards. Zijn Citicard MasterCard, zijn Visakaart van de Bank of America, zijn Capitol One MasterCard – allemaal aan de limiet, allemaal even waardeloos als Confederatie-dollars.

Hij liep rond met een krankzinnige hoeveelheid contant

geld en had nog veel meer in een opslagruimte liggen, in een wereld waarin steeds minder mensen contant geld aannamen. Wie gebruikten grote hoeveelheden contant geld? Drugsbaronnen en maffiosi. Criminelen. De beruchte plaatselijke gangster Whitey Bulger, ondergedoken in Santa Monica, betaalde zijn huur contant, had Rick ergens gelezen. Natuurlijk, piccolo's en parkeerhulpen gaf je een fooi in echt geld, maar koop een vliegtuigticket met contant geld en je krijgt de Homeland Security achter je aan.

Hij reed naar Harvard Square en draaide een minuut of tien rondjes, op zoek naar een parkeerplek, voordat hij zich realiseerde dat hij het zich nu kon permitteren in die belachelijk dure parkeergarage in Church Street te parkeren. Bij de Bank of America-vestiging naast de Harvard Coop stortte hij negenduizend dollar op zijn lopende rekening. Daarna opende hij een rekening bij de Cambridge Trust-bank aan de overkant en stortte daar vijfennegentighonderd dollar op. Zolang hij niet meer stortte dan tienduizend dollar was er niks aan de hand. In JFK Street zag hij een uithangbord van de Citizens Bank en ging naar binnen.

Hij had nu 28.500 dollar op drie afzonderlijke rekeningen, met de bijbehorende voorlopige chequeboekjes. Het leek een klein fortuin.

Tegen het eind van de middag was hij weer in het huis. De zijdeur aan de oprit, die uitkwam in de keuken, was niet op slot. Raar. Hij kon zich niet herinneren dat hij hem niet had afgesloten. Hij vroeg zich af of Jeff het had gedaan.

Toen hij de deur opende zag hij een map die onder de deur door was geschoven. Hij raapte hem op en sloeg hem open. Er zat een stapeltje aan elkaar geniete pagina's in met het briefhoofd van Hollenbeck Aannemersbedrijf.

Het was een verbouwingsvoorstel, op een voorgedrukt formulier, een lijst van werkzaamheden. Slopen en renoveren, de datum waarop het werk zou beginnen (morgen!) en klaar zou zijn (eind maart). Een heleboel juridisch gewauwel.

En een standaard betalingsschema, inclusief een aanbetaling. De kosten waren redelijk, maar er werd niets gezegd over een ruilhandeltje. Niets over dat Jeff het werk zou doen en betaald zou worden uit de opbrengst van het huis.

Alle betalingen moesten contant gebeuren, te beginnen met 'Aanbetaling 8000 dollar'.

Als hij nog had getwijfeld of Jeff het geld had gezien, dan was dat nu wel over.

Hij aarzelde, overwoog of hij met Jeff in discussie zou gaan, besloot toen dat het niet de moeite waard was. Hij pakte een pen en ondertekende beide exemplaren van het contract. Toen ging hij naar buiten. Jeff had tientallen jaren niets aan zijn eigen huis gedaan, afgezien van het schilderwerk buiten nog niet zo lang geleden. Ook de zijdeur van zijn huis kwam uit in de keuken. Die keuken, met zijn vitrage aan de deur, het gele behang met fruitmotief, en het Kenmore-fornuis en -koelkast, leek volmaakt geconserveerd, nog precies zoals het was toen Rick en Jeff kinderen waren. Rick schoof de kopieën van het contract onder de deur door, plus een cheque van een van zijn nieuwe bankrekeningen. Hij dacht erover op het raam te kloppen en naar de wijzigingen te informeren, de financiële voorwaarden die ze niet overeen waren gekomen, maar besloot dat hij er beter niet op in kon gaan. Jeff had iets gezien, had het geld gezien, dat was duidelijk. Maar niet meer dan een glimp. Hij had geen idee hoeveel het was.

Rick ritste zijn slaapzak al dicht en ging ongemakkelijk op de bank liggen toen het opeens tot hem doordrong, als een donderslag bij heldere hemel. Hij hoefde hier niet meer te blijven. Hij hoefde niet meer te leven als de berooide, schraperige man die hij was geweest. Hij kon in een hotel trekken. Hij kon in het Four Seasons trekken als hij daar zin in had.

Morgen zou hij een fatsoenlijke plek zien te vinden. Vandaag zou hij genieten van zijn laatste nacht in de slaapzak op de leren bank in de werkkamer van zijn vader. Nu hij kon kiezen of hij hier wel of niet zou slapen, kon hij het zien als een soort kamperen.

Hij stond weer op en liep door de vertrekken op de begane grond. Het rook er vaag naar gas – geen eekhoornpis – maar niets om bang van te zijn. Een geur die werd verspreid door het gasfornuis, misschien een minuscuul lekje in de waakvlam. Het behang achter het fornuis was verschroeid door een kookongelukje jaren geleden. Brandend vet van de keer dat Wendy had geprobeerd een kalkoen te braden.

Hij vond de plek in de bijkeuken waar de lichaamslengte van hem en zijn zus was vastgelegd in horizontale strepen met pen of viltstift. Ze waren ermee gestopt toen hij en Wendy naar de middelbare school gingen. Misschien hadden hij en zijn zus geweigerd de vernedering nog langer te ondergaan, het liniaal op hun hoofd en zo. Hij wist het niet meer.

Het huis riep geen nostalgische gevoelens bij hem op, maar hij voelde onwillekeurig een zachte steek toen hij die strepen zag. Rick – 2 maart '85, 125 cm... Rick – 14 nov. '92, 160 cm... Tussen zijn zevende en zijn veertiende had hij een groeispurt gemaakt. De streep op de muur van de bijkeuken was het bewijs. Binnenkort zou die verdwenen zijn, het behang gestript, de muren opnieuw geschilderd, tegelijk met de schroeiplek in de keuken en de littekens en schrammen van een huis waarin twee kinderen waren opgegroeid.

Hij ging weer naar boven en deed de lichten achter zich uit. Hij draaide de radiator hoger en viel op de bank in slaap.

Midden in de nacht werd hij wakker van een krakend geluid.

Hij opende zijn ogen. Het enige licht in de kamer was dat van de straatlantaarn in Clayton Street. Het geluid had geklonken alsof het ergens in het huis was, misschien een verdieping lager.

Iemand op de trap?

Hij wachtte, luisterde. Het huis was oud en had altijd de hele dag rare, willekeurige geluiden gemaakt, als van een bejaarde die zich moeizaam in een leunstoel laat zakken. 's Nachts, als alles stil was, viel het meer op.

Hij draaide zich om en deed zijn ogen dicht. De leren bank piepte als hij bewoog.

Hij hoorde het opnieuw en ditmaal leek het beslist van de trap te komen. Het geluid van een voetstap, een voorzichtige zware tred. Geen vergissing mogelijk.

Hij kwam overeind en voelde dat zijn hart begon te bonzen. Hij gleed uit de slaapzak en stond geluidloos en langzaam op. Hij luisterde.

Opnieuw een gekraak.

Het klonk alsof het van buiten de gesloten deur van zijn vaders werkkamer kwam. Hij sloop op blote voeten over de vloer, voorzichtig – de vloer hier kraakte net zo luid als de trap – tot hij bij het bureau van zijn vader was. Hij zocht naar een wapen of iets wat als wapen kon dienen. Daar stond zijn vaders antieke computer, de IBM, onder een plastic stofhoes. Hij trok de middelste bureaula open, zocht iets, een schaar, een briefopener, een nietmachine, iets zwaars of scherps. Niets – alleen wat oude potloden. Een geslepen potlood kon als wapen worden gebruikt, maar alleen van dichtbij, als het erop aankwam, en dat had hij liever niet.

Zijn blik viel op de bronzen buste op het bureau achter de computer. Een borstbeeld van iemand die zijn vader had bewonderd, waarschijnlijk Henry David Thoreau. Of was het Ralph Waldo Emerson? Hij pakte het op; het was koud in zijn handen, en zwaar. Hij schuifelde naar de deur van de werkkamer. Hij bleef staan en luisterde nogmaals. Dacht erover het plafondlicht aan te doen, besloot toen ervan af te zien.

Hij hoorde opnieuw iets. Jochies van Rindge and Latin? Maar die zouden niet rondsluipen. Als ze inbraken, deden ze dat omdat ze er zeker van waren dat er niemand thuis was. En dus geen reden om het zachtjes aan te doen. Ze zouden luidruchtig zijn. Dronken en luidruchtig. Uitbundig.

Hij wachtte, haalde langzaam en zachtjes adem. Opnieuw een gekraak, niet dichterbij dan de vorige keer. Hij luisterde met bonzend hart en concludeerde dat het van boven kwam. Hij kon het gestage kraken nu horen boven zijn hoofd, meer binnenshuis en gedempt, het geluid van oude, gebarsten vloerplanken die protesteerden onder het gewicht.

Wie er ook binnen was – want er wás iemand – beklom de trap naar de tweede verdieping.

Hij haalde gelijkmatig adem en luisterde. Het geluid verwijderde zich.

De indringer was boven.

Hij draaide de deurknop om en opende de deur, langzaam, voorzichtig, voorbereid op het knarsen van een scharnier, klaar om desnoods te stoppen. Hij opende de deur halverwege, net genoeg om naar buiten te glippen. Hij durfde niet het risico te nemen hem nog verder te openen en een verraderlijk piepen te veroorzaken.

Toen hij in de gang was bleef hij staan en luisterde dertig seconden, maar het leek een eeuwigheid. Hij wilde zeker weten dat het geluid inderdaad van boven kwam, niet van de eerste verdieping. Hij kreeg een strak gevoel in zijn borst en ademde snel.

Het geluid kwam inderdaad van de overloop boven, het

zachte, gestage kraken van zware voeten die over de houten vloer liepen, gestaag maar voorzichtig.

Hij wist welke treden kraakten en welke niet. Zijn slaapkamer, en ook die van Wendy, was op de tweede verdieping geweest en hij was de trap ontelbare keren op en af gelopen. Hij was toen hij op de middelbare school zat 's avonds laat naar boven geslopen, af en toe dronken of stoned. Hij wist hoe hij de trap geruisloos kon beklimmen, zelfs geblinddoekt.

Het was niet Jeff – die zou niet door het huis sluipen, in elk geval niet nu hij wist dat Rick er logeerde. Of toch wel?

Stel dat het Jeff was.

Hij had het geld gezien, maar er niets over gezegd, nog niet. Misschien was hij teruggekomen om te zien of er nog meer in het huis was verborgen. Maar toen realiseerde Rick zich: dat was wel erg vergezocht. Het geld had achter een kastwand gezeten. Als er nog meer te vinden zou zijn, zou het ergens achter het stucwerk verstopt zitten, en alleen bereikbaar na wat sloopwerk. Het was onbestaanbaar dat Jeff om twee uur 's nachts door het huis sloop.

Maar wie was het dan wel?

Er kwam een vluchtige, paranoïde gedachte in hem op. Ondanks al zijn voorzorgsmaatregelen had iemand hem gezien met al dat geld. Maar wie? Was hij vanaf de opslagruimte naar huis gevolgd? Maar wie kon hem daar hebben gezien? Alleen dat joch met de grote ringen in zijn oren, die nauwelijks aandacht aan hem had geschonken.

Misschien had iemand in de buurt hem gezien toen hij de plastic zakken vol bankbiljetten naar zijn auto had gebracht. Hij kende de meeste buren niet meer. Het was niet onmogelijk dat iemand hem had gezien, iemand die brutaal en crimineel genoeg was om in te breken. Misschien had iemand de voordeursleutel in handen gekregen. Misschien had iemand al eerder ingebroken en wist nu hoe het snel en stil kon gebeuren. Een scholier misschien.

Hoe meer hij erover nadacht, hoe banger hij werd.

Als hij er iets aan wilde doen, werd het nu tijd. Meteen.

Met de bronzen buste in zijn vuist liep hij de trap op, zette zijn voet op de voorkant van de eerste trede, daarna op de achterkant van de tweede en vermeed zo de luidruchtige plaatsen waar de oude planken in de loop van de jaren scheef waren getrokken of gekrompen, of allebei. Een bleek schijnsel van de maan viel door het raam naar binnen. Hij keek naar de bovenkant van de trap, zag niemand.

Een plank onder zijn voeten kraakte en hij bevroor. Hij bleef staan, wachtte en luisterde. Hij hoorde de voetstappen boven, nog steeds over de vloer schuifelend.

Hij klom nog enkele treden hoger, geruisloos. Wachtte en luisterde. Bereikte eindelijk de overloop van de tweede verdieping.

Zijn ogen waren aan het zwakke licht gewend. Hij keek om zich heen of hij een gedaante zag, maar er was niets.

'Oké,' zei hij. 'Wie je ook bent, kom nu naar buiten.'

Hij hief het bronzen borstbeeld op en boog zijn arm, klaar om te slaan als het nodig was, maar even klaar om zich in te houden als de indringer slechts een scholier was, schaapachtig en vol verontschuldigingen.

Vanuit het donker werd er iets in zijn buik geramd, zodat hij dubbelsloeg van de pijn. Hij viel, zijn hoofd raakte de houten vloer en de buste kletterde de trap af. Hij proefde bloed, metalig en warm. Luide voetstappen achter hem. Hij probeerde adem te halen, maar hij was in zijn maagstreek geraakt en de pijn was scherp en snijdend, alsof er iemand op zijn borst zat; hij kon niet ademen, spuugde bloed. Iemand denderde langs hem heen en de trap af.

Beneden klonk een gekraak en een bons, het geluid van

een dichtvallende deur, en de indringer was verdwenen.
Nu wist hij dat hij geen keus had. Hij moest hier weg.

6

Hij ging te voet, licht hinkend en met bonzend hoofd, naar Harvard Square en het Charles Hotel. De pijn was aanzienlijk minder geworden. Hij was geschopt of geslagen of ergens tegenaan gelopen. Zijn buik was pijnlijk en gekneusd. Zijn ribbenkast deed zeer, vooral als hij inademde. Hij had hard op zijn lip gebeten toen hij viel. Verder was hij ongedeerd. Tegen de tijd dat hij overeind was gekrabbeld en naar beneden was gegaan, was de inbreker verdwenen.

Hij had geen idee hoe de man – hij nam aan dat het een man was – was binnengekomen, maar twijfelde er niet aan dat hij op het geld uit was. Het huis was niet veilig.

'Ik heb een luxe tweepersoons voor drie negenennegentig,' zei de receptionist – midden twintig, keurig getrimde baard, geëpileerde wenkbrauwen.

'Ik neem hem.' Hij aarzelde. 'Jullie nemen toch contant geld aan?'

'Natuurlijk, meneer, maar ik moet een kopie van uw creditcard maken voor het geval dat.'

Hij overhandigde een van zijn nutteloze creditcards en hoopte dat de receptionist hem niet zou controleren.

Het schoot hem te binnen dat hij in feite de presidentiële suite had kunnen nemen, als het Charles er een had. De duurste suite in het hotel. Maar op dit moment leek een verblijf in een redelijke hotelkamer al een buitensporige uitspatting. Minstens tot hij wist van wie dat geld was, zou hij... bescheiden zijn, zoals hij het het liefst noemde.

Hij ging naar zijn kamer en was opgelucht toen hij de deur achter zich op slot deed. Hij voelde zich veilig. Later zou hij een koffer halen. Hij haalde de stapeltjes geld uit zijn ski-jack en borg ze op in de kluis van het hotel. Hij haalde zijn MacBook Air uit zijn schoudertas en deed haastig wat onderzoek.

De secretaresse van zijn vader – in feite was ze meer dan dat geweest; ze was zijn adviseur, verkeersagent, pretoriaanse lijfwacht en persoonlijk assistent – was een vrouw die Joan Breslin heette. Een nuchtere vrouw met platinablond haar en een South Boston-accent, bruuske manieren en een scherpe tong. En blijkbaar zo geduldig als Job, dat ze Lens schelmenstreken al die jaren had verdragen. Voor zover Rick het zich herinnerde was ze na het infarct van zijn vader met pensioen gegaan. Ze woonde in Melrose of Malden of Medford, een van de M-steden rondom Boston.

Hij had haar telefoonnummer, maar wist niet waar ze woonde. Switchboard.com bood geen uitkomst. Er stond een lange rij Breslins in Melrose en Malden, maar geen Joan. Ze was getrouwd, wist Rick bijna zeker, of weduwe, en ze behoorde tot de generatie van vrouwen die gewoonlijk de naam van hun man aanhielden. Dus ze kon onder John of Frank of wie ook staan, maar waarschijnlijk niet onder Joan. Zabasearch.com was nuttiger, omdat die ook leeftijden vermeldde. Ten slotte vond hij een Joan Breslin, tweeënzeventig jaar oud, in Melrose, opgenomen onder de naam van haar man, Timothy.

De telefoon ging vijf keer over en werd toen opgenomen door een vrouw. Hij stelde zich een lichtbruin wandtoestel in de keuken voor, met een lang spiraalsnoer dat in de knoop zat.

'Met Joan?'

'Met wie spreek ik?'

'Met Rick Hoffman. De zoon van Leonard Hoffman.'

Stilte. 'O, goeie god, Rick, hoe is het met je?'

'Goed. En... Tim?'

'Nou ja, je weet...' Ze klonk opeens bezorgd. 'O nee, is het... Lenny?'

'Pa maakt het goed. Ik bedoel, nog hetzelfde.'

'O, gelukkig. Ik heb hem een paar jaar geleden bezocht, Rick, maar het is moeilijk, snap je. Hem zo te zien.'

'Ik weet het.'

'Ik kan het niet. Het... verscheurt me.'

'Mij ook,' zei hij. 'Mij ook. Bedankt daarvoor.' Hij zweeg even. 'Ik heb lang niets meer van je gehoord, dus ik neem aan dat alles in orde is met de verzekering, ja?' Ze had een langlopende verzekering voor Leonard afgesloten en aangeboden alle administratie voor hem bij te houden zolang als hij leefde.

'Alles is in orde, niets om je zorgen over te maken.'

'Joan, ik vroeg me af, als het niet ongelegen komt, of ik bij je langs mag komen om wat te praten. Ik heb een paar vragen.'

Ongelegen. Alsof je agenda vol is, dacht Rick, tussen spelletjes mahjong en tochtjes naar de supermarkt en het postkantoor om postzegels te kopen, één voor één.

'Praten? Ik weet niet wat ik...'

'Alleen maar een paar losse eindjes met betrekking tot mijn vader zijn advocatenkantoor. Het gaat over... Nou ja, ik weet niets van hoe advocatenkantoren werken. Dingen zoals derdenrekeningen en wat hij deed met geld en dat soort dingen.'

'Derdenrekeningen? Is er iemand die klaagt dat hij zijn voorschot niet heeft teruggekregen? Want...'

'Nee, niets van dat alles. Het is een beetje... gecompliceerd.

Mag ik naar, eh, Melrose komen, dan kunnen we misschien een kop koffie gaan drinken?'

'Ik heb logés,' zei ze. 'Kan het wachten?'

Rick sprak af dat hij haar over een paar dagen opnieuw zou bellen, als haar logés weg waren, maar hij was niet bijster optimistisch. Ze had niet verdedigend of verbaasd geklonken aan de telefoon. Als ze iets wist over een enorme hoeveelheid geld, had ze anders geklonken, concludeerde hij. Ontwijkend misschien, als ze betrokken was geweest bij een doofpotaffaire. Of bang. Of op zijn minst alsof ze iets wíst.

Hij verliet het hotel om wat inkopen te doen voor de komende paar dagen.

Een halfuur later, in de rij in een supermarkt in Mount Auburn Street, achter een karretje vol ontbijtvlokken, melk, yoghurt plus wat junkfood, SunChips en Tostitos Hint of Lime, hoorde hij iemand die zijn naam riep. Hij draaide zich om.

'Rick? Je bent het écht. O, mijn god.'

'Andrea.' Zijn gezicht klaarde op.

Hij had de vrouw achter hem in de rij, in joggingbroek en een lange, dikke witte donsjas, en haar verwarde haren bijeengebonden met een hoofddoek, nauwelijks opgemerkt. Ze zag er op het eerste gezicht uit als een overbelaste mama die haar boodschappenlijstje zo snel mogelijk afwerkte.

Andrea Messina was tijdens zijn laatste jaar op Linwood zijn vriendin geweest. Ze waren samen uitgegaan, eerst half formeel in de winter en na hun eindexamen tot in de zomer, tot hij het had uitgemaakt voordat hij ging studeren. Hij had haar sindsdien niet meer gezien. Alleen al het zien van haar maakte dat hij zich ongemakkelijk en schuldig voelde. Hij was een zak geweest en had daar nooit de prijs voor betaald.

Hij omhelsde haar en kuste haar wang. Ze kuste in de lucht. Ze rook naar een nieuw, ander parfum dan hij zich herinnerde, iets wereldser, maar een vrouw had het recht om na twintig jaar op een ander parfum over te stappen.

Op het tweede gezicht zag hij dat ze, ondanks haar verfomfaaide uiterlijk, aantrekkelijk was, heel aantrekkelijk. Nog aantrekkelijker dan op de middelbare school. Ze was altijd knap geweest, ogen als van een hinde, innemend, gracieus. Een ballerina. In haar bruine haren zaten honingkleurige plukken. Haar gezicht was smaller geworden... geprononceerder. Ze had nog steeds een gave huid; die had ze altijd al gehad, maar bij een vrouw van midden dertig was het bijzonder opvallend. Ze was met de jaren mooier geworden.

'Geweldig,' zei ze. 'Ik heb je in zeg maar geen eeuwen gezien en ik zie eruit als een zwerfster.' Ze trok aan haar hoofddoek en streek een paar losse lokken achter haar oren. Hij zag dat ze geen trouwring droeg.

'Allesbehalve,' zei Rick. 'Je ziet er schitterend uit. Woon je hier ergens?'

'Vlak bij Fresh Pond, ja. Woon jij niet in Boston? Niet hier in de buurt....?'

'Ik klus wat in het oude huis in Clayton Street.'

'Is je vader nog...?'

'Hij leeft nog, ja. In een verpleeghuis.'

'Ik hoorde dat hij een ernstig infarct heeft gehad.'

Hij knikte. 'Klote, maar het is niet anders.' Hij had een hekel aan die loze kreet – wat betekende het trouwens, *het is niet anders*? – maar het was hem gewoon ontglipt. Het was niet anders. Hij had voor *Back Bay* ooit een lokale hiphopberoemdheid geïnterviewd die telkens weer zei *Het is niet anders* en *Ze kunnen me de rug op* en *Ik wil gewoon mijn eigen leven leiden*. 'Alles goed met je vader en moeder?'

'Charlie en Dora zijn nog altijd Charlie en Dora, dus... ja.'

Hij keek naar het winkelwagentje vol Goldfish- en volkorencrackers, pakken sinaasappel- en appelsap, pindakaas en

Fruit Rolls-Ups. 'Rare vraag, maar heb je een kind?' Hij vermeed de vraag of ze wel of niet getrouwd was; de afwezigheid van een trouwring leek alles te zeggen. 'Of misschien ben je helemaal verslingerd aan snacks.'

'Evan is zeven.' Ze glimlachte. 'Het rijmt zelfs bijna. Maar niet lang meer – binnenkort wordt hij acht.'

'Evan eet hopen Goldfish, zie ik. De gezinsverpakking.'

'Hij heeft een verjaardagsfeestje. En jij bent nog steeds een gezond-etenfanaat.'

'Bedoel je dat Tostitos geen basisvoedsel zijn?'

'Ik rook een vleugje citroen, dus je krijgt je vitamine C wel binnen.'

Hij keek haar aan en hield zijn hoofd scheef. 'Waarom dacht ik dat je in New York woonde?'

Hij wist nog dat ze naar de universiteit van Michigan was gegaan, maar daarna was hij haar uit het oog verloren. Hij dacht dat ze na haar afstuderen misschien de obligate overstap naar Manhattan had gemaakt.

'Ja, ik heb een seconde of twee bij Goldman Sachs gewerkt.'

'Goldman Sachs?' Dat had hij niet verwacht. Hij had haar ingeschat op een bescheidener carrière, bij de overheid of een verzekeringsmaatschappij. Minder indrukwekkend in elk geval. Goldman Sachs leek nogal hoog gegrepen voor de Andrea die hij kende.

'Ja. Hoe gaat het in de tijdschriftenbranche?'

'Eh, ik ben eruit gestapt, zou je kunnen zeggen.'

'O ja? Wat doe je nu?'

'Van alles wat.' Hij legde zijn Golden Grahams, Cheerios en Tostitos op de band en zette het groene plastic balkje als een leesteken achter zijn boodschappen. Hij keek weer naar haar om en glimlachte. 'Hé, heb je ooit tijd om uit eten te gaan? Vanavond bijvoorbeeld?'

'Vanavond? Ik bedoel... ik kan onmogelijk zo gauw nog

een oppas krijgen.' Ze bloosde. Nu herinnerde hij het zich weer: als ze in verlegenheid gebracht of opgewonden was, bloosde ze. Haar doorschijnende huid verraadde haar onbehagen als een lichtboei. Ze kon het nooit verbergen.

'Morgenavond dan?'

'Ik zou... ik zou mijn zus kunnen vragen... maar het punt is dat ik het niet te laat kan maken. Mijn dag begint idioot vroeg.' Ze draaide een haarlok om haar vingers. 'Is het goed als ik erop terugkom?'

Meestal betekende dat nee, wist hij. Maar iets zei hem dat het ditmaal ja betekende.

7

Ricks ex-verloofde, Holly, had een klein appartement in Marlborough Street in Back Bay. Nadat ze de verloving had verbroken was ze daar weer ingetrokken. Door het schreeuwend opvallende feit dat ze het zelfs toen ze verloofd waren per se wilde aanhouden, had hij zich moeten realiseren dat ze altijd met één voet buiten de deur had gestaan. Op een dag had ze gezegd dat ze blij zouden zijn dat 'ze' die extra ruimte hadden, voor opslag en zo. Misschien een kantoor.

Ze hadden samengewoond in de ruime driekamerflat in Beacon Street, hetzelfde gebouw waar Tom Brady, de quarterback van Boston, ooit had gewoond met zíjn partner, een fotomodel. Toen Rick en Holly uit elkaar gingen, konden ze het zich geen van beiden permitteren. Ze hadden het zich al amper kunnen permitteren toen Rick nog een baan had.

Holly's flatje was mooi en sierlijk als een bijouteriedoosje, net als de vrouw zelf, maar ook een beetje krap en onpraktisch, net als de vrouw zelf. Dat vond hij in elk geval toen ze de deur opende in een giftige walm van recent aangebrachte Chanel No. 5. Hij was niet in een vergevingsgezinde bui.

Ze had per se gewild dat hij zijn Wilson audio-boxen kwam halen, anders zou ze ze in de supermarkt te koop aanbieden. Ze had geen zin in die gigantische luidsprekerboxen en ze had haast. De verhuizers zouden morgen komen om in te pakken en haar te verhuizen. Ze werkte bij de modeafdeling van een reclamebureau en ze hadden haar promotie en een dikke salarisverhoging aangeboden en trouwens, haar moeder en haar zus woonden in Zuid-Florida.

'O, hai,' zei ze, alsof ze hem niet had verwacht. Alsof hij een handelsreiziger was, een lastpost die haar dag verstoorde. 'Kom binnen.'

Ze had haar lunchtijd uitgetrokken om hem hier te ontmoeten en ze leek er niet blij mee te zijn. Ze was gekleed voor haar werk: een zwartleren motorjack over een wit topje met een open hals, strakke zwarte spijkerbroek en zwartleren laarsjes met noppen. Haar kontje was perfect.

Ze had ook pas nog haar lippen bijgewerkt, dus ze vond het blijkbaar belangrijk hoe ze er in zijn ogen uitzag, hoewel ze hem ostentatief niet had gekust. In haar vak kusten ze elkaar voortdurend op de wang, zelfs onbekenden.

'Ik heb volop noppenfolie, als je het nodig hebt.' Ze wees vaag naar een paar grote rollen in de hoek naast haar toilettafel. Haar nagels waren robijnrood gelakt. Hij reed het steekwagentje dat hij van Jeff had geleend naar binnen en loodste het door een fjord tussen kliffen van keurig ingepakte en geëtiketteerde dozen.

'Trouwens, Rick, het spijt me dat ik het moet vragen, maar ik krijg nog pakweg duizend dollar van je.'

'Waarvoor?'

'De creditcardaflossing. Weet je nog dat we de mijne moesten gebruiken omdat jouw kaarten aan hun limiet zaten?'

'O, ja.'

'Sorry dat het zo is gelopen. Je kunt het geven als je het hebt. Hij vervalt pas volgende week.'

Hij pakte zijn portemonnee. '*Pakweg* duizend dollar?'

'Elfhonderd vijfentwintig om precies te zijn. Duizend honderdvijf...'

'Ik kan rekenen.' Hij telde elf briefjes van honderd af, zocht naar een van vijfentwintig, vond er in plaats daarvan een van vijftig en stopte haar het stapeltje toe.

'Wauw, iemand zit opeens goed bij kas.' Ze glimlachte en toonde haar perfect gewelfde bovenlip, haar perfecte tanden. Haar ouders hadden niet bezuinigd op de orthodontie van hun twee knappe dochters.

'Ik heb wat spullen van mijn vader verkocht.' Hij begon de boxen in bubbeltjesplastic te wikkelen en hanneste met een ingewikkelde tapedispenser, gaf het op en scheurde een strook plakband af. 'Gefeliciteerd met je promotie,' zei hij. *Met wat je ook doet, maar dan voor meer geld.* 'Wat houdt je nieuwe functie in?'

Ze deed iets met 'merkpositionering', ontwikkelde 'merknamen' voor haar cliënten, beelden en boodschappen voor modeontwerpers. Zorgde voor de 'uitdaging' van een merk, gaf een 'krachtige' boodschap af, werkte aan een verkoopstrategie en ontwikkelde werkbare plannen om afgesproken targets te halen.

Of soortgelijk geleuter. Het was toch allemaal gebakken lucht. Het verpakken van zinloze prietpraat. Het was werk, iets waarvan ze de huur kon betalen tussen twee opdrachten in, die in Boston niet echt dik gezaaid waren. Haar bedrijfsmotto was briljant stompzinnig: 'Versimpel'. Misschien had hij beter moeten opletten: wat hun relatie betreft was haar 'verkoopstrategie' geweest dat ze hem uit haar leven 'versimpelde'.

'Ik ga...' begon ze. Toen: 'Alsof het je iets interesseert.'

'Natuurlijk interesseert het me.' Ergens vlakbij ging een autoalarm af.

'Hoe dan ook,' zei ze, 'ik krijg veel meer verantwoordelijkheden en dertig procent salarisverhoging, en ik verhuis naar Miami, zodat ik mama kan helpen.'

'Hoe is het met Jackie? Speelt haar lupus weer op?'

'Rick, oké, je mag nu stoppen.'

'Waarmee?' Hij schoof de voetplaat van het steekwagentje onder een van de ingepakte boxen en realiseerde zich dat hij twee keer op en neer zou moeten lopen naar de auto.

'Met doen alsof het je ooit iets kon schelen.'

'Niet wéér, hè?' kreunde hij.

'Sorry Rick, maar je was zo níét klaar voor het huwelijk. Ik snap niet dat je me ooit gevraagd hebt.' Ze had de verlovingsring met diamant voor weinig geld verkocht aan een juwelier in het centrum. Hij vond dat ze op zijn minst de opbrengst hadden moeten delen, maar was te moedeloos om er ruzie over te maken.

'Omdat ik de rest van mijn leven met jou wilde doorbrengen. Wat jij overigens ook helemaal zag zitten, totdat het salaris niet meer werd gestort.'

'O, alsjeblieft.' Ze zette een hand in haar slanke taille. Ze was nog beter in vorm dan toen ze nog samenwoonden. De rouw om hun verloving had haar blijkbaar niet weerhouden van haar pilates. 'Je kon onmogelijk minder belangstelling hebben gehad voor mijn innerlijk leven. Ik was een... accessoire. Altijd als we naar een feest gingen of naar een geldinzamelingsactie, was het overduidelijk dat ik niet meer dan een pronkstuk was. Je lette zo goed op hoe de mensen naar me keken. Je pronkte met me alsof ik verdomme je vuurrode midlifecrisis-Ferrari Testarossa was. *Vreet jezelf maar op van jaloezie; kijk eens wie ik aan de haak heb geslagen.*'

Hij sputterde tegen. 'Je wilde alleen maar niet in armoede leven en nu heb je het door.'

'Nee, nee, Rick, ik had jóú door. Je hield altijd bij wie in was en wie uit. Ik was dat lange blondje wie wit zo geweldig staat. Je vond het heerlijk als anderen jaloers waren.'

'Dat is niet waar. Ik hield van je.'

'Nee, Rick, je hield dáárvan.'

Hij schudde meesmuilend zijn hoofd, maar iets zuurs achter in zijn keel zei hem dat ze misschien een punt had.

8

Toen Rick de volgende ochtend zijn rode BMW tot stilstand bracht voor het huis in Clayton Street schalde er muziek, heftig klinkende rap, zo luid dat het geluid vervormd werd. Hij parkeerde achter een oude Ford dieplader, een bakbeest op de zijkant waarvan SLOOPKONING GROFVUIL was geschilderd, en niet door een beroeps.

De voordeur stond op een kier. Overal lag stof van stucwerk. Drie mannen in witte polypropyleen overalls en met witte plastic helmen en stofmaskers op sloopten stukken muur. Brokken stucwerk vlogen in het rond. De vloeren waren bezaaid met asbestplaten, die met ducttape bij elkaar werden gehouden. Een grijze plastic afvalcontainer zat vol rollen stokoud behang en houten latten waar spijkers uit staken.

Een radio blèrde: *You ain't gotta like it 'cuz the hood gone love it.*

'Wel verdomme?' zei Rick, maar de mannen in de witte pakken hoorden hem niet. Een van hen wrikte een deurkozijn los en de spijkers protesteerden krijsend toen ze loslieten.

I'mma kill it...I buy a morgue in a minute.

'Daar is ie! Ik zou maar zo'n ding opzetten.' Jeff gaf Rick een stofmasker, een witte kom met elastische lussen. 'Je kunt die troep maar beter niet inademen.'

'Waar zijn alle meubels?'

'DeShawn, Marlon en Santiago zijn al sinds zeven uur bezig – ze hebben de spullen naar het souterrain gebracht. Er zeildoek overheen gelegd en zo.' Hij bukte zich en schakelde de radio of de cd-speler uit. De mannen in overall draaiden zich om en keken. 'DeShawn, Santiago, Marlon, dit is meneer Hoffman. De eigenaar.'

De drie werklui waren forse, getatoeëerde knapen, twee zwarten en een latino, de een nog groter dan de ander. Een van de zwarte mannen stak zijn hand uit. 'Marlon.'

'Rick.'

De twee anderen knikten alleen maar en keken hem argwanend aan.

'Slooppploeg?' vroeg Rick aan Jeff.

'Ook bouwvakkers. Ze doen alles voor me. Ik gebruik geen onderaannemers. Drukt de kosten.' Hij wees naar een van de afvalcontainers. 'Zie je de zwarte aanslag op dat stucwerk? Ziet er niet best uit.' Hij wees naar een groot stuk opengehakte muur. 'De bekende constructie van latten en een stuclaag. Ze mengden paardenhaar door het gips, en dat maakt het verdomd irritant als er gesloopt moet worden. Ik krijg er jeuk van.'

'Hoelang gaat dit duren?'

'Het slopen een week ongeveer. Het huis blijft grotendeels intact. Maar je logeert hier niet. Ik, eh... ik zag dat je hier niet hebt geslapen.'

'Maar goed ook.'

'Terug naar je flat aan de overkant van de rivier?'

'Ik heb... bij een vriend gelogeerd. Heb je even? We moeten praten.'

Jeff keek hem verbaasd aan en haalde zijn schouders op. 'Natuurlijk.'

Een van de mannen, DeShawn of Santiago, zette de gettoblaster weer aan. De heftige rap knalde eruit: *Get out the way, bitch, get out the way.* Ze gingen weer aan de slag en keilden stukken stucwerk en hout door het raam op de eerste verdieping in de container.

Rick wenkte Jeff mee naar buiten en ze liepen naar het portiek.

'Ik heb het contract getekend,' zei Rick, 'maar dit was niet de afspraak.' Hij wilde erover praten. Wilde dat Jeff het toegaf.

'Die mannen moeten betaald worden,' zei Jeff.

'Ik dacht dat je het geld wilde voorschieten.'

'Dat doe ik gewoonlijk niet, voorschieten. Trouwens, er is iets veranderd.'

'O ja?'

'Luister, ik had er niets over willen zeggen, maar zie je, we hebben je familie jarenlang geholpen. Meghan en ik hebben al die jaren een oogje in het zeil gehouden. Als jullie van die schimmige huurders hadden, lieten we het jullie weten. Ik maakte de oprit altijd sneeuwvrij als de sneeuwploeg niet kwam.'

Rick knipperde enkele keren verbaasd met zijn ogen. Hij wist dat Jeff en zijn vrouw, Meghan, die doktersassistente was, weleens hadden geholpen, maar niet precies waarmee. Hij vroeg zich af of dit zou uitdraaien op waar hij bang voor was.

'Ik stel het op prijs, Jeff. Enorm. Jullie zijn geweldig geweest.'

'Ik zeg het maar. We hebben er al die tijd niets over gezegd. Plus de mannen. Die moeten betaald worden.'

'En onze afspraak dan?'

'Zoals ik al zei, er is iets veranderd. Je kunt je verdomd veel meer dan veertigduizend dollar permitteren en dat weet je.'

'Jeff, ik weet niet hoeveel...'

'Wil je er echt over praten?' Jeffs ogen glinsterden, alsof híj het wel wilde.

Rick voelde dat zijn maag zich omkeerde. Hij zuchtte.

'Ik vind dat je me misschien een kleine... tegenprestatie schuldig bent,' zei Jeff.

'Tegenprestatie.'

'Je weet wat ik bedoel.'

Rick zweeg en besloot van onderwerp te veranderen. 'Laat me je iets vragen. Heb je een paar avonden geleden toevallig iemand bij het huis gezien? Midden in de nacht, bedoel ik.'

Jeff haalde zijn schouders op en schudde zijn hoofd.

'De keukendeur was niet op slot. Jij bent toch niet binnen geweest?'

'Ik weet niet waar je het over hebt.'

'Er is iemand binnen geweest, heeft rondgesnuffeld.'

'Ik heb niemand gezien. Sorry.'

Rick zag dat een van de mannen in de witte overalls bij de voordeur stond en naar hen keek. De man duwde de glazen tochtdeur open en zei: 'Jeff, moeten we de container vol gaan gooien?'

'Ja, Santiago, jij en Marlon kruien het afval naar buiten. DeShawn kan doorgaan met waarmee hij bezig is.'

Santiago keek Rick aan, toen Jeff en zei iets in het Spaans. Jeff antwoordde in zo te horen vloeiend Spaans. Santiago lachte schor en zei iets terug en ditmaal keek hij onmiskenbaar naar Rick. Hij gebaarde. Toen draaide hij zich om, ging weer naar binnen en liet de tochtdeur achter zich dichtvallen.

Rick sprak geen Spaans, maar hij had één woord begrepen van wat Santiago had gezegd.

Dinero.

9

Jeff wist van het geld. Hij had het gezien, dat was duidelijk. Maar hoeveel wist hij? Jeff was slim, dat stond vast. Hij had het oog van een aannemer voor ruimte – had hij op basis van de biljetten van honderd dollar die hij had gezien berekend hoeveel het was?

Hoewel ze elkaar al van kindsbeen af kenden, kende Rick Jeff niet echt goed, maar Jeff had hem altijd een eerlijke vent geleken. Het zout der aarde. Een barmhartige Samaritaan misschien. Rick was er zeker van dat hij niets bedreigends of gewelddadigs zou doen.

Nou ja, bijna zeker.

Van de mannen van de slooploeg was hij minder zeker. Het waren mannetjesputters en hun tatoeages leken in de gevangenis gezet. Als die van het geld wisten, konden ze een serieus probleem vormen. Inhaligheid haalt het slechtste in mensen naar boven.

Weer in zijn hotelkamer gingen zijn gedachten terug naar Andrea Messina en hij opende zijn laptop. Een snelle zoektocht met Google leverde een LinkedIn-profiel op, volgens welk ze als bankier bij Goldman Sachs in New York werkte. Hij kon zich de rest van haar tijdlijn voorstellen. Ze trouwt met een collega-bankier of een beurshandelaar van Goldman, wordt zwanger, krijg een kind – en dan loopt het huwelijk op de klippen. Die Goldman-pief is een lul. Niet bepaald voorpaginanieuws. Ze scheidt en keert terug naar Cambridge, waar haar moeder beschikbaar is als deeltijdoppas. Iets in die geest in elk geval. Papa bezoekt zijn kinderen twee, misschien drie keer per maand. Ze is gewend aan een groot salaris bij Goldman en nu woont ze in bij mama. Een lange afdaling langs het scheermes van het leven. Welkom bij de club.

Zijn gevoelens voor Andrea waren gecompliceerd. Het verbaasde hem dat hij haar zo aantrekkelijk vond. Hij had ook aardig wat schuldgevoelens. Hij was een zak geweest op de middelbare school. Hij wilde zijn excuses aanbieden, maar het was twintig jaar te laat.

Hij kon in elk geval proberen het goed te maken. Hij belde het beste restaurant van Boston, het Madrigal. *Back Bay* plaatste regelmatig artikelen en recensies over de chef-kok en hij wist dat je minstens een maand tevoren moest bellen om een tafel te reserveren. Als je geluk had en aan touwtjes kon trekken. Bovendien was het bespottelijk duur, bijna net zo duur als concurrerende restaurants in New York zoals Per Se of Masa. Het meisje dat de telefoon opnam had er, toen hij zich voorstelde als Rick Hoffman van *Back Bay*, geen idee van dat hij ontslagen was. Ze kenden zijn naam. Misschien dat ze zich meer aantrokken van wat Zagat of Michelin te zeggen hadden, maar ze wilden ook in een goed blaadje staan bij *Back Bay*, zelfs nu het alleen nog een website was.

Hij kreeg een tafel voor twee om acht uur die avond.

Het probleem was – hoewel het eigenlijk geen enkel probleem was, realiseerde hij zich – dat hij niets fatsoenlijks had om aan te trekken voor zijn afspraakje met Andrea. Zijn goede kleren had hij verkocht. Wat er nog in zijn koffers was overgebleven, waren voornamelijk spijkerbroeken en vrijetijdskleding, de spullen die hij niet online kon verkopen, geen dingen die je aantrok naar het Madrigal.

En hij wilde er goed uitzien voor haar. Hij besefte dat hij de schijn wilde ophouden; hij wilde een geslaagd man lijken, hoewel hij zich een enorme minkukel voelde.

Hij overwoog met de auto naar Boston te gaan. Toen bedacht hij hoe moeilijk het was in Back Bay een parkeerplaats te vinden en koos hij voor de makkelijkste, zij het duurste optie. Hij zou een taxi nemen, zichzelf eraan herinnerend dat hij zich over de kosten geen zorgen hoefde te maken.

Hij stapte in Newbury Street uit voor een van de weinige vrijstaande gebouwen in de straat, waar voornamelijk rijen bruinrode zandstenen huizen van drie of vier verdiepingen stonden. Het was een schitterend huis van rode bakstenen dat in de negentiende eeuw was gebouwd als gezinswoning. Nu zat er de meest exclusieve herenmodezaak van de stad in, Marco Boston. Marco was de zaak waar Mort Ostrow in de kleren werd gestoken, althans tot zijn rampzalige financiële blunder.

Ostrow had Rick enkele keren meegenomen. Rick had een paar sokken gezien die voor honderd dollar werden verkocht, een honkbalshirt dat voor drieëntwintighonderd dollar de deur uitging. Hij had kasjmier joggingpakken gezien, vesten van struisvogeldons, schoenen van hagedissenleer en een jack van kangoeroehuid. Op de prijskaartjes stonden punten, maar geen cijfers achter de komma.

Het interieur van de zaak was sober en indrukwekkend. De vloeren waren van gepolijst beton. Er stonden geen kledingrekken; kledingstukken werden stil en eerbiedig tevoorschijn gehaald en getoond. Hier en daar stonden strenge bloemstukken, witte aronskelken en orchideeën. Op een drie meter lange leestafel lagen precies drie truien, volmaakt vierkant opgevouwen. Tegen een van de muren hing een antiek wandkleed. Een enorme kristallen kroonluchter fonkelde aan het plafond.

Enkele bedienden – *verkoopmedewerkers* – stonden enigszins terzijde te mompelen. Een slanke man in het zwart en een strenge vrouw in een zwarte kokerrok en een antracietgrijs vest. De vrouw zweefde naar hem toe en vroeg: 'Waarmee kan ik u van dienst zijn?' Toen knikte ze herkennend. 'Welkom terug.'

'Bedankt.' Ze was goed. Hij herinnerde zich nu dat ze hem, de laatste keer dat hij hier was, had geholpen, in de lager geprijsde afdeling van de zaak, op de bovenste verdieping. Daar verkochten ze Marco's eigen kledinglijn. Die nog steeds niet goedkoop was, integendeel, maar in elk geval niet zo belachelijk duur.

'Meneer... Hoffman, nietwaar? Sheila.'

Hij glimlachte, verbaasd dat ze het nog wist. 'Leuk u weer te zien.'

'Zullen we naar de derde verdieping gaan?'

'Uitstekend. Trouwens, weet u wat? Naar de hel ermee. Misschien kan ik op deze verdieping iets vinden wat me bevalt.'

Hij nam plaats in een antieke Franse leren clubfauteuil in zijn eigen privépaskamer terwijl Sheila een paar blazers, overhemden en broeken bij elkaar zocht waarvan ze dacht dat ze hem wel zouden aanstaan. Intussen serveerde een butler met witte handschoenen hem een flûte uitstekende champagne. Rick verwachtte min of meer een voetmassage ('Wilt u misschien een voetzoolmassage?') terwijl hij Massimo Bizzocchi-stropdassen vergeleek. Hij had de sultan van Brunei kunnen zijn.

Natuurlijk, hij had een jasje en een broek kunnen halen bij J. Crew of Brooks Brothers, verderop in de straat, maar dat leek op de een of andere manier onbevredigend. Het deed... ontoereikend aan voor deze gelegenheid. Hij ging uit eten met een mooie en intelligente vrouw, in het chicste, duurste restaurant van Boston en hij wilde er niet uitzien als een voetbalpapa uit de buitenwijken die aan de beurt was om de club op zaterdagochtend naar de training te brengen.

Het zou zijn eerste afspraak worden sinds Holly hem de deur had gewezen. En het was niet zomaar met een ex-vriendin. Het was met een vrouw bij wie hij het overduidelijk had verpest. Nee, zelfs dat niet. Hij was ronduit een zak geweest. Hij voelde een steek van gêne, van schaamte toen hij zich herinnerde hoe hij in de hoogste klassen van de middelbare school was geweest, wat een lul hij was geweest. Hij zou naar Northwestern gaan, naar de Medill School of Journalism, en daarna zou hij de nieuwe Bob Woodward worden. Terwijl Andrea lief en knap was, maar het nooit zou maken. Dacht hij indertijd tenminste. Toen hij het na het eindexamen uitmaakte, had hij uitgelegd dat ze ieder hun eigen weg gingen. Hij ging ver en snel en wilde zo min mogelijk bagage meezeulen. Hij wilde niets inchecken. Met de arrogantie en de onverschilligheid van de jeugd had hij geen gedoe gewild. Hij was ambitieus en zij blijkbaar niet, dat paste blijkbaar niet bij haar. Ze was niet de juiste voor hem.

Inderdaad, wat een zak.

En bijna even erg: hij had haar volstrekt verkeerd ingeschat. Hij had zich in haar vergist. Hij had haar onderschat. Ze was niet zomaar een meisje, ze was een Goldman Sachs-vrouw. Ze was een doorzetter. Ze was een van die machtige vrouwen op de foto's die *Back Bay* altijd plaatste. En ze was intelligent. En mooi.

Hij zou haar niet nog eens verkeerd inschatten. Hij nam haar mee uit voor een heerlijk diner in een romantisch, chic restaurant en hij mocht hangen als hij er als een boerenpummel bij zou lopen. Hij herinnerde zich hoe geweldig

Andrea er in de supermarkt uit had gezien, zonder make-up nog wel, en na het joggen. Hij wilde er geweldig uitzien, stijlvol, wat het ook mocht kosten. Hij wilde er niet alleen als zijn oude ik uitzien, hij wilde er nog beter uitzien. *En hij zou zelfs niet naar de prijskaartjes kijken.*

Sheila kwam terug met een andere verkoopmedewerker, hun armen vol kledinghangers. Veel van de kledingstukken kwamen al meteen niet in aanmerking, de dingen die zo ver op de mode vooruitliepen dat ze idioot waren. Hij had geen behoefte aan motorbroeken van geribde spijkerstof, broeken met stippen of krokodillenleren A. Testoni-schoenen met gespen, en sommige jasjes zagen eruit alsof ze uit een Rode Leger-dump uit de Sovjettijd kwamen. Maar toen Sheila eenmaal begreep dat hij er elegant en onnadrukkelijk uit wilde zien en niet als een pooier of een Russische oligarch, begon ze de juiste dingen aan te voeren. Een oud nummer van Cole Porter zong door zijn hoofd als de soundtrack van zijn leven, iets waarvan hij een coverversie had gehoord – van Jamie Cullum, of misschien Michael Bublé? 'Ik maak mezelf klaar voor jou.' Hij was er zo klaar mee dat hij zich voelde en eruitzag als een schlemiel. Hij was dan wel werkloos, maar nu was hij opeens rijk, onschatbaar rijk, en het werd tijd om dat te laten zien.

'Goed,' zei Sheila toen ze met het zoveelste kledingstuk op een hanger weer tevoorschijn kwam. 'Met uw fysiek? Deze informele kasjmier blazer zou gewéldig staan.'

De butler bracht een tweede flûte champagne en Rick pakte hem met een scheve glimlach aan. Dit was nog eens leven. Hij zou eraan kunnen wennen.

Toen hij naar buiten liep, met een paar chocoladebruine Marco-kledingtassen en een grote, bruine, stoffen boodschappentas in zijn hand, hoorde hij dat iemand hem aanriep.

'Rick? Ben jij het?'

Het was Mort Ostrow, die de zaak binnenliep toen Rick naar buiten kwam. Ostrow hield de pas in en keek Rick oplettend en taxerend aan. 'Wat inkopen aan het doen?'

Met een beleefde glimlach zei Rick: 'Hai, Mort.'

Ostrow aaide warempel een van de kledingtassen, alsof het een troeteldier was. 'Nou, je schijnt goed terecht te zijn gekomen.'

'Het gaat goed.' Rick was plotseling met stomheid geslagen. Zijn hersens waren bevroren.

'Veel beter dan zomaar goed, lijkt me.'

Rick haalde zijn schouders op en voelde dat hij bloosde.

Ostrow glimlachte vaag. 'Iemand betaalt je blijkbaar te veel en ik denk niet dat wij dat zijn.' Hij grijnsde joviaal, althans wat hij joviaal glimlachen vond, maar zijn vrolijkheid leek geforceerd en zijn stem klonk haast onheilspellend.

10

De limousine stopte op de oprit van Andrea's huis, een mooi, klassiek koloniaal gebouw in Fayerweather Street, botergeel met glimmende zwarte luiken, een leien dak en erkers. Rick belde aan en ze kwam meteen naar buiten alsof ze op hem had zitten wachten. Hij hapte naar adem toen hij haar zag. Ze had een gedaanteverandering ondergaan. Adembenemend. Geen dikke witte donsjas meer. Onder een zwarte driekwart jas droeg ze een rode jurk met een asymmetrische halsopening. Ze had zich opgemaakt – vuurrode lippenstift die bij haar jurk paste – en droeg onnadrukkelijke sieraden, pareloorbellen en een gouden collier, zo onopvallend dat het bijna onzichtbaar was. Ze had haar haren opgestoken.

'Je ziet er geweldig uit,' zei hij en hij kuste haar wang.

'Bedankt. Leuk jasje.' Ze keek over zijn schouder naar de zwarte sedan. 'Eh, wat is dat?'

'Ik had geen zin om zelf door Boston te rijden.'

'Dus... ik bedoel... wauw.' Ze draaide zich om en riep naar binnen: 'Evan, kus mama eens gedag!... Evan?' En tegen Rick: 'Hij was boos omdat ik uitga, dus mocht hij naar *SpongeBob* kijken en nu kan hij zich niet losscheuren van de tv.' Ze draaide zich om en riep nogmaals. 'Welterusten, lieverd – mama gaat weg!' Ze wachtte even en spitste haar oren. 'Ik denk dat ik maar moet ontsnappen zolang het nog kan.'

Terwijl ze naar de limousine liepen zei hij: 'Woon je hier al lang?' Het was een hele vooruitgang ten opzichte van haar ouderlijk huis in Huron Avenue, waar ze woonde toen ze op de middelbare school zat.

'Sinds ik terug ben.'

Ze zaten op de ruime achterbank van de sedan terwijl die door de straten van Cambridge zoefde. 'Ik geloof dat ik sinds Goldman niet meer in een limousine heb gezeten,' zei ze. 'Moet je zien. En je hebt echt gereserveerd in het Madrigal? Je kent vast iemand.'

Rick schokschouderde bescheiden.

'Natuurlijk wel. Je kent iedereen in de stad.' Ze zei het met een nietszeggende blik, maar licht spottend.

Het interieur van het Madrigal was theatraal en industrieel chic – het stond op het terrein van een oude fabriek – met het verplichte schoonmetselwerk, een gewelfd plafond en rustieke balken. Het had gietijzeren stoelen, een gietbetonnen bar, een donkere houten bedrijfsvloer en grote roestige kettingen, tandwielen en takels die hier en daar als decoratie waren geplaatst. De menukaarten waren zwaar, gemaakt van grote koperen platen, en als je niet uitkeek dreigden de randen tussen je vingertoppen door te glijden. Het licht was zo gedimd en de spotjes waren zo schaars dat je het menu trouwens amper kon lezen.

Terwijl ze beslisten wat ze wilden bestellen, schonk de ober hun ieder een flûte champagne van het huis in en een andere bracht amuse-gueules die eruitzagen als petieterige ijshoorntjes in witte servetten op een klein zilveren blad. Het waren harde *tuiles* gevuld met zalmtartaar, crème fraîche met rode uien, boterzacht en verbazingwekkend smakelijk.

'O, mijn god, Rick,' zei ze met grote ogen.

Hij glimlachte. 'Mijn *gueule* is beslist geamuseerd.'

Zodra ze klaar waren verschenen er vanuit het niets enkele mensen naast hen om de servetten van hen aan te nemen. Ze bestelden beiden het menu van de chef-kok – champignons *à la grècque*, boternootsquash-'pap', Wagyu-tartaar, kwartel *pressé en croûte*, heilbotconfit enzovoort. Rick had het restaurant eerder op de dag gebeld om te vragen of ze nog steeds het voorgerecht hadden waar ze beroemd om waren, een extravagant ratjetoe dat *bedelaarsbeurzen* heette: crêpes gevuld met beloegakaviaar, bijeengebonden met bieslook bij wijze van beurskoorden en bedekt met echt goudblad. Hij had erover gelezen in een van de vele artikelen die *Back Bay* aan het Madrigal had gewijd. Ze hadden ze nog steeds, was hem verzekerd. Hij vroeg om een portie voor elk van hen, geserveerd vóór het voorgerecht. Een speciale verrassing. 'O, en zou u osciëtra kunnen gebruiken in plaats van beloega?' had hij gezegd.

'Natuurlijk, meneer,' was hem verteld.

Rick bekeek de wijnkaart, zo dik als een boek van Tom Clancy. 'We zouden graag de 1990 La Tâche willen hebben,' zei hij ten slotte.

'Uitstékende keus, meneer,' antwoordde de man. Hij gaf Rick een schouderklopje en zei met een knipoog: 'Ik denk dat u bijzonder tevreden zult zijn over de La Tâche.'

Toen de kelner weg was zei Andrea: 'Wacht eens, heb je net de DRC besteld?' Ze gebruikte de afkorting voor ingewijden van Domaine de la Romanée-Conti, de wijnproducent in Bourgondië die algemeen beschouwd wordt als de beste ter wereld. En een van de duurste. Rick kende DRC alleen maar van een artikel dat hij had geschreven over de wijnkelder van een hedgefondsmanager uit Boston in diens poenige huis in Weston. Hij had het spul nooit geproefd. Maar het feit dat Andrea op zo intieme voet stond met DRC dat ze de bijnaam gebruikte, de afkorting, was verwarrend. Dit was dezelfde Andrea die, toen hij haar voor het laatst had gezien, niet wist hoe ze met een kurkentrekker moest omgaan. We worden allemaal volwassen, dacht hij. Zelfs schoolvriendinnetjes. Misschien vooràl schoolvriendinnetjes.

Hij knikte.

'Meen je dat?'

'Hé, je leeft maar één keer.'

'Dat is zo'n... vierduizend dollar.'

Hij haalde zijn schouders op. Alsof het niets was. Een aalmoes, een schijntje. Hij voelde zich er meer dan onbehaaglijk bij.

Ze wierp hem een scheve blik toe. 'Heb je soms een bank beroofd? Of betaalt de journalistiek beter dan ik dacht?'

'En ze zeggen nog wel dat papieren media dood zijn,' zei Rick glimlachend.

'Ik hoop dat dit op kosten van *Back Bay* is. O, wacht, je zei dat je er uitgestapt was. Waar werk je nu?'

'Ik heb een aantal dingen onder handen,' zei hij vaag. 'Online-startersbedrijfjes en zo.' Hoe minder hij over zijn werksituatie zei, hoe beter het was.

Haar ogen glinsterden. 'Wat voor starters?'

Rick schudde zijn hoofd, alsof het te saai was om uit te leggen. Hij wilde niet tegen haar liegen, zichzelf niet nog dieper ingraven.

'Negentien negentig La Tâche.' Ze knikte waarderend. 'Dus... eens kijken... de druivenpersers hosten natuurlijk op "U Can't Touch This" van M.C. Hammer.'

Hij lachte. 'Hoe was de verjaardag van Evan?'

'Leuk. Het was lief. Luidruchtig. Negen jongens van zeven en acht.'

'Zijn vader... is die in beeld?'

'Vance woont in New York, dus niet zo vaak. Gelukkig.'

'Vance. Hm. Niet goed afgelopen?' Ze was gescheiden, bedacht hij. Natuurlijk was het niet goed afgelopen.

'We waren water en vuur. Kat en hond.'

'Iemand van Goldman Sachs?'

Ze schudde haar hoofd, duidelijk niet geïnteresseerd in praten over haar ex. 'We hebben elkaar op Wharton leren kennen.'

Dus ze had bedrijfskunde gestudeerd voordat ze bij Goldman Sachs werkte. 'En jij? Op de momenten dat je geen moeder bent?'

'Ik ben een bedrijfje begonnen dat Geometry Partners heet.' Ze zei het alsof hij ervan moest hebben gehoord.

Hij knikte alsof dat zo was. Ze was bij Goldman Sachs weggegaan om een eigen beleggingsbedrijf te beginnen. Een doorzetter inderdaad. Hij had haar echt helemaal niet gekend, indertijd.

'Vertel eens iets over Geometry Partners.'

'Jij eerst. Ik wil meer weten over die "online-starters" van je.'

Hij dronk zijn glas leeg. Een vage beweging trok zijn aandacht. Hun kelner, die bij het podium van de gerant naast de ingang stond en overlegde met iemand in smoking, misschien de gerant, die een air van gezag had. Ze keken alle twee naar de tafel van Rick en toen kwam de gezaghebbende man naar hen toe.

'Ach, ja, meneer Hoffman, kan ik u even spreken?'

Rick wist meteen waar het over ging. Die verdomde creditcard die hij hun had gegeven om de reservering vast te leggen. Normaal zouden ze die pas na het diner hebben gecontroleerd, maar hij had net een fles wijn van vierduizend dollar gekocht. Misschien wilden ze er zeker van zijn dat hij het kon betalen.

Dit kon het best niet aan tafel worden afgehandeld. 'Geen probleem,' zei Rick. 'Zullen we naar de wijnkelder gaan?' Alsof het probleem ermee te maken had dat hij een wijn had gekozen waar ze helaas doorheen waren.

De manager, of gerant, glimlachte ongemakkelijk. Dit was gênant en onaangenaam voor hem. Ze liepen naar de achterkant van het restaurant, naar de keuken, en bleven toen staan. 'Is er een probleem?' vroeg Rick zacht.

De man boog verontschuldigend en bracht zijn hoofd vlak bij dat van Rick. 'Hebt u misschien een andere creditcard? Deze werd, eh... geweigerd.'

'Weet u, het schoot me net weer te binnen – ik heb die kaart opgezegd. Mijn fout.' Hij stak zijn hand in het borstzakje van zijn belachelijk dure nieuwe colbert en haalde er een stapel briefjes van honderd uit, wapperde met een handvol Benjamins alsof het de buit van een gangster was. 'Hoe dan ook' – hij liet de biljetten ritselen als een blackjackspeler een stok kaarten – 'vanavond betaal ik contant.' Hij pakte een biljet van honderd van de stapel, vouwde het met duim en wijsvinger dubbel en gaf het aan de man. 'Sorry voor de overlast.'

'Natuurlijk, meneer – mijn excuses voor het, eh, misverstand.'

Toen hij weer aan de tafel verscheen keek Andrea hem met

een vage glimlach aan en hield haar hoofd schuin. 'Weet je, ik dacht altijd dat je de volgende, je weet wel, Woodward en Bernstein zou worden.'

'Ik?'

'Heb je dat niet altijd gewild? De activistische onderzoeksjournalist? Samenzweringen blootleggen, corruptie opsporen en zo?'

Rick haalde zijn schouders op. 'Nou ja, ik denk dat ik niet echt...'

'Maar dat was de bedoeling, toch? Zonneschijn is het beste verdelgingsmiddel en zo?'

'Je moet iets doen voor de kost.'

Het scheefgehouden hoofd, de vage glimlach. Ze keek sceptisch. Bijna alsof ze dwars door hem heen keek. Haar glimlach werd een beetje bedroefd en ze schudde haar hoofd. Hij kon het bijna horen: *doodzonde.*

'Weet je nog dat je doctor Kirby bijna liet ontslaan?' zei ze glimlachend. 'Dat plagiaatgedoe?'

Hij haalde bescheiden zijn schouders op. 'Het is eerder zo dat ik bijna van school werd geschopt.'

In zijn eerste jaar op de Linwood Academy was Rick hoofdredacteur geweest van de *Linwood Owl*, de leerlingenkrant. Een van de eerste artikelen die hij schreef bevatte een bom. Hij beschuldigde de legendarische en gevreesde leraar Latijn (en hoofd van de afdeling klassieke talen), dr. Cadmus Kirby, van plagiaat. Cadmus Kirby had in juni een toespraak gehouden tot de afgestudeerden van 1995, met als titel: 'Waarom klassieke talen?' Dr. Kirby had al zijn leerlingen Latijn een kopie ervan gegeven. Toen bleek dat enkele passages rechtstreeks waren overgenomen uit een toespraak door de rector magnificus van de University of Chicago, tientallen jaren eerder. Rick wist het alleen maar doordat hij een boek met beroemde toespraken had gelezen dat hij in de werkkamer van zijn vader had gevonden toen hij zich voorbereidde voor de debatcompetitie in het najaar en op erg bekend proza stuitte.

Bijna in zijn eentje stelde hij een speciale uitgave van de *Linwood Owl* samen met een vette voorpaginakop: OWL TWIJFELT AAN DE OORSPRONKELIJKHEID VAN DR. KIRBY'S TOESPRAAK. In het artikel legde hij citaten uit de speech van dr. Kirby naast een toespraak door Robert Maynard Hutchins.

Het was alsof er een bom ontplofte. De reactie kwam snel, maar was niet precies wat Rick had verwacht. Hij werd een week geschorst omdat hij de kwestie niet eerst had voorgelegd aan de rector. Rick had het protocol opzettelijk genegeerd omdat hij wist dat de rector het artikel zou tegenhouden. Dr. Cadmus Kirby ontsprong de dans door 'enkele geleende citaten' te wijten aan zijn fotografisch geheugen. Een oprechte vergissing.

Rick kreeg dat najaar een onvoldoende voor Latijn.

'Mijn god, de herrie die je trapte op school,' zei Andrea. 'Je was voor niets of niemand bang. Niets hield je tegen. Je vader moest apetrots op je zijn geweest.'

'Pa? Weet je wat hij zei? Hij zei: "Je hebt je niet aan de regels gehouden, Rick." En hij glimlachte. Alsof hij verdomme naar een scrimmage op *Monday Night Football* zat te kijken. *Je hebt je niet aan de regels gehouden!* Noem je dat trots?'

Ze schudde haar hoofd. 'Nou, ík was in elk geval onder de indruk.'

Vergenoegd zei hij plagend: 'Je moet gauw onder de indruk zijn geweest.'

Ze hapte quasi naar adem. 'Nog bedankt! Hoffman, weet je nog wat je meneer Ohlmeyer hebt aangedaan?'

'Niet echt.' Meneer Ohlmeyer was een sadistische leraar die door de eetzaal placht te lopen en het eten van de leerlingen van hun bord jatte. Hij was met name dol op de zakjes chips die de school bij de sandwiches serveerde.

'Dat kunstje dat je hem flikte met de chips?'

'Ach ja.' Op een dag had Rick een chipszak mee naar huis genomen, hem met een scheermes opengesneden, er hopen cayennepeper overheen gestrooid en het zakje zorgvuldig weer geseald. Hij nam het mee naar de eetzaal en jawel hoor, meneer Ohlmeyer pikte zijn zakje chips, scheurde het gulzig open en rende, brullend van de pijn, de eetzaal uit. Overal in de zaal ging een donderend applaus op.

Met een scheve glimlach voegde ze eraan toe: 'Je bent altijd balsturig geweest, Hoffman.' Ze schudde haar hoofd. 'Ik wed dat je geen steek bent veranderd.'

'Ik ben volwassener geworden. Zo, en hoe vond je het werk bij Goldman?'

Ze schudde haar hoofd. 'Ik had er de pest aan.'

Hij keek ervan op. Niet wat hij verwacht had. 'Er zweeft vast heel wat testosteron rond. Stripteaseclubs, steakmaaltijden, ja?'

'Luister, ik ben dol op steaks. En stripclubs laten me koud, echt waar. Ik bedoel: de handelaars moeten stoom afblazen en dat kan bijvoorbeeld door vrouwen met siliconenborsten te betalen om te lapdansen, want hun vrouwen willen dat niet. Mij goed, ik snap het. Ik kan ermee leven.'

'Maar?'

'Maar het was in veel opzichten net een studentenhuis. De meeste grapjes komen uit stomme comedy's. Als je *Caddyshack* of *Fletch* nooit hebt gezien, mis je de helft van de grappen. "Zet het maar op de rekening van de Underhills!" en zo.'

Rick schudde zijn hoofd. Hij wist dat het klassiek-domme films waren, maar hij had ze geen van beide ooit gezien.

Er verscheen een sommelier met de wijn en de hele ingewikkelde ceremonie: het tonen van de fles, het zorgvuldige ontkurken, het overhandigen van de kurk, het proeven, het knikje, het decanteren.

'Wilt u wachten tot de wijn heeft geademd, meneer, of zal ik meteen voor u inschenken?' vroeg de sommelier.

Rick keek Andrea aan en ze knikte. 'Doe maar meteen.'

De wijnglazen waren zo groot als een babyhoofdje. Hij liet de wijn rondzwieren in zijn glas, keek hoe die stroperig over de zijkant van het glas liep. Hij rook een beetje muf, bijna naar een boerenerf. Hij nam een slokje en zoog het naar binnen alsof hij met een rietje dronk. Hij had wijnproeverijen bezocht, had erover geschreven. Hij wist in theorie wat goede wijn was. Een wijnkenner zou waarschijnlijk hebben gezegd dat deze een *complexe neus* had. Een exotisch zweem van anijs en sojasaus, bloemige en kruidige tonen en een lange afdronk. Dat zouden de wijngoeroes waarschijnlijk gezegd hebben. Hij besloot dat de wijn waarschijnlijk uitstekend was. Dat kon niet anders. Hij kostte duizend dollar per glas.

Andrea sloeg hem gade, haar hoofd schuin, een wrange, geamuseerde glimlach om haar lippen. Hij zag haar hoektand in de hoek van haar glimlach en glimlachte terug. Ze was altijd knap geweest. Ze was adembenemend geworden. Ze was ook zelfverzekerder dan ze ooit was geweest.

Ze nam een slokje en knikte. 'Hij zal vast heerlijk zijn, maar aan mij is ie niet besteed.'

Vierduizend dollar en geen van beiden ervoeren ze een zintuiglijk orgasme. *Het is in elk geval niet mijn geld*, dacht hij.

'Dus je snapte de moppen niet,' ging Rick verder over Goldman Sachs.

Ze haalde haar schouders op. 'Je speelt het spelletje mee. Dus je verhandelt kredietderivaten. *Credit default swaps.* Je wedt in feite tegen een of ander armlastig bedrijf, in de hoop dat het op de fles gaat, zodat jij rijk wordt als je je doodsspiraal-schuldbekentenissen incasseert – sorry, ik bedoelde "zwevende schuldbekentenissen". Je zit binnen in de donutmachine en maakt... synthetische collaterale schuldobligaties en verkoopt die aan rijke stinkerds. Mysterieuze, exotische financiële instrumenten die niemand begrijpt. Nou en?'

Rick snapte het merendeel niet van wat ze had gezegd. Ze had net zo goed Servisch kunnen spreken. Hij nam nog een slok wijn. Hij proefde een beetje kers, wat tannine in de afdronk. Hij smaakte eigenlijk best goed. Hij werd beslist toegankelijker. 'Maar je verdiende in elk geval goed.'

'Idioot goed. Belachelijk veel geld. Gigantische hoeveelheden beschikbaar inkomen. Maar weet je, je hebt geen tijd om het uit te geven. Want je werkt honderd of meer uur per week en dat is alles wat je doet. Je hebt geen leven.'

Rick knikte. 'Ik snap het.' Hij nam opnieuw een slok. Hij proefde de ondertoon van grapefruit en iets donkers en schemerigs, bijna steenachtig.

'Ik bedoel, je besteedt elke minuut van de dag aan het kopen en verkopen van shit voor een ander. In wezen. Dat is alles wat je doet. Intussen kijk je naar de hedgefondsjongens en je denkt, hoe komt het dat ik niet die bedragen mee naar huis neem? Als ze er ooit over zouden nadenken, wat ze gewoonlijk niet doen, zouden ze het een verspild leven vinden. Ik bedoel, ik denk dat dat de reden is waarom sommigen van die knapen met geld smijten zonder er zelfs maar over na te denken, zodat ze in elk geval íéts overhouden aan dat verspilde leven. Opdat ze het gevoel hebben dat hun leven enige zin heeft. Opdat ze mensen kunnen vertellen dat ze Paul McCartney of Sting hebben gezien op het strand van Saint Bart's. Of ze gaan naar Per Se en tellen duizenden dollars neer voor één enkele fles... gegist *druivensap*. Snap je?' Ze hief haar reuzenglas op. 'Het is stompzinnig. Het is obsceen.

Het is vulgair.' Toen glimlachte ze. 'Ik bedoel het niet beledigend.'

Rick beantwoordde haar glimlach, maar hij begon zich een beetje misselijk te voelen. 'Dus Geometry Partners is, eh, wat, een hedgefonds?'

'O,' zei ze met een snelle, muzikale lach. 'O, god, nee. Het is... nou ja. Ik gebruikte wat van het geld dat ik had verdiend aan noodlijdende fondsen bij Goldman en begon een kleine, niet op winst gerichte onderneming. We proberen armlastige kinderen liefde voor geometrie bij te brengen.'

Nu was het zijn beurt om te lachen. 'Dus je bedoelt échte geometrie.'

Ze knikte. 'Ik heb voordat ik naar Wharton ging een jaar bijles gegeven en, nou ja, ik vond het leuk, maar ik dacht dat ik het ooit veel beter zou kunnen. Gewoon met wiskunde werken – weet je nog hoe dol ik was op wiskunde? Ik bedoel, geometrie is zo concreet. Zo visueel. Het is de echte wereld. Het is gebouwen en huizen, raketten en honkbal – de hoek waaronder je gooit, ja? – de zon en de maan. En als je het zo brengt, snáppen jongeren het. Ze houden ervan. Ze realiseren zich dat ze misschien echt goed kunnen zijn in wiskunde en dat geeft ze zelfvertrouwen, waardoor ze het goed doen op school.'

Rick knikte en nam nog een slok van de vierduizend dollar kostende wijn, die een beetje naar een paardenstal begon te smaken.

'We nemen wiskundeleraren aan en leren ze hoe ze wiskunde leuk kunnen maken – we betalen ze er uiteraard voor – en dan laten we de kinderen binnen en verdomme, het wérkt, Rick. Neem nou vandaag – er is een jongen, Darnell, die in Dorchester naar school gaat en de leraren hebben allemaal een hekel aan hem omdat hij zo agressief is. Zijn broer zit vast en zijn moeder heeft drugsproblemen. Ik bedoel, Darnell is precies het soort kind dat gangsters proberen te ronselen, om ze te helpen bij het tellen van pakjes coke of geld of wat dan ook. Je zíét hem gewoon de criminaliteit in gaan. Maar vandaag liet ik hem een wiskundespelletje op de iPad zien. En ik zag hem voor mijn ogen veranderen; die vijandigheid, die achterdocht – allemaal weg. Hij gaf zich eraan over. Hij voelde zich gesterkt. En ik denk – ik weet het niet, misschien ben ik gek, maar ik denk dat die jongen... het weleens zou... kunnen maken.' Haar ogen glinsterden vochtig. 'Noodlijdende fondsen? Op een dag schoot het me opeens te binnen: wat denk je van het onderwijs? Is dát geen noodlijdend fonds?'

Rick was stil geworden. Hij was nu tamelijk dronken van de champagne en de wijn en zijn hoofd tolde. Hij had Andrea niet alleen onderschat. Hij besefte dat hij haar nooit had gekend.

Er verschenen enkele obers met gouden borden, die ze voor Andrea en toen Rick neerzetten. Rick gluurde somber naar het obscene tafereel van met kaviaar gevulde en met bieslook dichtgebonden crêpes, gegarneerd met echt goudblad. Ze zagen er nu weerzinwekkend uit en trouwens, Rick had geen trek meer.

'Meneer, mevrouw? Uw bedelaarsbeurzen. Osciëtra in plaats van beloega, zoals u gevraagd had!'

'Bedankt,' zei Rick slapjes.

Andrea keek op van haar bord en in Ricks ogen. Haar glimlach leek nu koel. 'Bedelaarsbeurs, hè?' zei ze.

11

Toen hij weer in zijn tweepersoonsbed in het Charles lag kon hij niet slapen. Hij was dronken. De hotelkamer kantelde om zijn as en kapseisde. Hij woelde rond terwijl hij de avond telkens weer gekweld de revue liet passeren. Hoe had hij zichzelf zo voor joker kunnen zetten? Jezus! Wat dacht hij verdomme, zo met geld te smijten? Hij zag zichzelf door de ogen van Andrea en het was een marteling. Hij had net zo goed een van die Goldman Sachs-lulletjes kunnen zijn die ze zo minachtte. Die idiote bedelaarsbeurzen. *Bedelaarsbeurzen* – was er een meer kwetsende benaming te bedenken? En die fles La Tâche van... *vierduizend* dollar, die aan hen alle twee verspild was geweest.

Hij hoorde haar woorden bijna als in een echokamer. *Of ze gaan naar Per Se en tellen duizenden dollars neer voor één enkele fles... gegist druivensap. Snap je? Het is stompzinnig. Het is obsceen. Het is vulgair.*

Hij was geen haar beter dan al die pochende, snoevende, gevoelloze investeringsbankiers, wier leven leeg en zinloos was. Hij was precies het soort hufter over wie ze het had. Precies het soort figuur over wie *Back Bay* eerbiedige artikelen schreef. Met slechts één verschil: hij had minder geld.

Hij had geprobeerd indruk te maken op een vriendin die hij ooit had gedumpt, haar in te palmen met een bedrieglijke optische illusie van zijn 'succes'. Terwijl dat de snelste manier was om haar af te stoten. En dat hád hij, absoluut. Hij zag het aan haar gezicht nu hij de beelden van de avond opnieuw bekeek, aan de manier waarop haar glimlach was veranderd van lief, nerveus en hoopvol in geamuseerd en daarna afkerig en uiteindelijk regelrecht walgend. Ze had gezien hoe hij was: een kwast. Een opgeblazen, pretentieuze, gekunstelde zak.

Gisteren was die drieënhalf miljoen dollar nog een enorm, bijna onvoorstelbaar fortuin geweest. En toen? Tussen zijn chique plunje van Marco (tienduizend dollar), zijn betaling aan Jeff en de zevenduizend ballen die hij in het Madrigal had gedumpt was zijn fortuin – want zo zag hij het nu, zíjn fortuin – met vijfentwintigduizend dollar geslonken. Als hij zo doorging was hij over anderhalve maand blut.

Hij werd de volgende ochtend laat wakker, duf en met barstende koppijn en een asfaltsmaak in zijn mond, alsof er een vrachtwagen doorheen was gereden en zijn smerige uitlaatgassen had uitgestoten. Hij stond omzichtig op en hield zijn bonzende hoofd zorgvuldig rechtop, alsof het een breekbare bal van ragfijn geblazen glas was, en haalde het toilet net op tijd om over te geven.

Daarna voelde hij zich ietsje beter.

In T-shirt en korte sportbroek ging hij naar de kleine cadeauwinkel in de lobby, kocht een doosje Advil en een paar flesjes water en sloeg ter plekke vier capsules achterover. Hij ging weer naar boven, trok een spijkerbroek en een overhemd aan, ging naar het restaurant van het hotel en dronk een paar koppen zwarte koffie. Hij voelde zich nog steeds te slap om iets te eten. Een slokje versgeperst sinaasappelsap was een vergissing; het brandde als accuzuur in zijn maag. Uiteindelijk kon hij een droge croissant naar binnen werken.

Langzaam en behoedzaam nam hij de lift naar de parkeergarage onder het hotel en zocht zijn auto.

Die stond op het tweede ondergrondse niveau, enigszins scheef neergezet. Hoewel hij op dat moment nog bijna nuchter was geweest, afgezien van een paar flûtes champagne bij Marco. Toen hij bedacht hoe stomdronken hij gisteravond was geworden, was hij blij dat hij een limousine had gehuurd.

Toen herinnerde hij het zich opeens: had zijn vader niet aangegeven dat het geld niet van hem was?

Maar van wie dan wel?

Hij wist wat hem vandaag te doen stond. Hij moest uitzoeken waar dat geld vandaan kwam, hoe het in de muur van zijn vaders huis terecht was gekomen.

Waar moest hij beginnen? Bij zijn zus, Wendy? Die zou in al die jaren iets hebben gezegd. En ze zou ernaar hebben gezocht. Als ze wíst dat er ergens geld verstopt was, zou ze niet op de verkoop van het huis hebben aangedrongen. Ze kon er onmogelijk iets van weten.

Maar íémand wist het. Degene die had ingebroken en hem had aangevallen, had iets gezocht, dat was wel duidelijk. Het kon geen toeval zijn. Hij ging het rijtje mogelijkheden opnieuw af. Iemand bij een van de banken waar hij geld had gestort? De man van de opslagruimte? Een van de buren?

Jeff? Een van Jeffs mensen?

Rick was uiterst voorzichtig geweest, tot gisteravond in elk geval. Omdat hij wist dat je altijd een doelwit was als je te veel contant geld had.

Hij had genoeg films gezien om te weten wat er gebeurt met mensen die een vette buit vinden. Het liep zelden goed af. Broers keren zich tegen elkaar, Humphrey Bogart gaat door het lint. Een psychopathische moordenaar met LIEFDE en HAAT op zijn vingers getatoeëerd verschijnt in de stad. Een gek met een spijkerpistool komt op bezoek. Maar hij had geen zin in een rol in een lugubere film. Hij wilde een goede afloop. Hij wilde *Brewster's Millions*, niet *The Treasure of the Sierra Madre.*

Hij haalde de afstandsbediening van de BMW uit zijn zak en drukte op de toets om het portier te ontgrendelen.

Misschien kon Lens voormalige secretaresse hem helpen. Hij zou moeten zwijgen over de hoeveelheid – het was heel goed mogelijk dat ze zou zeggen dat een deel ervan haar toekwam. Ze had tenslotte meer dan dertig jaar voor Len gewerkt. En zelfs als ze niets van die ruim drie miljoen wist, kon ze van onschatbare waarde zijn. Ze zou afsprakenboeken hebben, agenda's en dossiers. Daar kon de naam van een cliënt of een vriend in staan of...

Hij hoorde geschuifel, iets achter hem bewoog en opeens werd alles zwart.

Er werd een of andere ruwe lap tegen zijn gezicht gedrukt. Zijn keel werd als door een bankschroef dichtgeknepen. Iemand had hem van achter beslopen, iets tegen zijn gezicht gedrukt en hem bij zijn hals gepakt. Hij probeerde met zijn vuisten te zwaaien en liet daarbij zijn autosleutel vallen, maar raakte niets. Hij probeerde zijn hals uit de arm van zijn belager te wringen, iemand die veel groter was dan hij, iemand die naar zweet en muffe kleren rook en naar iets wat Rick aan een kapperszaak deed denken. Hij verzette zich, maar het was zinloos. Zijn polsen werden tegen elkaar gebonden, met een soort strak aangetrokken plastic boeien. Een hand werd over de lap heen op zijn mond gelegd.

Maar zijn benen waren vrij, dus hij schopte naar voren, raakte pijnlijk het staal van de BMW. Toen werd er iets in zijn knieholten geramd en hij zakte kermend van pijn op de grond, maar zijn kreten werden gesmoord.

Hij hoorde aan weerszijden stemmen, gehaaste mannenstemmen. Ze spraken Engels, maar met een accent – Iers misschien. De hand lag nog steeds op zijn mond. Hij proefde iets bitters, smerigs en organisch, jute misschien. Hij schopte met zijn hak tegen iets wat geen staal was, iets menselijks waarschijnlijk. Hij hoorde een *au* en een zachte kreet. Hij slaagde erin wat van het jute vast te pakken en de zak zo ver omhoog te trekken dat hij de hand van zijn belager zag, en een groene tatoeage op de binnenkant van de pols. Hij hoorde een kofferbak opengaan en werd toen op de betonnen vloer van de garage gesmeten, zodat hij bloed proefde, zijn eigen bloed, donker en metalig.

Hij bleef zich verzetten, maar zijn polsen waren geboeid en hij kon niets zien, dus het haalde niets uit. Hij werd opgetild, gestompt en beetgepakt en als een zak rijst in de kofferbak gegooid. Hij voelde de stalen rand van de kofferbak toen hij zijn enkels eraan stootte. Hij zwaaide met zijn geboeide handen en raakte iets hards, iets wat niet meegaf: staal. Hij schopte heftig om zich heen, raakte opnieuw staal, voelde het deksel van de kofferbak.

Toen hoorde hij het diepe grommen van een motor die werd gestart, het doffe trillen tegen zijn gezicht en hij wist dat de auto hem ergens naartoe bracht.

En waar dat ook was, het zou niet gunstig zijn.

12

Rick was zich aanvankelijk slechts bewust van het voor de hand liggende. Hij wist dat hij in de kofferbak van een auto lag, hij wist dat hij ergens naartoe werd gebracht. Geleidelijk begon hij stoffen en geuren te herkennen, afgezien van de gewone geuren van een auto. Bekende geuren zoals Coast-zeep en Speed Stick-deodorant. Hij voelde een kan met een of andere vloeistof die heen en weer rolde, een nylon sporttas en een aantal tijdschriften, en hij besefte dat hij achter in zijn eigen auto lag.

Zijn hart bonsde, zijn lichaam knetterde van adrenaline, hij was klam van angstzweet.

Hij herinnerde zich dat hij de afstandsbediening van zijn

auto had laten vallen. Zijn belagers – de stemmen vertelden hem dat het er minstens twee waren – hadden hem opgeraapt en een van hen zat nu waarschijnlijk achter het stuur. Bracht hem in zijn eigen auto ergens naartoe.

Hij probeerde verwoed zijn kap af te zetten. Zijn voeten waren vastgebonden, net als zijn handen, maar gelukkig vóór zijn lichaam, zodat hij in elk geval aan de kap kon rukken en trekken. Maar die zat tamelijk strak om zijn hals. Vastgeknoopt misschien.

Hij gleed naar de zijkant van de kofferbak toen de auto scherp links afsloeg. Zijn nek sloeg ergens tegenaan, maar de pijnscheut trok snel weg. Hij liet de kap voorlopig met rust en tastte met geboeide handen rond in de kofferbak, op zoek naar een uitweg.

Er moest een manier zijn om het kofferdeksel van binnenuit te openen, een knop of een schakelaar of een hendel. Was dat inmiddels niet wettelijk voorgeschreven? Hij betastte het kofferdeksel en de zijwanden, zocht naar hendels of knoppen en drukte op en trok aan alles wat een mogelijkheid leek. Maar het deksel wilde niet openspringen.

Hij voelde zich slap van angst en die angst kwam voort uit onzekerheid over waar hij was en wat er ging gebeuren. Het geld natuurlijk, dat was wel duidelijk. Hij lag hier vanwege het geld. Maar hij had er geen idee van wat zijn ontvoerders met hem van plan waren. Dat was nog beangstigender, de onwetendheid.

Maar één ding wist hij zeker: het moest de bouwploeg zijn. Wie anders? Wie anders, behalve Jeff – van wie hij tamelijk zeker wist dat hij niet aan zoiets zou meedoen – wist wat hij had gevonden? Ze hadden het over *dinero* gehad. Jeff moest het ze verteld hebben, moest ze een idee hebben gegeven van hoeveel geld er was, een ruwe, overdreven schatting. Het verrekte *dinero*. De kap moest ervoor zorgen dat hij hen niet koppelde aan Jeff, hun werkgever. Het was primitief en intimiderend, en het werkte.

Konden ze weten waar hij het geld had opgeborgen? Brachten ze hem naar de opslagruimte om hem te dwingen de box te openen? Maar als ze wisten waar hij het geld had gelaten, hadden ze hem gewoon de sleutels kunnen afpakken. Dan zouden ze hem er niet bij nodig hebben. Dat sloeg dus nergens op. Maar dat betekende iets veel ergers. Ze wilden hem dwíngen het geld af te geven, te vertellen waar hij het had gelaten.

Hij was hun namen vergeten, maar hij herinnerde zich hun tatoeages, hun spieren, hun intimiderende houding. Eén latino en twee zwarten, alle drie kolossaal groot.

De auto minderde vaart en kwam tot stilstand. Hij hoorde de portieren opengaan en dichtvallen. Het kofferdeksel werd geopend en hij werd hardhandig beetgepakt en naar buiten gesleurd. Hij viel op zijn zij, zijn knieën stootten tegen iets hards en toen smakte hij op de grond.

Hij was in een koude, galmende ruimte die naar verrotting stonk. Een garage of een loods. Er hing een muskusachtige, smerige, vettige geur, ranzig... van vlees, realiseerde hij zich. Als in een slagerij. En het was er koud. Hij rilde.

Hij lag languit op zijn zij op een harde vloer. Hij probeerde op te staan, maar het lukte niet doordat zijn enkels bij elkaar waren gebonden. Hij kon alleen maar zitten, met zijn knieën uit elkaar.

Een stem sprak hem toe.

'Is uw rijke oom gestorven, meneer Hoffman?' Een mannenstem, diep, bevelend en resonerend, galmend in deze garage of loods of waar hij ook mocht zijn. Deze slagerij.

Rick antwoordde niet. Hij draaide zijn hoofd in de richting van de stem.

Luider nu: 'Ik zei, is uw rijke oom gestorven, meneer Hoffman? Hebt u een erfenis gekregen, ja?' Een bariton, goed articulerend, uiterst redelijk klinkend. Een tamelijk sterk Iers accent. En geen Boston-Iers. Iers uit Ierland. Geen stem die hij herkende. Een rustig sprekende man, die zijn stem niet verhief, misschien drie meter van hem vandaan.

'Ik weet niet waar je het over hebt,' zei Rick met door de kap gesmoorde stem.

'Bijdehante knaap, niet?' zei de stem. 'Wie heeft u over het geld verteld, meneer Hoffman?'

'Ik weet niets van geld. Je hebt de verkeerde voor.'

'Ik vraag het nog één keer. Met wie hebt u gesproken? Een simpele vraag, meneer Hoffman. Want uw vader praat niet. Dus is het iemand anders.'

'Je hebt de verkeerde voor,' zei hij nogmaals.

Een diepe zucht.

'We proberen het nog eens. Wie heeft u over het geld verteld?'

'Welk geld?'

De kap over zijn hoofd zat strak en schuurde over zijn huid. Hij hoorde voetstappen op een harde vloer ver weg, galmend door een blijkbaar grote ruimte.

Nu was de redelijke stem vlakbij, zo dichtbij dat Rick de stinkende adem kon ruiken. 'Ze zeiden dat u een geletterd man bent, meneer Hoffman. Een schrijver. Schrijft u op de computer? Typt u met twee handen?'

'Wat?'

'Mijn vraag is simpel: gebruikt u beide handen als u op de computer typt? Of dicteert u?'

Rick wist niet waar de man naartoe wilde en hij antwoordde niet.

'Kent u het gedicht "Maakt het iets uit", meneer Hoffman? Hm? Nee?'

'Nee, ik...'

'Een prachtig gedicht. U zou het moeten kennen. We hebben het op school vanbuiten geleerd.' En hij declameerde: '*Maakt het iets uit als je je benen verliest? Want mensen zullen altijd aardig zijn.* U kent het vast wel, meneer Hoffman. Een prachtig gedicht en u bent een man van het woord. *En je hoeft niet te laten merken dat je het erg vindt. Als...*' – hij aarzelde – '*de anderen na de jacht binnenkomen om hun muffins en eieren te eten.*'

Zijn ontvoerder was krakzinnig, realiseerde Rick zich met een schok van angst. Volkomen doorgedraaid.

'Heren, til hem op, alstublieft.'

Iemand pakte hem van achteren bij zijn enkels en iemand anders bij zijn polsen. Hij verzette zich heftig en zijn hak raakte iets zachts. Hij hoorde een scheldwoord voordat hij opnieuw bij zijn enkels werd gepakt en werd opgetild, kronkelend en draaiend, en op de grond werd gegooid, met zijn gezicht op iets kouds en hards en metaligs.

Hij hoorde iets klikken en toen een hoog, gierend geluid, een zagend geluid, onmiskenbaar, slechts een paar decimeter verderop. Een cirkelzaag.

'Ik moet de man nog ontmoeten die het kan opnemen tegen de Slagersjongen. Zeg eens, meneer Hoffman, bent u linkshandig of rechtshandig?'

Rick barstte uit in een stroom van vloeken.

Een schorre lach, een rokershoest. 'Wat een praatjes! Maar u zult me antwoord geven, want ik stel u voor de keus. U kiest. Het is aan u. Welke hand gebruikt u het meest, meneer Hoffman? Links of rechts? Ik zal er ditmaal maar één nemen.'

Rick had opeens moeite om adem te halen. Hij werd overvallen door paniek. De cirkelzaag gierde schril, een centimeter of dertig van waar zijn wang op het koude metaal lag. Hij probeerde zijn handen te bevrijden, maar de greep was te stevig. Hij rook opnieuw ranzig vlees en de donkere geur van motorolie.

'Hij is rechtshandig,' zei de Ier. 'Laten we hem een plezier doen en de linker pakken. Laat hem zijn rechterhand houden.'

'Nee!' gilde Rick. 'God, néé!'

Zijn handen werden over het harde, metalen oppervlak getrokken en de zaag gierde vlakbij. 'Nee!' zei hij, niet in staat zijn handen te bevrijden, en toen sneed er iets kouds en scherps door de dikke parkamouw en in zijn pols – en het gieren van de zaag werd gillen en toen werd het stil, op de echo van Ricks eigen kreten na.

Zijn linkerpols was warm en kleverig van het bloed.

'Meneer Hoffman,' klonk de stem, 'mijn vader zei altijd: "De eerste keer krijg je een uitbrander. De tweede keer met de riem." Nou, u zou willen dat het de riem was, meneer Hoffman. Dus ik wil dat u heel goed nadenkt, want we spreken elkaar weer. We zullen elkaar weer spreken, meneer Hoffman. En als we merken dat u iets voor ons hebt verzwegen, zal ik niet "links of rechts" vragen.'

Rick was drijfnat van het zweet, zijn hart was op hol geslagen en opeens werd hij opnieuw bij zijn handen en knieën gegrepen en weer in de kofferbak gegooid.

Hij hoorde het diepe grommen van de motor en de auto zette zich in beweging. Met de vingers van zijn rechterhand voelde hij aan de wond in zijn linkerpols. Die zat onder het bloed, maar de wond leek oppervlakkig. Het zaagblad had door de mouw van zijn jack gesneden. Hij voelde de plukjes dons op de snijwond. Toen merkte hij dat het zaagblad de plastic boeien gedeeltelijk had doorgesneden. Hij draaide zijn handen in tegengestelde richtingen en rukte ze heen en weer en ten slotte brak het plastic en liet de boei los.

Nu zijn handen vrij waren trok hij aan de kap en wist hem

uiteindelijk af te zetten. Hij rukte aan de boeien om zijn enkels, maar hij had iets scherps nodig en slaagde er slechts in de boeien nog strakker te trekken.

Enige tijd later – hij had geen idee meer van de tijd – sprong het kofferdeksel open en hij hoorde het dreunen van verkeer vlakbij. Hij trappelde, schopte met zijn benen eerst in de ene richting en toen in de andere. Het was donker en hij zag niet veel, maar twee grote mannen, alle twee kaalgeschoren, pakten hem beet. De ene pakte zijn linkerenkel vast en de andere zijn rechterpols, toen zijn linker, en hij werd in de lucht gegooid en viel met een smak in het gras.

Hij hoorde portieren die werden geopend en dichtgesmeten en het geluid van een automotor. Hij krabbelde op zijn knieën overeind, struikelde en viel op zijn zij in het zachte gras. Hij ademde diep in en zag dat hij op de grazige middenberm van een drukke autoweg zat – hij herkende de omgeving niet meteen – en dat zijn BMW vlakbij stond, half op de vluchtstrook, half in de berm.

13

Met de baard van een van zijn huissleutels kon hij uiteindelijk de plastic boeien rondom zijn enkels doorzagen. Hij strompelde naar zijn auto en zocht de afstandsbediening, die op de bestuurdersstoel was achtergelaten. Hij voelde aan zijn linkerpols en merkte dat het bloeden was gestopt.

Hij reed terug naar het Charles Hotel, maar hij wist dat hij zou moeten verhuizen. Hij was tenslotte in de parkeergarage daarvan ontvoerd, wat betekende dat hij gevolgd was en ze wisten dat hij daar logeerde. En ze zouden terugkomen. Over achtenveertig uur, als de Ier de waarheid sprak.

Als hij naar het hotel was gevolgd, zouden ze hem waarschijnlijk ook vanáf het hotel volgen. Dat moest hij in gedachten houden. Hij zou ander onderdak moeten zoeken, maar daarbij zo goed als hij maar kon opletten dat hij niet werd gevolgd.

Hij kocht wat verband in de cadeauwinkel van het hotel en draaide het op zijn kamer om zijn pols. Toen nam hij de lift naar de lobby en stapte over in een van de liften naar de parkeergarage.

In die korte tijd, die twintig seconden waarin hij van lift verwisselde, kon hij mogelijk gezien worden. Hij nam aan dat hij in het hotel in de gaten werd gehouden. Hoe hadden ze anders kunnen weten dat hij zijn auto in de ondergrondse garage had gezet? Hij moest ervan uitgaan dat iemand, of enkele iemanden, hem observeerden. Waarschijnlijk de receptie in de gaten hielden. Hij had niemand gezien, maar ja, hij had ook niemand gezocht.

Hij was voor zover hij kon zeggen niet naar de garage gevolgd. Niemand was na hem in de lift gesprongen. Voor alle zekerheid had hij op de knop voor beide niveaus gedrukt. Voor het geval iemand de liften in de lobby in de gaten hield om te kijken welk niveau hij koos.

Hij herinnerde zich dat er een Avis-balie in het hotel was. Maar die was in de lobby. Als daar iemand was die zijn komen en gaan observeerde, zouden ze zien dat hij naar de Avis-balie ging en onmiddellijk weten wat hij van plan was. Daarom verliet hij het hotel via de parkeergarage en liep om naar de dichtstbijzijnde Hertz-vestiging. Daar huurde hij een grijze Ford Focus, de meest onopvallende auto die ze hadden. Hij reed via Harvard Square en heen en weer door Mass Ave, op zoek naar een onderkomen. Hij vond algauw een bed and breakfast in Mass Ave in Cambridge, een paar straten van Harvard Square, het Eustace House. Het was een oud, grijs, victoriaans gebouw dat was verdeeld in grillig gevormde gastenkamers. De vloeren kraakten en er hing de doordringende bloemengeur van een rouwkamer, lelies en chrysanten. Hij schreef zich in als Jacob Clayton. Hij wist niet goed waarom hij een schuilnaam gebruikte. Misschien omdat hij zich daar veiliger bij voelde. Hij had geen bagage.

Daarna nam hij een taxi naar het Charles Hotel en vroeg de chauffeur de garage binnen te rijden. Hij keerde terug naar zijn kamer, haalde de stapeltjes dollarbiljetten uit de kluis en stopte ze in zijn koffer. Hij belde de piccolo en vroeg hem de koffer naar garageniveau 2 te brengen, waar de taxi wachtte, terwijl hij zich uitschreef. Toen keerde hij terug naar de B&B. In zijn kamer kleedde hij zich uit, stapte in het krakende bed en sliep urenlang, een klamme, koortsachtige slaap. Hij was op van de zenuwen. In zijn slaap beleefde hij de ontvoering opnieuw, telkens weer, in springerige fragmenten, een lugubere slideshow. Rond middernacht werd hij wakker, en opnieuw om vier uur in de ochtend, waarna hij niet meer kon slapen. Hij deed het bedlampje aan.

Zijn hele lichaam deed pijn. Zijn knieën waren gekneusd en gevoelig. Het bloeden van de wond in zijn pols was gestelpt. Het enige wat was overgebleven, was de psychische angst, het gevoel van machteloosheid. Van niet weten of hij op elk moment kon worden verminkt of gedood. De kap over zijn hoofd. De kille charme van zijn onzichtbare ondervrager, de poëzieliefhebber met het Ierse accent.

Hij wist dat hij er tot over zijn oren bij betrokken was en dat alles was veranderd. Zijn ontvoerders waren op de een of andere manier van het geld op de hoogte. Maar hoe?

Het enige wat hij zeker wist, was dat hij niet langer veilig was. Alles wat hem in dat pakhuis of die slagerij, of wat het ook was, was overkomen, kon heel goed opnieuw gebeuren, maar met een veel ernstigere afloop. Het leek belangrijker dan ooit uit te zoeken waar dat geld vandaan kwam, van wie het eigenlijk was.

En die speurtocht begon met het geld zelf.

Hij haalde de stapeltjes bankbiljetten uit zijn koffer en legde ze op de quilt van het bed. Sommige biljetten waren oud, enkele nieuw. Hij haalde een van de nieuwe biljetten van honderd dollar uit een stapeltje en bekeek het voor het eerst aandachtig. Links van Ben Franklins grote hoofd stonden de woorden SERIE 1996.

Hij pakte zijn MacBook Air en zocht een wifi-verbinding. Ten slotte kreeg hij contact met een tamelijk zwak signaal voor de gasten van Eustace House, dat sterker werd naarmate hij dichter bij de kamerdeur kwam. Hij ging op de rand van het bed zitten en googelde 'ontwerp vs bankbiljetten'. In 1996, ontdekte hij, was het honderddollarbiljet voor het eerst sinds 1929 opnieuw ontworpen. Er waren allerlei maatregelen tegen vervalsing aan toegevoegd: een watermerk van Franklin, een veiligheidsdraad die opgloeide in ultraviolet licht, van kleur veranderende inkt.

Het nieuwste biljet van de stapel dateerde uit 1996. Het opnieuw ontworpen honderddollarbiljet was in maart 1996 uitgegeven. Lenny had in mei van dat jaar een infarct gekregen. Dat betekende dat het geld op elk moment na maart en uiterlijk op 27 mei, de dag van het infarct, in het huis kon zijn verstopt. Dat was een tijdspanne van drie maanden. Dus met wie had zijn vader zaken gedaan tussen maart en mei 1996? Wie waren zijn cliënten geweest?

Zijn secretaresse zou dat weten. Misschien dat ze zich twintig jaar na dato niet alle namen herinnerde, maar vast wel een paar. Hij zou haar geheugen zo goed mogelijk moeten opfrissen.

Toen de zon opkwam en hij gekraak en zacht gemompel op de verdieping boven hem begon te horen, ging hij naar beneden en schonk zichzelf een kop koffie in uit de thermoskan in de zitkamer aan de voorkant, vlak bij een ouder echtpaar dat zat te ontbijten en reisgidsen over Boston las. Hij verwachtte min of meer dat iemand hem in de zitkamer zou opwachten, een gespierde, indrukwekkende man, maar hij zag alleen het bejaarde stel en nog een oude man die in een fauteuil een Lee Child zat te lezen.

Ze hadden hem niet naar de B&B gevolgd; hij was nog steeds veilig. Daarna ging hij naar zijn kamer en belde Joan Breslin. Hij verliet de B&B, daalde de trap af, zag een paar voorbijgangers, maar er was zo te zien niemand die op hem lette. De gehuurde Ford stond halverwege de straat.

Een uur later stopte hij voor de oprit van Joan Breslins huis in Melrose.

14

Rick sloeg links af de wijk in en reed een blokje om, om er zeker van te zijn dat hij niet was gevolgd. Misschien was zijn huurautotactiek gelukt. In elk geval voorlopig, maar zijn achtervolgers zouden weldra ontdekken dat hij niet meer in het Charles Hotel logeerde.

Joans huis was een goed onderhouden splitlevelhuis in verrassend turquoise. Links van de brandschone, onlangs opnieuw geasfalteerde oprit lag een volmaakt onkruidvrij geelbruin gazon in winterslaap. Op een deurmat van kokosvezels in dezelfde kleur als het gazon stond DE BRESLINS. De deurbel klingelde als een kerkklok op een dorpsplein. Dit was het woonhuis van een echtpaar dat plezier had in orde, netheid en regelmaat.

'Rick Hoffman,' zei ze glimlachend en ze spreidde haar handen in een verwelkomend gebaar. 'Kon je het makkelijk vinden?'

'Prima,' zei Rick. 'Bedankt dat je me wilt ontvangen.'

'Ik heb proberen te raden wat je me wilde vragen. Je hebt me benieuwd gemaakt.'

Joan Breslins lippenstift was enigszins uitgesmeerd. Het leek erop dat ze rouge had aangebracht, al wist Rick niet zeker of vrouwen nog rouge gebruikten. Haar haar was korter dan Rick het zich herinnerde. In plaats van platinablond was het nu spierwit.

Ze droeg een schitterende smaragdgroene kaftan. Rick had het idee dat ze zelden bezoek kreeg en zich voor deze ontmoeting had opgetut. Een speciale gelegenheid, misschien het hoogtepunt van haar week. Hij rook verse percolatorkoffie.

Hij had haar in geen achttien jaar gezien, sinds een paar weken na Lens infarct, toen hij allerlei juridische documenten had moeten tekenen om de advocatenpraktijk te sluiten. Jaren daarvoor al had Len een aantal documenten opgesteld waarin Rick als voogd werd aangewezen ingeval zijn vader onbekwaam zou worden. Daardoor was het Rick wiens taak het was de praktijk te beëindigen, de bankrekening op te heffen en al die andere irritante kleinigheden te doen waarvan hij zich nooit een voorstelling had kunnen maken. Joan was behulpzaam en efficiënt geweest en hij had haar aardig gevonden, en dat was ongeveer alles wat hij zich herinnerde.

Het huis was binnen even onberispelijk als aan de buitenkant. Niet één poststuk op het halvemaanvormige tafeltje in de gang. Turquoise was haar kleur, overal, de muren, zelfs het kamerbrede tapijt, dat verse sporen van een stofzuiger vertoonde.

Ze schonk slappe koffie in een beker met de woorden PAROCHIE DE HEMELPOORT. Ze vroeg opnieuw of Len het 'goed maakte', wat waarschijnlijk betekende of hij nog leefde.

'Grappig,' zei ze. 'Je lijkt heel veel op hem. Zoals hij eruitzag toen ik pas voor hem werkte.'

'Hij mocht van geluk spreken dat je niet meteen toen je hem zag ontslag hebt genomen.'

Ze lachten. 'Nee, nee,' zei ze. 'Hij was een knappe man indertijd.'

Rick leidde het gesprek naar het verpleeghuis en hoe aardig het verplegend personeel was, hoe Rick weleens dacht dat zijn vader begreep wat ze tegen hem zeiden en soms ook niet.

'Je vader was uniek,' zei ze. 'Ze hebben de matrijs gebroken nadat hij gemaakt was, zeker weten.' Ze had de hese stem van een roker, maar hij rook geen tabak. Ze was waarschijnlijk enige tijd geleden gestopt.

'Zeg dat wel. Ik heb wat dossiers gevonden in mijn vaders werkkamer thuis waarnaar ik je graag zou willen vragen. Aantekeningen over geldbedragen die hij in bewaring had gekregen, zoiets.'

'Contant geld?'

'Ik dacht dat, als íémand wist wat mijn vader van plan was, jij dat zou zijn.' Hij merkte dat hij onmiddellijk weer in zijn rol van onderzoeksjournalist stapte, een oude maar makkelijke routine. Zijn verslaggeversinstinct vertelde hem dat hij via een omweg moest binnenkomen. Indirecte vragen moest stellen. Het was een smak geld waar hij naar vroeg en zoveel geld deed rare dingen met mensen. Het kon ze inhalig en weigerachtig maken. Hij herinnerde zich een zin, een klassieker, uit *The Treasure of the Sierra Madre*: 'Ik weet wat goud doet met de menselijke ziel,' zei de oude goudzoeker.

Bovendien was het mogelijk – zelfs waarschijnlijk, dacht hij – dat het geld verband hield met illegale dingen. Misschien iets waarbij ook zij betrokken was geweest. Hij wist dat hij haar niet kon vertrouwen totdat het tegendeel bewezen was.

'Ik weet niet in hoeverre ik je kan helpen,' zei ze. 'We hebben het over bijna twintig jaar geleden.'

'Als een cliënt hem contant geld gaf, zou jij het hebben afgehandeld, nietwaar?'

'Nou ja, ik was meestal degene die geld stortte. En ik had de combinatie van de kluis.'

'Hij vertrouwde je blijkbaar stilzwijgend.'

'Dat is zo. Maar ik weet niet wat hij misschien heeft gedaan, of gekregen, buiten kantoortijd, als ik er niet was.'

'Nee, uiteraard niet.' Hij grijnsde ontspannen. 'Sommigen van vaders cliënten waren een beetje...'

Ze trok haar wenkbrauwen op. Deed alsof ze van niets wist. Ze werkte niet mee.

'... schimmig,' besloot hij.

'Hij verdedigde allerlei mensen. En inderdaad, sommigen waren, nou ja, onconventioneel. Hij had beslist zo zijn favoriete projecten, je vader.'

'Stripteaseclubs, pornoboekhandelaars, dat soort dingen.'

'Ons kantoor was een paar straten van de oude Combat Zone,' zei ze. De Combat Zone was de rosse buurt van Boston, een wijk vol pornozaken en tippelaarsters, die rond 1990 grotendeels was verdwenen. 'Je vader geloofde heilig in het Eerste Amendement.'

'Ik weet het.' Leonard Hoffman, de voorvechter van het paaldansen. 'Dat zijn gelegenheden waar contant wordt betaald. Ik neem aan dat sommigen van die cliënten hem bij voorkeur contant betaalden?'

Het was alsof ze ineenkromp en ze keek hem nu argwanend aan, alsof ze in de getuigenbank stond en hij de aanklager was. Hij vroeg zich af waarom ze zo defensief deed. Ze beschermde niet alleen het imago van zijn vader. Er was iets meer.

'Het is legaal zolang je het opgeeft als inkomen,' zei ze. 'Je kunt geroyeerd worden als je je inkomen niet naar waarheid opgeeft.'

Dus misschien ging het daarom. 'Ik denk dat hij niet al zijn contante betalingen opgaf.'

'Wat heeft dat allemaal te maken met...? Ik bedoel, waarom vraag je dat?'

'Joan, ik ben niet van de fiscale opsporingsdienst. Ik wil hem, of jou, niet in de problemen brengen.'

'Ik zei altijd dat hij alle contante betalingen moest opgeven.'

'Ik weet zeker dat jij degene was die hem in toom hield. Maar sommigen van zijn cliënten waren drugsdealer, ja?'

Ze haalde haar schouders op. 'Zoals ze zeggen: iedereen heeft recht op juridische bijstand.' Ze zei het alsof ze het niet meende.

Dat klonk als een bevestiging. 'Joan, mijn vader was in het bezit van een aanzienlijke hoeveelheid contant geld en ik probeer erachter te komen waar dat vandaan kan zijn gekomen.'

Haar neusvleugels trilden. 'Vraag je of ik geld achterhield waar ik geen recht op had? Want ik stoor me aan de insinuatie...'

'Absoluut niet. Begrijp me niet verkeerd. Ik vraag me af of hij misschien een heleboel geld voor een ander in bewaring heeft gekregen.'

Ze wendde haar blik af en staarde in de verte. Ze zweeg tien, vijftien seconden. Ze ademde in. Rick werd zich nu pas bewust van de zacht tikkende klok op de schoorsteenmantel. Ten slotte zei ze: 'Je vader was een geweldig man met een groot hart.'

'Dat weet ik.'

'Zie je, het pakt niet altijd uit zoals je wilt. Hij heeft misschien een paar dingen gedaan waar hij niet trots op was. Laten we het daarop houden. Het heeft geen zin het verleden over te doen. Wat gebeurd is, is gebeurd, en het is heel lang geleden.'

'Ik vraag het voor zijn bestwil.'

Ze schudde langzaam haar hoofd. 'Je vader probeerde me altijd te beschermen. Hij vertelde me niet alles.'

'Je bent de enige die hij in vertrouwen nam.'

Ze aarzelde. 'Hij heeft me nooit in vertrouwen genomen. En ik weet zeker dat er dingen zijn waarvan hij niet wilde dat jij ze wist.'

'Jij en ik willen hetzelfde,' zei Rick. 'Len beschermen. Want hij kan zichzelf niet beschermen. Maar als ik hem echt wil beschermen, moet ik weten waar we mee te maken hebben.'

Ze slaakte een diepe, schorre zucht. 'Luister, het is een smerig zaakje, die... die wereld. De porno-industrie, bedoel ik. Weet je, de politie en de stadswachten vroegen die gelegenheden steeds om smeergeld. Massagesalons, je weet wel... die moesten de politie vaak... seksuele gunsten bewijzen om te voorkomen dat ze een bekeuring kregen. Soms alleen maar geld. Afzetterij, meer was het niet.' Ze wreef haar duim en wijsvinger over elkaar, het universele gebaar voor oneerlijk gewin.

'Ik weet niet of ik het begrijp. Overhandigde pa stadsambtenaren en politieagenten hun afkoopsommen?' Het woord voor zo iemand was *koerier*. Zijn vader was een koerier.

Hij dacht aan het verwijt van zijn vader toen hij het plagiaatartikel in de schoolkrant plaatste. *Je hebt je niet aan de regels gehouden, Rick.*

Wat waren de regels waar Lenny zich aan hield?

Ze aarzelde. 'Zo begon het. Er ging geld naar de horeca-inspectie, de gezondheidsinspectie, de brandweer en zo...'

'We hebben het over hier en daar een paar honderd dollar, neem ik aan.'

Ze knikte. 'Of meer, in sommige gevallen. Voor de grotere stripclubs. Lenny moest er soms naartoe om de raderen te smeren. Ik denk dat hij bekend werd als... nou ja, als iemand die dingen kon regelen. Hij was heel goed in het bijleggen van geschillen. Privé-arbitrage, zou je het kunnen noemen. Hij was wat je een fixer zou kunnen noemen.'

'Waren het voornamelijk stadsfunctionarissen die hij omkocht?'

'Niet alleen. Als iemand een nachtclub wilde openen en de eigenaar van het aangrenzende gebouw deed moeilijk, dan... je weet wel.'

'Kocht hij die eigenaar af.'

Een schokschouderen. 'Hij handelde ook contante transacties tussen bedrijven af. Hij ontmoette cliënten tijdens een lunch in Locke-Ober's of Union Oyster House en dan gaven ze hem enveloppen of bruine zakken en...' Ze sloot haar ogen en wreef erover alsof ze hoofdpijn had.

'De dag van zijn infarct,' zei Rick. 'Zevenentwintig mei. Weet je of hij geld bij iemand had moeten afleveren?'

Ze tuurde Rick meesmuilend aan, alsof ze wilde zeggen: dat kun je niet menen. 'Zevenentwintig mei 1996? Je denkt toch niet dat ik nog weet wat hij op zevenentwintig mei 1996 deed? Weet jíj wat je op zevenentwintig mei 1996 deed?'

'De dag van zijn infarct. Toen je hem vond die dag, zou hij toen een grote hoeveelheid geld bij iemand afleveren?'

Ze wendde haar blik af, langzaam, maar niet ontwijkend,

voor zover hij kon zien. Ze leek in haar geheugen te zoeken. Er verstreken enkele ogenblikken.

Ten slotte schudde ze haar hoofd. 'Sorry, ik weet het niet meer. Het zou kunnen.'

Rick wachtte. De klok op de schoorsteenmantel tikte.

Ze krabde aan haar linkerschouder. 'Ik heb nog een paar oude dossiers in het souterrain. De oude agenda's en zo. Zou je daar iets aan hebben?'

15

Het souterrain was keurig opgeruimd; het had meer weg van de voorraadkamer van een laboratorium dan de uitgedijde afvalhoop die zijn souterrain in Clayton Street was. Op de glimmende roestvrijstalen rekken stonden blauwe plastic voorraadpotten en strakke rijen witte kartonnen dozen, alles netjes geëtiketteerd met zwarte viltstift in minutieus handschrift. Er hing een vage geur van bleekmiddel.

'Heb je alle dossiers bewaard?' vroeg Rick.

'Alleen de financiële bescheiden. Voor het geval er controle kwam. De cliëntendossiers heb ik versnipperd.'

'Versnipperd?'

'Ik heb het jullie gevraagd, weet je nog. Jou en je zus? Jullie zeiden dat jullie ze niet hoefden.'

'Hoe kan ik er dan achter komen wie hij op een bepaalde dag heeft ontmoet...?'

'Het rode boek, lijkt me. Een soort afsprakenagenda.' Ze wees naar een kartonnen doos en hij pakte hem van het schap – onverwacht zwaar – en zette hem op de glanzend geverfde betonvloer. Ze bukte zich voorzichtig, met één hand op haar rug, en tilde het deksel op.

Er lagen dikke, rode, gebonden boeken in, zo groot als een telefoonboek.

Op elk van de rode boeken stond *Massachusetts Lawyers Diary and Manual.* Het was een soort combinatie van een bureauagenda en een naslagwerk: gemeentelijke afdelingen, lijst van rechters, dat soort dingen. Een soort boerenalmanak voor juristen, maar dan veel saaier. Hij pakte er een over het jaar 1989 en bladerde het door. De stukken die hem interesseerden waren de dagagenda en de maandplanner. Eén pagina per dag. Namen van cliënten en tijdstippen van ontmoetingen, in naar hij aannam Joans keurige handschrift.

In een andere doos vond hij het boek over 1996. Hij bladerde naar de pagina van 27 mei. Een tamelijk lege agenda, zo te zien. Slechts drie afspraken die dag. Eén in de ochtend, één rond de middag en één tegen het eind van de middag. Die in de namiddag had hij niet gehaald natuurlijk, aangezien hij kort na de lunch een infarct had gehad. Maar de afspraak om twaalf uur waarschijnlijk wel. Er stond geen naam achter 12.00 uur, alleen een initiaal: 'P'.

Rick wees naar de aantekening en trok vragend zijn wenkbrauwen op. 'Dit was zijn laatste afspraak vóór het infarct. Wie is "P"?'

Joan pakte de leesbril die aan een ketting om haar nek hing, zette hem langzaam op en tuurde naar de pagina. 'O, ik weet niet wie dat was, "P". Meer heeft hij me niet verteld – iemand die hij af en toe trof.' Ze schoof de bril langs haar neus omlaag, draaide zich naar hem om en voegde er stijf aan toe: 'Je vindt het hopelijk niet erg als ik zeg dat ik altijd heb aangenomen dat het een vriendin was?'

Rick glimlachte. 'Ontmoette hij "P" altijd rond lunchtijd?' Een middagslippertje in een goedkoop hotel – net iets voor Len. Patty, Penelope, Priscilla, Pam. Hij zou zijn vrouw,

Ricks moeder, niet bedrogen hebben. Ze was drie jaar eerder gestorven, toen Rick vijftien was en zijn vader negenenveertig. Niet bepaald een oude man en die man had seksuele behoeften, voor zover Rick daar over na wilde denken. Er waren enkele vriendinnen geweest, maar nooit voor lang. Het huwelijk van zijn ouders had altijd rustig geleken. Misschien dat één keer getrouwd zijn genoeg was geweest voor Len.

'Soms na werktijd. Maar nooit op kantoor. Daarom nam ik aan...'

'Heeft hij je nooit gevraagd bloemen voor "P" te bestellen?' Hij zei het schertsend, maar ze vatte het serieus op, fronste haar wenkbrauwen en schudde haar hoofd.

'Maar als "P" een cliënt was zouden er toch rekeningen en dossiers en zo zijn?'

Ze knikte. 'Ze was geen cliënt, lieverd.'

'Weet je dat zeker of raad je ernaar?'

'Vrouwelijke intuïtie.'

'Juist ja.' Hij woog het grote rode boek op zijn hand. 'Mag ik dit lenen?'

Ze aarzelde. 'Vooruit maar, lijkt me.'

'De financiële stukken zijn hier?'

Ze klopte op een doos met het etiket DECLARATIES CLIËNTEN 1969-1973. Er stond een rij van zes dozen met declaraties over de jaren 1969 tot 1996, de jaren waarin Lens praktijk actief was. 'Ga je gang. Neem mee wat je wilt. Zeg alleen wát je meeneemt, oké? Is het hier licht genoeg? Ik geloof dat Timmy zo'n klemlamp op zijn werkbank heeft liggen.'

'Het lukt wel, bedankt.'

Toen Joan weg was tilde hij de doos over 1994-1996 uit het rek. De inhoud was niet chronologisch geordend, maar per cliënt, wat lastig was. Hij wilde inzoomen op de periode rond mei 1996 om te zien wat voor juridische dingen zijn vader in de weken voorafgaand aan zijn infarct had gedaan, maar er was geen makkelijke manier. Dus ging hij op de brandschone vloer zitten en begon zich door de mappen met declaraties heen te werken.

Sommige cliënten waren personen, andere bedrijven. De meeste namen herkende hij niet. Een paar wel: beruchte stripclubs en pornobioscopen waarvan de aan en uit flitsende neonborden de nacht verlichtten in de vier straten omvattende rosse buurt bij Chinatown. Tegen 1996 waren de meeste gelegenheden voor 'volwassen entertainment' gesloten, maar er waren er een paar overgebleven, en sommige daarvan waren cliënt van Len Hoffman. Er stonden namen op de mappen: de Emerald Lounge, Club Fifty-One, Pleasures, de Kitty Kat.

Wat voor juridisch werk had zijn vader voor hen gedaan? Hij pakte de Kitty Kat-map en vond de zo te zien maandelijkse declaraties voor de Kat, getypt op briefpapier van Leonard Hoffman. ('Advocatenkantoren Leonard Hoffman, advocaten & procureurs.' Kantoren, meervoud. Alsof het een multinational was.) Op sommige declaraties stond slechts: 'Voor bewezen diensten', op andere dingen zoals 'Geschil gezondheidszorg' en 'Opschorting vergunning'.

Rick begon een prikkeling in zijn nek te voelen. Het was alsof het oude onderzoeksjournalistenbloed, lang gestremd, weer begon te stromen. Hij wist dat hij een geweldige neus voor onderzoek had en hij vond het leuker dan welk journalistiek werk ook. Er was hier iets wat hij niet snapte, een of ander verhaal, als hij er maar een vinger achter kon krijgen.

De beste manier, daar was hij van overtuigd, was een lijst samenstellen van alle cliënten van Len rond de tijd van het infarct. Als hij diep genoeg groef, vond hij misschien de cliënt – als het inderdaad een cliënt was – die de mysterieuze 'P' was die Len die middag had gesproken.

Toen bedacht hij zich. Waarom zou hij niet de hele doos meenemen en alles grondig checken? Vóór in de doos vond hij een floppy met het woord BANKAFSCHRIFTEN. Het was een oude computerdiskette van 5¼ inch, het nieuwste van het nieuwste in de jaren tachtig, maar werden die in de jaren negentig nog gebruikt? Misschien door mensen die niet vooropliepen in de technologie, zoals Len en Joan.

Misschien, heel misschien, zouden deze mappen het raadsel oplossen waar al dat geld vandaan was gekomen.

16

De stad Boston bewaarde al haar oude archieven in een groot, op een bunker lijkend gebouw in een afgelegen deel van de stad, West Roxbury. In de tijd dat Rick als onderzoeksjournalist bij *The Boston Globe* had gewerkt, was hij wel eens in het stadsarchief geweest. Het was een enorm magazijn dat niet toegankelijk was voor het publiek. Je kwam niet zomaar binnenwaaien; je moest een afspraak maken. Hier vond je zowat elk historisch document, transcriptie of dossier, tot vóór de tijd dat de stad in 1630 door de puriteinen was gesticht. Rick had geen idee wie het stadsarchief bezochten, afgezien van historici. Sommige krantenverslaggevers wisten niet eens van het bestaan.

Toen hij terugreed naar Boston belde hij het stadsarchief en vroeg naar Marie. Marie Gamache werkte er al eeuwen en had een uitbundig karakter dat haar onderscheidde van haar meer introverte collega's. Ze had ook een vasthoudendheid die Rick bewonderde. Ze kon alles vinden, elk snippertje papier, in het enorme magazijn. Ze zag elke zoekopdracht als een persoonlijke uitdaging en wist niet van opgeven. Er stonden maar weinig documenten van vóór het jaar 2000 online. Ze waren opgeslagen in grijze archiefdozen op kilometerslange schappen. Je kon er niet per computer in zoeken. Het enige zoekprogramma zat in de hoofden van de archivarissen en Rick had de ervaring dat niemand er beter in was dan Marie.

'Hoi,' zei hij. 'Met Rick Hoffman.'

'O, mijn god, Rick Hoffman. Wat heerlijk je sexy stem weer eens te horen.'

'Nou, je zult het misschien minder leuk vinden als je hebt gehoord wat ik wil.'

'O-o!'

'Ik heb wat dossiers uit 1996 nodig. Woningbouw, gezondheidszorg, vergunningen, inspectiediensten.'

'Wacht even, dan pak ik een nieuw notitieblok.'

'Gebruiken jullie nog steeds geen computers?'

'O, stil maar. Er gaat niks boven papier en pen, en je weet dat ik gelijk heb.'

Hij stopte langs de kant van de weg en las haar een lijst voor die hij in het souterrain van Joan Breslin had opgesteld.

Toen hij klaar was zei ze: 'En ik neem aan dat je alles morgen in alle vroegte wilt hebben.'

'Wat denk je van vanmiddag?'

'Dat is hopelijk een grapje.'

'Ik meen het. Lukt dat?'

'Ik denk dat het kabinet van de burgemeester vóór je in de rij staat en dat laat me al dagenlang dossiers lichten.'

'Wie is er belangrijker, ik of de burgemeester?'

Ze lachte. 'Je hebt een punt. Geef me drie uur.'

'Je bent een schat.' Hij kreunde in stilte toen hij het zei. Hij kon zijn vader exact hetzelfde horen zeggen. Vrouwen op dezelfde manier horen vleien. Hij was inderdaad de zoon van Lenny Hoffman, in voor- en tegenspoed.

Zijn volgende stop was een computerreparateur in een stille zijstraat in Allston. Hij wist dat hij in de gestroomlijnde Apple Store zou worden uitgelachen als hij met een floppy uit de jaren tachtig kwam aanzetten. Maar de Computerzolder repareerde Ricks computers al jaren en scheen alles te kunnen fiksen wat nog te fiksen was, en het was in elk geval een poging waard.

Een gezette jonge vent van een jaar of vijfentwintig kwam naar voren. Hij had lichtbruine haren tot op zijn kraag, een volle, rossige baard en een ringetje door zijn neus.

'Kan ik je helpen?'

Rick liet hem de floppy zien. 'Hebben jullie een computer die dit kan lezen?'

'Wat is het?'

Rick zuchtte. 'Is Scott er?'

De man met de baard knikte en liep weer naar achter en een minuut later verscheen de eigenaar, Scott. Hij was lang en kaal en droeg een zwart-wit gestreept bowlingshirt met de woorden HOLY ROLLERS.

'Zo, kijk nou eens,' zei Scott. 'Een levensechte floppy.'

'Heb je een computer die 'm kan lezen?'

'Rick, er is al meer dan twintig jaar geen enkele computer meer die dat kan. Ik bedoel, ik geloof dat ze in de Apple II werden gebruikt, begin jaren negentig.'

'Heb je er toevallig een staan?'

Scott schudde zijn hoofd. 'Misschien in het computermuseum. Is er niet ergens een computermuseum? Anders denk ik dat je op eBay moet zoeken. Zoek naar een oude IBM-pc, een 286 of zo. Misschien heb je geluk. Mensen verkopen allerlei zooi.'

Rick herinnerde zich opeens de IBM-computer op het bureau van zijn vader. 'Ik denk dat ik weet waar ik er een kan vinden.'

Onderweg naar het huis van zijn vader stopte hij bij Tastee Donuts, een ouderwetse zaak waar ze met de hand gesneden donuts verkochten die nog warm waren als je ze kreeg, en kocht een doos met tien verschillende.

Zijn blik viel op een zwarte Escalade die vlak bij Tastee Donuts dubbel geparkeerd stond, halverwege de straat. Hij kon er niet naar binnen kijken vanwege de getinte ramen. Hij meende dat hij eerder een soortgelijke Escalade had gezien, achter hem op de snelweg. Maar het was een heel gangbaar model. Er was geen reden om te denken dat dit dezelfde was.

Toen hij weer bij zijn auto kwam, was de Escalade verdwenen.

17

Het stadsarchief was een halfuur rijden over de slingerende Riverway, die vanaf het stadsdeel Fenway langs Jamaica Plain liep en eindigde in West Roxbury. Hij zette zijn auto op de parkeerplaats voor bezoekers, werd via de hoofdingang binnengelaten en volgde de bordjes naar de leeszaal.

Marie Gamache stond achter de balie: klein, gezet, kort bruin bobkapsel. Ze was in gesprek met een slanke man met zwarte krullen en een sterke bril met draadmontuur. Ze straalde toen ze Rick zag. 'Er is nog meer, maar je kunt meteen beginnen als je er klaar voor bent.'

Hij draaide zich om in de richting waarin ze wees en zag een lange, blankhouten leestafel vol grijze archiefdozen.

'O jee,' zei hij toonloos. 'Nou ja, eerst het belangrijkste.' Hij gaf haar de doos donuts. 'Voor jou.'

'Van Tastee? God, die heb ik in geen jaren gegeten! Maar ik ben nu gluten-intolerant. Ik mag het niet. O, wat een marteling!'

'Ik niet,' zei haar collega met de krullen en hij nam de doos van haar over. Hij maakte hem open en haalde er een geglaceerde donut uit.

'God, ik mis brood,' zei Marie. 'En pizza. En donuts. Maar ik voel me zonder tarwe zoveel schóner.'

Het was afstompend, saai werk om de notulen van de afdeling vergunningen uit 1996 door te nemen, honderden fiches te bekijken. Zijn vader had Club Fifty-One 25.000 dollar in rekening gebracht voor juridische bijstand in verband met 'opschorting vergunning'. Het was waarschijnlijk een routineklusje geweest. Misschien was de club betrapt op het schenken van sterke drank aan minderjarigen of misschien slechts van schenken buiten de toegestane openingstijden. De vergunning zou zijn ingetrokken of opgeschort. Een jurist – in dit geval Len – zou voor de commissie zijn verschenen en om hernieuwing van de vergunning hebben gevraagd.

Maar na een uur zoeken in de dossiers over 1996 had hij nog niet één vermelding van Club Fifty-One gevonden. Hij pakte de declaratie erbij. Mei 1996, zeker weten. Maar er stond niets over in de dossiers. Wat bizar was. Hij vroeg zich af of er iets ontbrak in het archief.

Hij pakte een andere declaratie, voor 'Jugs DBA LaGrange Entertainment', voor een bedrag van dertigduizend dollar voor een 'Gezondheidszorgkwestie'. Jugs was een striptease-tent, een populaire gelegenheid voor vrijgezellenfeesten, vroeger in elk geval. Hij wist niet of de zaak nog steeds bestond. De stad had allerlei ingewikkelde verordeningen met betrekking tot stripclubs, zoals de eis dat er altijd een afstand van een meter moest worden bewaard tussen uitvoerende en klant. Aanraken verboden. Zelfs als ze extra betaalden voor een privédans in de Champagnekamer. Soms kregen de clubs bezoek van undercoveragenten die zich voordeden als klanten, om te controleren of de wet werd nageleefd. Zo niet, dan kreeg de club een berisping of werd de vergunning een dag of twee opgeschort, wat betekende dat de zaak korte tijd dichtging.

Rick snuffelde in de archieven, zocht naar 'LaGrange Entertainment' of 'Jugs' of 'Leonard Hoffman', maar in april of mei was er niets over te vinden. Het zat hem steeds meer dwars. Hij keerde terug naar de balie. 'Mag ik het archief van de afdeling vergunningen over heel 1995 en 1996?'

Marie kreunde. 'Echt?'

'Echt.'

Een halfuur later reed ze een bibliotheekwagentje met nog eens twintig archiefdozen naar zijn tafel. 'De mazzel,' zei ze.

Twee uur later had hij alle dossiers van de afdeling vergunningen doorgenomen en nog steeds geen enkele verwijzing gevonden naar een optreden of een verzoek van zijn vader. In mei 1996 had hij acht afzonderlijke cliënten in totaal 295.000 dollar in rekening gebracht. Dat was veel geld voor een klein advocatenkantoor. Desondanks bleek uit niets dat Len het werk had gedaan waarvoor hij zijn cliënten een declaratie had gestuurd. Verschijningen voor de commissie, afwijkingen van de bestemmingsplannen, opgeschorte drankvergunningen... allemaal gedeclareerd, maar blijkbaar niet verricht.

Sherlock Holmes had eens de identiteit van een dief afgeleid uit het feit dat een hond niet had geblaft. Soms is iets wat níét gebeurt belangrijker dan wat er wel gebeurt.

Leonard Hoffman had bijna driehonderdduizend dollar in

rekening gebracht voor werk dat hij schijnbaar niet had gedaan.

Dus wat betekende dat? Ofwel zijn vader was een meesterbedrieger geweest en zijn cliënten de slachtoffers – niet waarschijnlijk – of er was iets anders aan de hand. Een of andere geraffineerde regeling waarbij grote bedragen kwamen kijken.

Betekende dat dat zijn vader declaraties had ingediend voor werk dat hij niet had verricht – en er vervolgens niet voor was betaald?

Het was tijd voor wat ouderwets speurwerk. Het was tijd om terug te gaan naar de Combat Zone om uit te zoeken welke van zijn vaders cliënten, de stripclubs, de pornoboekhandels en zo, nog bestonden.

En vragen te stellen.

18

Rond het midden van de jaren zeventig verklaarde de burgemeester van Boston, in een poging de verspreiding van prostitutie en 'volwassen entertainment' in te dammen, een vier straten omvattend gebied in het centrum van Boston, grenzend aan Chinatown, tot rosse buurt. De wijk krioelde van peepshows, stripclubs, pornoboekhandels en prostituees en werd bekend als de Combat Zone, waarschijnlijk vanwege alle zeelui en soldaten die ze aantrok. Het leek een miniatuurversie van het oude Times Square in New York City voordat dat werd gepasteuriseerd en gehomogeniseerd.

Maar toen het centrum van Boston aantrekkelijker werd,

deden de grote vastgoedontwikkelaars hun intrede en begonnen eigendommen op te kopen, en de nieuwe burgemeester voerde campagne om de Combat Zone te sluiten. Met succes.

Het enige wat nu nog aan de Combat Zone herinnerde waren één pornoboekhandel en enkele stripclubs. De oudste en bekendste daarvan was Jugs. Jugs had een groot roze uithangbord dat verkondigde WAAR ELKE MAN EEN VIP IS. Hij vroeg zich af hoe Jugs en de andere tent de sluiting van de Zone hadden overleefd, zoals kakkerlakken volgens zeggen een atoomoorlog kunnen overleven. Hij vroeg zich af of de eigenaars nog dezelfden waren als in 1996. Indertijd was dat LaGrange Entertainment geweest. Geen namen. Maar hij had een naam nodig. De makkelijkste manier om ergens achter te komen is soms door ernaar te vragen.

Het liep tegen het eind van de middag en de zon scheen stralend. Op een bord op de voordeur van Jugs stond GEPASTE KLEDING VERPLICHT. WE BEHOUDEN ONS HET RECHT VOOR KLANTEN TE WEIGEREN. FOTOGRAFEREN VERBODEN.

Binnen was het donker. Het duurde enkele seconden voordat zijn ogen eraan gewend waren. Achter de lange bar zag hij een podium waarop een jonge zwarte vrouw in g-string rond de paal kronkelde. Ze droeg gepaste kleding. Hoog tegen de muur hingen drie breedbeeld-tv's, een met een honkbalwedstrijd, een met *Access Hollywood* en een met iets anders, zonder geluid. De muziek bonkte, een hiphopnummer van Lil Wayne.

Rick was een van de vijf gasten, twee aan de bar en drie op de banken. Ze zaten alle vijf naast een danseres in alleen maar een g-string. Hij ging aan de bar zitten. Een chagrijnig kijkende Aziatische man met dikke wallen onder zijn ogen vroeg hem wat hij wilde drinken.

'Doe mij maar een bier,' zei Rick. Hij zag de koelingen onder het podium, gevuld met Bud Light, Blue Moon en Sam Adams. 'Een Blue Moon.'

De barkeeper smakte een bierviltje op de bar. 'Tien dollar,' gromde hij. Het klonk haast uitdagend. Tien dollar voor een fles bier – dat was waarschijnlijk meer dan ze vroegen in het Ritz-Carlton, één straat verderop. Maar dat was de entreeprijs en het was ook de prijs van inlichtingen. Rick haalde zijn schouders op. De barkeeper haalde een fles uit de koeling en zette hem met een bons voor Rick neer. Rick keek naar de danseres. Ze leek isometrische oefeningen te doen met haar billen, die stevig en rond waren. Waarschijnlijk als gevolg van alle isometrische oefeningen. Ze was slechts gekleed in een g-string en fonkelende schoenen met stilettohakken.

Er kwam iemand naar hem toe die op de kruk naast hem ging zitten. Het was een van de danseressen, gekleed in een dunne string en een zwarte kunstleren beha met briefjes van tien en twintig in de rechtercup. 'Hai,' zei ze terwijl ze met gebogen arm haar hand uitstak, quasi-formeel. 'Ik ben Emerald.' Ze was leuk en klein en had een knop met een diamant in haar onderlip. Haar huid was mokkakleurig en haar tieten waren klein. Hispanic, zo te zien. Haar wenkbrauwen zagen eruit alsof ze geschilderd waren.

'Hai, Emerald, ik ben Rick.'

Een korte stilte, toen zei ze: 'Ben je hier voor het eerst?'

'Ja. Dans je hier al lang?'

Een vrouw achter de bar, met een zwart ponykapsel hoog op haar voorhoofd en knalrode lippenstift, viel hen in de rede. 'Als je met Emerald wilt praten,' zei ze met een zo te horen Russisch accent, 'kost dertig dollar.'

Rick knikte, pakte een briefje van twintig en een van tien uit zijn portemonnee en legde ze op de bar. De entreeprijs was gestegen.

'Ik neem een Dirty Shirley,' zei Emerald tegen de barkeeper. Hij ging aan de slag en vulde een hoog glas met ijs en een soort spuitwater van de bar, wodka uit een Grey Goose-fles en grenadine. Rick vermoedde dat de wodka water was. Ze zouden geen Grey Goose verspillen aan een danseres. Waarschijnlijk zelfs geen alcohol.

'Ik dans hier nu een jaar,' zei Emerald en ze nam een slokje. 'Maar ik dans al vanaf mijn achttiende.'

'Behandelen ze je goed hier?'

'Hm-mm. Waar kom je vandaan, Rick?'

'New York. Ze is toch niet de eigenares, die vrouw?' vroeg hij en hij wees met zijn kin naar de vrouw met de zwarte haren.

'Nee, ze is de manager.'

De muziek schakelde bizar over van Lil Wayne op 'Photograph' van Nickelback. De danseres verliet het podium en een andere, blank met gebleekt blond haar, nam haar plaats in. Ze had een spuitfles in haar ene hand en een witte doek in de andere, en ze maakte de paal schoon terwijl ze op het ritme kronkelde.

'Is de baas er, of komt hij later?'

Emerald glimlachte ongemakkelijk. 'Er zijn meer bazen. Waarom vraag je al die dingen?'

Rick haalde zijn schouders op. 'Ik maak gewoon een praatje.' Hij was te haastig geweest met zijn vragen. Hij was het verleerd, zijn onderzoeksvaardigheden waren roestig. Maar dat gaf niets; hij verwachtte niet echt dat hij veel van haar te weten kon komen. Misschien kende ze de naam van de eigenaar of eigenaars, maar hij had er niet op gerekend. Hij wilde voornamelijk het terrein verkennen. Als het juiste moment zich voordeed, zou hij klaar zijn om de manager of de eigenaar vragen te stellen en zich voor te doen als een gemeentelijk inspecteur. 'Misschien wil ik de boel kopen.'

Ze lachte, niet zeker wetend of ze hem serieus moest nemen.

Rick keek om zich heen. De chagrijnige Aziatische man haalde glazen uit de in het podium ingebouwde vaatwasser. De Russische vrouw met de zwarte haren praatte met een man in een zwarte fleecetrui aan de andere kant van de bar. Geen klant, zo te zien. Ze praatten met een ongedwongen, schertsende vertrouwelijkheid. Misschien was het de eigenaar, of een van de eigenaars. De man knikte naar iemand achterin. Rick draaide zich om om te zien naar wie. Het was een andere man, lang en breed, met blonde stekeltjes, die tevoorschijn kwam uit de schemerige ruimte achter in de bar. Hij zag eruit als een uitsmijter.

Achter in de bar zag hij een toiletsymbool. Misschien kwam de uitsmijter uit de toiletten of misschien was daar de personeelsingang.

'Ik kom terug,' zei hij tegen Emerald en hij stond op van zijn kruk. Hij liep naar achteren, langs de damestoiletten en daarna de heren. Hij keek de smalle gang in en zag nog enkele deuren. Een ervan was van gelakt staal en voorzien van een panieksluiting en hij zag eruit alsof hij naar buiten leidde. Een andere deur stond op een kier. Het licht in de kamer drong door in de gang. Waarschijnlijk een kantoor of zoiets.

Hij keek om zich heen, zag niemand en duwde de deur open. Het was inderdaad een kantoor, met een metalen bureau vol kranten en poststukken, een ingelijste poster van een stripper, in sierlijk handschrift gesigneerd met een markeerstift. Het puntje op de i was een hartje. Op een oude, zwartstalen dossierkast stonden een oud koffiezetapparaat en enkele pakken printerpapier.

Niemand te zien. Hij bekeek de stapel post op het bureau, zag een Comcast-rekening in een vensterenvelop. Dus misschien zou hij geluk hebben en een brief of een tijdschrift vinden met de naam van de eigenaar. Hij pakte de Comcast-rekening en zag dat die gericht was aan 'Jugs DBA Citadel La-Grange Entertainment'. Het was geen eigennaam, maar het was in elk geval iets. Hij stopte hem in zijn achterzak.

Iets of iemand ramde hem tegen de muur. Hij draaide zich net op tijd om om de stekeltjesuitsmijter te zien, die zijn rechterhand als een bankschroef om Ricks hals had gelegd en zijn keel dichtkneep. Met zijn andere hand drukte de uitsmijter Ricks rechterhand tegen de deur.

'Waar denk je dat je mee bezig bent?' vroeg hij.

Rick kokhalsde. Hij keek naar de linkerhand van de uitsmijter en zag een groene vlek op de binnenkant van zijn pols. Het kwam hem bekend voor. Toen wist hij het weer: hij had zo'n zelfde tatoeage gezien op de pols van een van zijn ontvoerders in de parkeergarage van het Charles Hotel. Het was in feite een klaverblad, geen vlek. Een klavertjedrie. Op elk van de bladen stond het cijfer 6, 666 dus. Het teken van de antichrist.

Rick gaf de man een knietje in zijn kruis, zo hard mogelijk. De man kreunde en sloeg dubbel en Rick kon zich losmaken uit zijn greep. Hij stormde de gang in, draaide zich om en ramde zijn heup tegen de panieksluiting van de stalen deur. De deur maakte een bliepend geluid en Rick voelde een koude luchtstroom. Hij struikelde en schuurde met zijn knie over het asfalt. De uitsmijter stormde achter hem aan naar buiten en riep iets, maar Rick was de steeg al uit en rende zo snel als hij ooit in zijn leven gerend had de straat uit.

19

Hij kwam met een kapotte spijkerbroek en een gat in zijn knie de redactie van *Back Bay* binnen. Hij had zijn broek gescheurd in de steeg en had geen zin gehad om naar de B&B te gaan om iets anders aan te trekken. Het kon hem niet veel schelen. Hij ging niet op sollicitatiegesprek.

Rick was officieel nog steeds in dienst van *Back Bay*. Kort nadat Mort Ostrow hem had ontslagen, nadat de ergste schrik voorbij was, had hij zijn aanzienlijke trots ingeslikt en Ostrows nonchalante aanbod geaccepteerd: als Rick elke week minstens één artikel wilde schrijven, zou hij toegang houden tot de gebruikelijke databestanden en een soort salaris ontvangen. Een aalmoes. Bijna niets, maar niet helemaal niets. Het was nuttig als hij toegang had tot de databestanden en kon zeggen dat hij namens *Back Bay* belde. Het zou ook nu weleens van pas kunnen komen. Hij hoefde niet naar de redactie te gaan om artikelen in te leveren, dus hij was er weggebleven. Hij was sinds Mort Ostrow hem het slechte nieuws had medegedeeld maar één keer op kantoor geweest, om zijn bureau leeg te ruimen.

Zijn maag draaide om toen hij naar de glazen deur van de kantoorsuite liep. Hij was bang dat hij zijn collega's tegen het lijf zou lopen. Ostrow had alle redacteuren boven de dertig ontslagen, op Darren Overby na, de nieuwe hoofdredacteur, en Karen, de adjunct-hoofdredacteur, maar die werkte sinds de geboorte van haar zoon, vier jaar geleden, parttime. Maar ze konden hier zijn, ploeterend op freelance-artikelen, profiterend van de gratis kantoorruimte om door te werken tot het tijdschrift, dat nu eigenlijk alleen maar een website was, verkaste naar welke bezemkast het ook verhuisd werd en daarna in rook opging. Rick had geen zin om een praatje aan te knopen (*Werk zoeken gaat* príma, *bedankt. Ik heb net mijn LinkedIn-profiel bijgewerkt!*).

Toen herinnerde hij zich de smak geld in zijn opslagbox en hij voelde zich op slag beter. Het geld was een soort harnas. Het beschermde hem tegen beledigingen en vernederingen. Oké, hij had niet echt werk meer, maar hij hoefde zich geen zorgen meer te maken over geld. Afgezien, vermaande hij zichzelf, van hoe hij het moest beschermen. Het moest beschermen tegen iedereen die wist dat hij het had. En ook hoe hij zichzelf moest beschermen.

Er zaten negen mensen rondom de grote kersenhouten vergadertafel. Rick herkende er slechts twee, de twee overgebleven redacteuren, Karen en Darren – een zo volmaakt team dat ze zelfs rijmden! De zeven anderen waren frisse krachten, allemaal begin tot midden twintig, hippe vogels die zo identiek gekleed waren dat ze in uniform konden zijn: dikke kabeltruien of flanellen ruitjeshemden, en een paar met een plompe bril op. Het waren vast freelancers, bijeengekomen voor een vergadering. Ze zagen er allemaal hoopvol en optimistisch uit. Ze waren nog niet cynisch. Ze waren eigenlijk ook geen schrijvers. Ze leverden *bijdragen*. Ze recycleden teksten van blogs en websites en werden per woord betaald.

Maar meer dan dat waren ze overlevenden. Toen hij de vergadertafel rondkeek, dacht Rick onwillekeurig aan een schilderij dat hij ooit in het Louvre had gezien, *Het vlot van de Medusa*. Het toonde een groepje wanhopige, stervende mensen die zich op een woeste zee aan een vlot vastklampten. Het schilderij was gebaseerd op een waargebeurd verhaal over een Frans schip dat aan de grond was gelopen, waarna enkele honderden overlevenden wekenlang aan een vlot hadden gehangen, stervend van honger en dorst en gewelddadigheid, terwijl de sterksten de zwaksten doodden, elkaar voor de haaien wierpen en zich uiteindelijk overgaven aan kannibalisme, tot er nog maar een stuk of tien over waren om te redden.

De overlevenden van *Back Bay* klampten zich in hun modieuze kabeltruien vast aan het vlot.

Darren, met zijn zware zwarte bril, zat voor aan het hoofd van de tafel en dronk een met stevia gezoete groene appeldrank. 'We zijn niet uniek, mensen,' zei hij. 'Elke keer dat jullie een artikel inleveren wil ik dat jullie met vijfentwintig mogelijke koppen komen. Daarna doen we de A/B-test op de beste. De kop is een *jeuk* waaraan de lezer moet *krabben*. Ik wil superlatieven, oké? Ik wil, ik zeg maar wat: "*Wat Deze Chef-kok met Lam Doet Is Ongelofeloos!*"'

'Wat vind je anders van "*... Zal Je Leven Veranderen*"?' stelde een serieus uitziende jongeman met baard en rood-zwart geruit hemd voor.

'Prima,' zei Darren. 'Of "*Je Leven Op Zijn kop Zetten*". Hebben jullie dat, mensen? Raak ze recht in hun emoties.'

'Getallen zijn altijd goed,' bracht Karen te berde.

'Getallen!' zei Darren. '"*Zeven Feiten over Wellesley Die Je Versteld Doen Staan.*" "*De Vijf Gezondste Ontbijten in Boston.*"'

'Voor het artikel over het ontslag van de gemeentesecretaris van Fall River, wat vind je hiervan: "*Haar Eerste Zin Was Ontroerend. Haar Tweede Zin Bracht Me In Tranen.*"?'

'Geweldig!' blafte Darren. 'Fantastisch. Hebben we foto's van pups in het asiel? Of GIF-jes? Iemand GIF-jes?' Hij zag Rick stilletjes de kamer binnensluipen. 'Rick Hoffman!' riep hij gemaakt joviaal. 'Welkom! Kom je erbij zitten?'

Rick schudde zijn hoofd. 'Ik doe wat research.'

'Research!' zei Darren alsof het iets exotisch was wat de meeste mensen eigenlijk niet deden, zoals croissants bakken of de versnellingsbak van hun auto repareren. 'Ik ben benieuwd naar de sappige details. O, Rick, je stuk over ambachtelijke bieren, we plaatsen het morgen. Maar je weet, over een paar weken begint het werk aan de Olympian Tower en we zouden graag zien dat je Thomas Sculley interviewt; zou dat kunnen?'

Rick haalde zijn schouders op. 'Waar hebben we het over?'

'Vijftienhonderd woorden maar. Je weet wel, geef ze de volledige Rick Hoffman-behandeling.'

'Goed, eh, prima.'

De Rick Hoffman-behandeling: man, wat had Rick de pest gekregen aan die benaming. Het betekende een bewonderend, vleiend profiel. Het soort stompzinnig positief stuk – meestal in vraag-en-antwoordvorm – waar het onderwerp, meestal een rijk, machtig en beroemd persoon, alleen maar dol op kon zijn. Niets wat hard aankomt, niets eerlijks en niets bots. Met andere woorden: precies het artikel waarvan Rick zichzelf ooit had beloofd dat hij het nooit zou schrijven. Bij *Back Bay* was het zijn basisgereedschap geworden. Thomas Sculley was een van de miljardairs van Boston die het blad geregeld bedolf onder natte kussen.

'Uitstekend,' zei Darren. 'En de opnamen voor Mark Wahlbergs nieuwe film beginnen volgende maand in Fenway. En de nieuwe decaan van Harvard Law School, Ronald Proskin, schijnt een wijncollectie van twintigduizend flessen te hebben – David Geffen heeft er onmiddellijk een bod op uitgebracht.'

'Geweldig,' zei Rick. 'Volop mogelijkheden.' Hij excuseerde zich en liep langs zijn vroegere kantoor, dat nog steeds leegstond, op een bureau, een lage kast, stroomkabels en hopen stof na. De bedrijfscomputer was weggehaald. Aan het bureau, de kast en de dure Humanscale-bureaustoel hingen kaartjes met VERKOCHT.

De gang stond vol kartonnen dozen. De huur van het kantoor in Harrison Avenue ging over een paar weken in. Hij vond een werkplek die zo te zien niet werd gebruikt – daarvan waren er een heleboel – en logde in op het interne netwerk. Zijn gebruikersnaam en wachtwoord werkten nog steeds. Dat was in elk geval íéts.

Hij hoorde Darren zeggen 'Iedereen houdt van chocolate-chip koekjes! De tien beste chocolate-chip koekjes!'

Om te beginnen opende hij een half afgemaakt artikel dat op zijn harde schijf stond te beschimmelen, over een ambachtelijke kaasmaker met een winkel in Tremont Street. Hij bedacht een zin – 'Het gerucht gaat dat het goede spul – het *rauwe* spul – achterin is verborgen, zoals de sterke drank tijdens de Drooglegging' – en verzond hem naar een halfzachte druiloor op de redactie, een zekere Dylan Scardino. Dylan fungeerde ook als 'webproducent', wat betekende dat hij degene was die de bestanden uploadde en op internet zette.

Vervolgens pakte hij de rekening van de kabelprovider die hij in de stripclub had gejat. Hij had betrekking op een snelle internetverbinding en een ruim pakket voor de tv's aan de muren. De rekening stond op naam van 'Jugs DBA Citadel LaGrange Entertainment'. Geen wonder dat hij geen dossier over LaGrange Entertainment had kunnen vinden. De naam was veranderd. Daar konden allerlei redenen voor zijn. Een andere eigenaar misschien, of een poging om onder een rechtszaak uit te komen.

De stem van Darren: 'Is het ongelooflijk? Dat is het enige criterium – het moet ongelooflijk zijn.'

Hij typte 'Jugs DBA Citadel LaGrange Entertainment' in een van de databanken en vond exact... niets. Wel een postbus, maar geen namen.

De vergadering was afgelopen en de freelancers verspreidden zich. De man met de baard en het ruitjeshemd nam plaats op de werkplek naast die van Rick.

Rick zocht op internet naar het telefoonnummer van het ministerie van Justitie van Massachusetts en draaide het. 'Ik ben op zoek naar gegevens over een bedrijf dat is ingeschreven in Massachusetts.'

'Wat voor gegevens, meneer?'

'Bedrijfsdossiers. Eigendomsbewijzen.'

'Dan kunt u beter de afdeling bedrijfsvergunningen proberen.'

'Kunt u me doorverbinden?'

Een klik. 'Vergunningen, Reilly.'

'Ja, meneer Reilly, ik heb een cliënt, een exotische danseres die een stripclub in Boston, Jugs, gerechtelijk wil vervolgen wegens contractbreuk. Ik heb overal gezocht naar informatie over de eigenaar, maar ik sta voor een raadsel. Ik vroeg me af of u zo vriendelijk zou willen zijn het dossier te lichten.'

'Jugs, zei u?'

'Inderdaad. Misschien de naam van de algemeen directeur...?

Tappa tappa tappa tappa tap.

'Ik kan geen Jugs vinden, meneer.'

'Wilt u eens proberen te zoeken op de bedrijfsnaam, Citadel LaGrange Entertainment?'

Tappa tappa tappa tappa tap.

'Het spijt me, meneer. Daar heb ik geen gegevens over.'

'Bedankt voor de moeite.' Rick hing op, legde zijn kin op zijn handpalm en keek naar het scherm.

Het gezicht van de freelancer met de baard verscheen boven de scheidingswand. 'Zo, je gebruikt de telefóón, hè?' zei hij met een misprijzende glimlach. 'Een echte telefoon, zeg maar. Met een spiraalsnoer en alles. Dat is zo, ik weet het niet, zo *archaïsch*.'

'Archaïsch,' zei Rick. 'Dat is een nieuwe.'

Toen kreeg hij een idee en hij zocht in de bedrijfsdossiers

van de afgelopen jaren. Toen hij dat van Citadel LaGrange over 2007 vond, stuitte hij op een naam. Eén slechts, die van een bedrijfssecretaresse, Patricia Rubin. Ze werd ook in 2006 vermeld en ook in de jaren daarvoor. Na 2007 werd er niemand meer vermeld.

'Bedrijfssecretaresse' betekende niet eigenaar, maar hij had in elk geval een naam. Dat wilde niet zeggen dat ze het hele verhaal zou kennen, waarom Leonard Hoffman Jugs dertigduizend dollar in rekening had gebracht voor juridische werkzaamheden die hij niet had verricht. Maar als hij haar kon vonden, zou ze vast de naam van de eigenaar kennen. Tenminste, als ze nog leefde. Hij voerde haar naam in in de database van LexisNexis Public Records, klikte braaf door de disclaimer over de privacywetgeving en vond een telefoonnummer en een adres in Acton, Massachusetts.

Ze leefde dus nog.

Rick staarde naar het scherm en dacht na. Hij kon Patricia Rubin gewoon bellen en vragen wie de eigenaar van Jugs was, maar dat was riskant. De naam van de eigenaar werd waarschijnlijk niet voor niets geheimgehouden. Misschien dat de eigenaar van een stripclub liever niet opviel. Misschien wilde hij niet gerechtelijk vervolgd worden. Wat de reden ook was waarom zijn naam niet geopenbaard werd, mevrouw Rubin zou hem niet zomaar noemen.

Tenzij ze er een goede reden voor had.

Hij dacht nog wat langer na, zocht toen snel wat op op internet en vond de juiste website. Hij voerde het nummer van een creditcard in, de Citicard MasterCard die hij net had afgelost, en kocht een abonnement. Toen zocht hij het telefoonnummer van de belastingdienst in Andover, Massachusetts. Hij wist dat het een van de grotere kantoren was omdat hij talloze brieven van de fiscus had genegeerd met een antwoordadres in Andover. Het was een 800-nummer dat eindigde op '1040', wat waarschijnlijk gevat bedoeld was. Belastinghumor: het was het nummer van het aangifteformulier inkomstenbelasting.

Vervolgens toetste hij op een buitenlijn het nummer in van de website die telefoonnummers simuleerde en toetste na de toon het nummer van het belastingkantoor in. Als de telefoon overging, zou in het venster van degene die hij belde het telefoonnummer van de belastingdienst verschijnen.

'Mevrouw Rubin? Patricia Rubin?'

De stem van een vrouw. 'Wie kan ik zeggen dat er belt?'

'U spreekt met Joseph Bodoni van de belastingdienst in Andover. Ik zou een zekere Patricia Rubin willen spreken.'

Stilte. Dezelfde stem: 'Daar spreekt u mee.'

'Mevrouw Rubin, volgens mijn gegevens bent u bedrijfssecretaresse van Citadel LaGrange Entertainment; klopt dat?'

'Wat? Nee! Ik heb al jaren geen contact meer met dat bedrijf.'

'Neem me niet kwalijk, u bent de bedrijfssecretaresse niet meer?'

'Al jarenlang niet. Niet sinds ik van die zak ben gescheiden.'

'"Die zak" is de eigenaar van het bedrijf?'

'Ja. Joel Rubin. En?'

'Nou ja, we moeten uw ex-man bereiken. We hebben een teruggaaf van dertigduizend dollar waarvoor de algemeen directeur van Citadel LaGrange persoonlijk moet tekenen. Ik zal een naam en een telefoonnummer nodig hebben.'

'Ja, geweldig,' zei ze bitter. 'Geef die lul nog meer geld om voor mij verborgen te houden. Precies wat hij nodig heeft.'

Rick zweeg even. Hij realiseerde zich dat hij het zojuist had verpest. Ze zou het telefoonnummer van haar ex niet geven als ze dacht dat die dan een smak geld zou krijgen. 'Hm. Mislukt. Oké, mevrouw Rubin, ik zal eerlijk zijn. Ik ben niet van de belastingdienst, ik ben deurwaarder en ik moet uw ex-man een gerechtelijk bevel betekenen. Hij wordt door de rechtbank van Suffolk County gerechtelijk vervolgd vanwege een groot bedrag.'

'O ja? Nou, wat vind ik dat nou erg om te horen!' Ze giechelde. 'Zeg maar Patty. Wilt u zijn vaste nummer of zijn mobiele?'

Toen Rick had opgehangen verscheen het hoofd van de baardige freelancer weer boven de scheidingswand.

'Deed je nou net alsof je van de belastingdienst bent?'

Rick haalde zijn schouders op.

'Kun je dat maken? Is dat niet... illegaal of zo?'

'Het is niet illegaal zolang je het maar niet doet om iemand te bedriegen. Maar de meeste kranten en tijdschriften zouden je ervoor ontslaan, dus probeer dit niet thuis, kinderen.'

'Ze gaf je de naam en het telefoonnummer?'

Rick knikte en stond op.

'Hm,' zei hij. 'Cool.'

'Het is maar journalistiek.'

'Het is zo *retro*, weet je,' zei de man. 'Net een oude film noir. Ik wist niet dat zulke dingen nog gedaan werden.'

20

Joel Rubin, de eigenaar van Jugs, woonde in een appartementencomplex in Lynn, een onaantrekkelijk stadje vijftien kilometer ten noorden van Boston. Het was een hoog, foeilelijk bouwsel van zandgele bakstenen met vooruitspringende balkons aan Lynn Shore Drive, bij Nahant Beach. Het leek op dingen die je in het oude Oost-Berlijn kon aantreffen. De

Atlantische Oceaan lag aan de overkant van de drukke straat.

Rick parkeerde in een van de genummerde vakken van de parkeerplaats, waarschijnlijk op de plek van een van de bewoners. Toen hij uitstapte rook hij de oceaan, het zeewier en het zout. De golven braken ritmisch. Hij hoorde het krijsen van een zeemeeuw. Een vliegtuig kwam laag over. Logan Airport was niet ver.

In de kleine hal was een intercom. Hij liep een schijnbaar eindeloze namenlijst van bewoners langs, vond Joel Rubin en toetste het viercijferige getal in.

Een volle minuut later zei een mannenstem: 'Ja?'

'Rick Hoffman.'

Opnieuw een lange minuut en toen ging de spiegelglazen binnendeur open. Hij nam de lift naar de negende verdieping.

Rick verwachtte een zekere mate van vijandigheid. Via de telefoon had Rubin hem toegesnauwd: 'Ken ik u?'

'U hebt mijn vader gekend, Leonard Hoffman.'

Het bleef lange tijd stil. Toen, wat minder vijandig: 'Waar hebt u mijn nummer vandaan?'

'Patty.'

Een zucht. 'Dacht ik wel. Zijn er problemen?'

'Nee, absoluut niet. Ik heb uw hulp nodig. Het zou veel makkelijker zijn als we elkaar persoonlijk zouden spreken. Ik zal het uitleggen.'

Rubin was bereid tot een ontmoeting, zij het met tegenzin. Rick nam zich in gedachten voor geen vragen te stellen over de uitsmijter van Jugs. Dan zou de man vast en zeker in zijn schulp kruipen, als een doodsbange schildpad. Hij belde aan. Een schaduw verduisterde het kijkglaasje en de deur werd snel geopend.

Rubin was zo te zien in de zestig. Hij had een kale schedel met een waterval van grijsblonde krulletjes die tot op zijn schouders hingen. Hij was mager en had een buikje als een reserveband. Hij droeg een feloranje Afrikaanse *dashiki*, een sjofele, verbleekte spijkerbroek en nieuwe, stralend witte sneakers. Hij had grote, donkere wallen onder zijn ogen. Hij stak zijn hand uit en gaf Rick een slappe, vochtige handdruk.

'Sorry, ik was aan de afwas. Kom binnen.' Hij onderbrak zichzelf. 'Jezus, je bent precies je vader! Niet te geloven!' Hij legde zijn handen op Ricks schouders en schudde zijn hoofd. Hij zei lange tijd niets. Zijn ogen waren bloeddoorlopen. Hij zag eruit alsof hij gedronken had. 'Ja, zie je, ik dacht dat je me alleen maar op de kast wilde jagen, maar je bent inderdaad de zoon van Leonard. Het staat op je gezicht geschreven.'

Het appartement was stralend licht. Glazen schuifdeuren keken uit over de kustweg en de oceaan. Er lag lichtblauw kamerbreed tapijt en de meubels – een elementenbank en bijpassende fauteuils – zagen eruit alsof ze gekocht waren tijdens één en hetzelfde bezoek aan een goedkope meubelzaak. Er hing een geur van rottend fruit en verschaalde waterpijprook.

Hij bood koffie aan, maar Rick schudde zijn hoofd. 'Hoe ben je bij Patty uitgekomen, als ik vragen mag?'

'Ik vond haar nummer in wat oude paperassen van mijn vader,' loog Rick. Hij wilde niet nog meer argwanende vijandigheid uitlokken door hem over zijn speurtocht in de oude stadsarchieven te vertellen.

'Dus je hebt gezien wat voor kreng het is? Wil je geloven dat ze zeg maar een stuk was toen ik haar leerde kennen? Ik nam haar in dienst als boekhouder, maar ik zei steeds weer dat ze danseres had moeten zijn. Die meid had een lijf zo hard als Chinese rekenkunde, ik meen het.'

'We hebben elkaar alleen telefonisch gesproken.'

'Waar gaat het over? Je vader is toch niet... ik bedoel, ik heb gehoord dat hij er ernstig aan toe is.'

'Hij heeft een jaar of twintig geleden een infarct gehad. Kan niet meer praten.'

'Ja, weet je, wat hem is overkomen – afschuwelijk, man. Zoiets zou niemand mogen gebeuren.'

'Nou, zijn financiën waren een zootje. Hij is mensen geld schuldig, hij heeft cliënten die hém geld schuldig zijn...'

'Hé, ik ben hem geen cent schuldig.'

'Dat weet ik,' zei Rick snel. 'Ik weet dat je een van zijn beste cliënten was en ik heb hulp nodig om zijn zaken af te wikkelen. Wat voor dingen deed hij voor je?'

'We deden zaken.' Zijn stem kreeg een nukkige, ontwijkende klank. Zijn ogen vernauwden zich in een karikaturaal gebaar van achterdocht.

'Hoe bedoel je dat?'

'Ik denk dat je dat wel weet.'

'Ik zou willen dat ik het wist.'

'Meen je dat?'

'Wat voor zaken? Ik weet dat hij je heel veel in rekening heeft gebracht.'

Joel wendde zijn blik af. 'Tja, dat is twintig jaar geleden en ik gebruikte toen nogal wat coke, ja? Het is allemaal een beetje vaag.'

'Ik weet dat hij je declaraties stuurde en die werden blijkbaar niet betaald.'

'Hè? O, die zijn betaald, geloof me.'

'Ik geloof je, maar voor zover ik kan zien heeft hij er nooit iets voor gedaan. Ik bedoel, ik vraag het jou omdat ik het hém niet kan vragen. Hij bracht je in één maand dertigduizend dollar in rekening voor juridische werkzaamheden. Het lijkt erop dat hij je besodemieterde.'

Joel zweeg enige tijd. Negen verdiepingen lager scheurde een motor voorbij op Shore Drive. Joel klemde zijn kaken op elkaar, ontspande ze weer en schudde zijn hoofd. Zijn stem beefde. 'Wat je vader deed was nogal gecompliceerd, maar er was niemand – níémand – die meer vertrouwd werd dan hij. Of gerespecteerd. Je vader was het zout der aarde. Snap je?'

'Dan kun je me misschien uitleggen wat voor zaken jullie deden.'

Joel glimlachte scheef. 'Dat wil je niet weten.'

'Toch wel.'

'Je denkt dat je het wilt weten, maar geloof me, dat wil je niet. Echt niet.'

'Vertel me wat me ontgaat.'

Joel schudde zijn hoofd. 'Je vader was zo... Hé, luister, ben je weleens high?'

'Eh, ja.' Rick had al lange tijd geen marihuana meer gerookt. Hij hield er niet van, van wat het met hem deed. Het maakte hem nerveus, bijna paranoïde. Maar hij had het idee, slechts gebaseerd op het ritme van de conversatie, dat het de beste, misschien wel de enige manier was om een voet tussen de deur te krijgen. Dat Joel, als hij samen met hem high werd, zou praten. Het was een soort ruil.

Joel haalde een slank toestel tevoorschijn met een taps toelopende voet die nog het meest leek op een blender. Niet de waterpijp die hij op basis van de moerasgeur in het appartement verwacht had. Het was een verstuiver. Rick had er weleens van gehoord, maar er nooit een gebruikt.

'Ik mocht je vader erg graag,' zei Joel terwijl hij op een cd-doosje een bol wiet in stukken brak en die in een kleine, roestvrijstalen handmolen kiepte. 'Het was een gave vent. Het slechtste gevoel voor humor van de hele wereld, maar...'

'Dat staat vast,' zei Rick met een spijtige glimlach.

'Maar ik had met hem te doen.' Hij draaide aan de molen om de bolletjes te vermalen en gooide het poeder op een opgevouwen dollarbiljet, dat hij gebruikte om het kruid in een vulkamer te laten glijden. Die zette hij op de voet van de verstuiver en legde er toen een plastic boterhamzakje op. Het hele proces was even bewerkelijk als een Japans theeritueel.

'Je had met hem te doen...?' drong Rick aan.

'Zoals het met hem afliep.' Het plastic zakje werd langzaam gevuld met witte rook, als een langwerpige ballon.

'Je bedoelt zijn infarct?'

Joel schudde zijn hoofd, haalde de opgeblazen ballon van de verstuiver, bevestigde er een mondstuk aan en gaf het aan Rick.

'Nee, nee. Ik bedoel zijn onvervulde dromen. Intriest.'

'Onvervulde dromen?' Rick nam een vluchtige teug. Hij kon niet doen alsof, niet terwijl Joel toekeek. Hij moest een deuk in de ballon maken. Hij gaf hem terug aan Joel, die de rook naar binnen zoog.

'Ja, je weet wel, de Black Panthers, de Weather Underground en zo?'

Rick hield de rook in zijn longen en slaagde erin niet te hoesten voordat hij hem uitblies.

'Black Panthers...? Ik weet niet waar je het over hebt.'

'Heeft hij je daar nooit iets over verteld?' vroeg Joel met zachte, verstikte stem terwijl hij een rookwolk uitblies.

'Weet je zeker dat we het over dezelfde Leonard Hoffman hebben?'

'Heeft hij je niets verteld over zijn burgerrechtentijd?'

Rick schudde zijn hoofd.

'O, man. Niet te geloven dat hij daar nooit iets over heeft gezegd. Hij heeft Bobby Seale indertijd verdedigd. Het Black Panther-proces in New Haven. De Negen van New Haven, ja?'

'Mijn vader?'

Joel ademde langzaam, aarzelend uit. 'Ja. Ja. Dat was wat hij wilde, het establishment bestrijden. Hij was een enorme idealist. Ik bedoel, dat is wat hij eigenlijk wilde doen, actievoeren. De wereld veranderen. Maar het is er nooit van gekomen. Hij moest het opgeven.'

'Waardoor?'

'Door jullie.'

'Door ons?'

'Hij had kinderen. Hij moest werken om de kost te verdienen. Snap je?' Joel nam nog een teug en zoog de ballon leeg.

Rick knikte langzaam, afwezig. Hij begon het effect van de marihuana te merken. Hij voelde zich duizelig, draaierig, gedesoriënteerd. Hij was verbaasd en onverwacht bedroefd te horen dat zijn vader een heel leven had gehad waarover hij nooit had gesproken. Leonard Hoffman had een heel andere advocaat willen zijn dan hij was geworden. Het soort advocaat dat vocht voor burgerrechten, dat pleitte bij het Hooggerechtshof. Een held die de vertrapten verdedigde. Een idealist, had Joel gezegd. Niet een wat bedenkelijk advocaatje dat stripclubs en pornozaken verdedigde.

'Wauw,' zei Rick, meer tegen zichzelf dan tegen Rubin. 'Dat is... hartverscheurend.'

'Ja hè?' zei Joel. Hij was al druk in de weer met een tweede vuistgrote klomp marihuana, plukte de knoppen uit elkaar en vergruizelde ze op het cd-doosje. Zijn feloranje dashiki begon te trillen. Rick bestudeerde het drukke v-vormige patroon bij de halsopening van de dashiki, gehypnotiseerd door de kleurige kronkels en krullen. Deze wiet was veel sterker dan alles wat hij in zijn studententijd af en toe had gerookt. 'Ik bedoel, ik snap het. Ik snap het helemaal. Zo gaat het als je volwassen wordt. Je wordt nooit wat je gedacht had. Denk je dat ik drieënzestig en eigenaar van een tietentent had willen zijn? Denk je dat dat mijn grote droom was?'

Het kleurige patroon van Joel Rubins dashiki begon te kronkelen als een adderkluwen. Het was fascinerend maar ook afstotelijk. Rick realiseerde zich dat Joel wachtte tot hij iets zei, dus hij zei met verstikte stem: 'Wat dan wel? Je droom, bedoel ik.' Beneden jakkerde een ambulance voorbij en het geluid van de sirene zwol jengelend aan voordat het wegstierf en een slakkenspoor van geluid achterliet.

'Ik recenseerde concerten voor *The Real Paper* toen ik aan Brandeis studeerde. Ik was concertpromotor. Als ik niet high was, bedoel ik.' Joel grinnikte. Hij klopte de as uit de vulkamer, vulde die opnieuw met versgemalen wiet en zette hem toen behendig op de verstuiver. 'Ik verkocht dope. De rotzooi waarin we toen handelden zou je vandaag de dag niet meer kunnen slijten. Ik zou zeg maar de nieuwe... wie is de grote concertpromotor?'

Rick schudde zijn hoofd. De dashiki begon hem te irriteren en hij dwong zichzelf zijn blik af te wenden, door de glazen schuifdeuren naar buiten te kijken, naar de metalige lucht en de diepblauwe oceaan, wat eigenlijk best mooi was.

'Snap je wie ik bedoel? Die grote concertpromotor? Je zou zijn naam vast kennen.'

Rick schudde opnieuw zijn hoofd, langzaam. 'Weet ik niet.'

De ballon vulde zich met witte rook en Joel maakte hem los en bevestigde hem aan het mondstuk. Hij gaf het aan Rick, die zijn hoofd schudde. 'Ik moet even een pauze nemen.'

Er streek een duif neer op het hek van Joels balkonnetje. Het dier paradeerde heen en weer en bewoog zijn kop op en neer in een regelmatig, gestadig ritme, alsof het naar een inwendige metronoom luisterde.

Joel inhaleerde gulzig. Toen zei hij met een mond vol rook en een benevelde stem: 'Man, ik kan niet... ik kom er nog wel op...'

'In elk geval, je wilde concertpromotor worden,' bracht Rick hem in herinnering.

Joel knikte, stak een wijsvinger op en beduidde Rick te wachten. Hij hield de rook tien seconden binnen en blies hem toen uit. 'Ik was zeg maar...' Hij hief zijn arm op en stak zijn middelvinger op. 'De pot op met Tricky Dick.'

'Tricky Dick?'

'Tricky Dick Nixon. Je zit in de bus of je zit niet in de bus, snap je? Ik vond werk in de oude Combat Zone, in een krantenkiosk, je weet wel, waar ze *Screw* en *Hustler* en *Swank* verkochten... het was een succes. Toen kreeg ik kans om de tent te kopen. En van het een komt het ander en opeens was ik eigenaar van een stel tietententen in het centrum van Boston. En nu is er maar één over.'

'Je wilde me iets vertellen over de zaken die je met mijn vader deed.' Ricks hersenen werkten stroperig. Hij had moeite om de draad van het gesprek te volgen.

'Bij Jugs werd voornamelijk contant afgerekend. Mannen willen niet dat het vrouwtje thuis in Newton de creditcardafrekeningen ziet en erachter komt dat manlief niet met een cliënt uit eten was, snap je? Ik kreeg tonnen binnen en ik denk dat je vader iemand kende die contant geld wilde en bereid was er een premie voor te betalen.'

'Je verkocht hem contant geld?'

Joel grinnikte. 'Kapitalisme, man. Dat is kapitalisme, teruggebracht tot zijn essentie, snap je? Gedistilleerd tot zijn zuiverste vorm. Als' – zijn ogen lichtten op – 'als een schoolvoorbeeld. Iets moois.'

'Dus hij gaf je declaraties die jij als bedrijfskosten kon aftrekken en je betaalde hem contant,' zei Rick. Opeens had hij door hoe het werkte. Eindelijk begreep hij de grote declaraties zonder de bijbehorende bankbetalingen. Zijn vader kocht en verkocht waarschijnlijk ook contant geld. De meeste cliënten van Len waren goed bij kas zittende ondernemingen. Dat verklaarde het.

'Voor wie deed hij het?' vroeg Rick. Zijn mond was droog geworden. Zijn tong plakte aan zijn verhemelte.

'Ik zou het niet weten. Hij wilde contant geld, ik had contant geld, iedereen blij. De kringloop van het bestaan. Ik moet hem in de loop der jaren zo'n half miljoen dollar hebben gegeven. En een heleboel anderen in de Zone waren ook van de partij. Ik was niet de enige.'

'Heeft hij nooit gezegd waar het voor was?'

'Wat voor advocaat zou hij zijn als hij de naam van zijn cliënt noemde? Trouwens, daar werd niet naar gevraagd. Je keek niet te nauw.'

'Heb je geen vermoeden? Het is een hoop geld.'

'Wanneer speelde dit, in de jaren negentig?'

Rick knikte.

'Weet je nog hoe het toen was, in de jaren negentig? Je bent in Boston opgegroeid, niet? Herinner je je de Big Dig?'

Rick knikte nogmaals. 'Uiteraard.'

'Ik bedoel... je hebt nog nooit zo'n moeras van omkoping en corruptie gezien. Net varkens aan de trog. De grootste verspilling van de twintigste eeuw. Was het niet alles bij elkaar veertig miljard dollar? Ik bedoel, voor dat geld kon je een paar oorlogen voeren.'

De Big Dig was een immens, berucht bouwproject dat de stad Boston een ander aanzien had gegeven. In de slechte ouwe tijd was er een snelweg aangelegd, de Central Artery, die dwars door het centrum liep. Naarmate de stad groeide werden de verkeersopstoppingen te gek, urenlang. Toen, in 1991, werd er een enorm project opgestart om de Central Artery diep onder de stad aan te leggen, in tunnels door Boston Harbor, onder de torenhoge wolkenkrabbers. Het was begroot op 2,6 miljard dollar, maar kostte uiteindelijk meer dan 24 miljard. Het had in tien jaar voltooid moeten zijn, maar duurde uiteindelijk twintig jaar. De Big Dig was groter dan het Panamakanaal, groter dan de Hoover Dam, de Alaska Pipeline of de piramiden.

Lens secretaresse had gezegd dat Len een 'fixer' was, dat hij de juiste mensen kende die je moest omkopen om iets gedaan te krijgen.

Maar voor wie fixte hij? Niet voor de stripclubs, de massagesalons en zo. Die gelegenheden, waar een hoop contant geld omging en die zelf wisten wie ze moesten omkopen – de agenten die een danseres dreigden te arresteren omdat ze te dicht bij een klant was gekomen, de gezondheidsinspecteur die een extraatje wilde – die hadden geen jurist nodig om dat te doen.

Maar de Big Dig...

'Hij regelde afkoopsommen voor... wat?... aannemers die een bod uitbrachten op de Big Dig?' vroeg Rick.

'Als je een groot bouwbedrijf was en je wilde meedoen aan de Big Dig, moest je ofwel de juiste besluitvormers in de stad of de staat kennen... of weten wie je smeergeld moest betalen. Al heb ik nooit begrepen wat er gesmeerd moest worden. Een rare uitdrukking.'

Er was drieënhalf miljoen dollar verstopt in de muren van het huis in Clayton Street en nu wist Rick eindelijk waar het vandaan kwam: van met veel contant geld werkende zaken zoals Jugs, waarvan de meeste in de oude Combat Zone stonden.

Dus... wiens geld was het?

Van iemand die bereid was geweld te gebruiken om het terug te krijgen, dat stond vast.

'Man, er klotste indertijd zoveel contant geld rond, het leek wel Irak na Saddam Hoessein. Het was de val van het Romeinse Rijk. Ik bedoel, er waren aannemers en onderaannemers en onder-onderaannemers en onder-onder-onderaannemers...'

'Joel?'

'Goed. Goed. Dus hoe dan ook, ja. Ik weet niet voor wie het was, maar Lenny moet iemand gekend hebben die contant geld verwerkte als groenten in een blender.'

'Hij had een cliënt, geloof ik – ik ken geen naam, alleen een initiaal, P. Heb je enige idee wie "P" kan zijn geweest?'

Joel lachte. 'Ik zei toch, ik had indertijd drugsproblemen. Ik was de helft van de tijd van de wereld.' Hij verkruimelde nog wat marihuana op het cd-doosje. 'Ik wist amper hoe mijn vrouw heette. Nu zou ik willen dat ik het kon vergeten.'

Er knaagde iets aan Ricks brein, iets hardnekkigs en onbehaaglijks, iets onaangenaams. Zijn gedachten dreven en zweefden als wolken. Maar toen herinnerde hij zich de tatoeage, het klavertjedrie, en opeens wist hij het weer. De angst toen de kap over zijn hoofd werd getrokken, de zachte, indringende stem. En toen werd die herinnerde angst opeens iets wat dichter bij woede kwam.

'Hé, dus je uitsmijter maakte het me moeilijk,' zei Rick zo terloops mogelijk.

'Wie, Padraig? Ja, het is een heethoofd.'

'Een Ier?'

'Zo Iers als maar kan.'

'Ik meen dat ik hem al eens eerder heb gezien.' Rick vroeg zich af of Joel een pokerface probeerde te trekken. Maar Ricks blik was vertroebeld. Die van Joel misschien niet.

'O ja?' Joel leek weinig geïnteresseerd. Hij stopte het kruid in de molen en draaide er een paar keer aan.

'Ja, ik weet bijna zeker dat ik die tatoeage herken.'

'Welke, het klavertjedrie?'

'Ja. Met de 666.'

'Je ziet ze wel vaker. Uitsmijters en andere ruige knapen in de clubs in het centrum. Dat zijn de knapen die je in dienst neemt. Een soort Teamsters, snap je? Je hebt geen keus. Ik denk dat een hoge piet in de staat de macht heeft om die lui visums en zo te verstrekken. Hoe dan ook, als je zaken wilt blijven doen, neem je aan wie je aan moet nemen.'

'Van wie?'

'De GM, man.'

'GM?'

'De gevestigde machten.'

'Zoals...?'

Joel stampte het poeder fijn. 'Weet je,' zei hij, 'ik zit bijna dertig jaar in dit vak en ik heb twee dingen geleerd. Je kunt niet op tegen de gevestigde machten en je stelt geen vragen.'

21

Het was stom geweest om high te worden. Hij voelde een lichte paranoia opkomen, als de aura van een migraine. De lucht was metaalgrijs en gezwollen. Het was winderig en koud en hij had geen contact meer met de buitenwereld, met de langs suizende auto's, de claxons die de lucht vervuilden. Het was geen prettig gevoel. Een trekkercombinatie stootte een dieselwalm uit. Een koude zeewind sneed door zijn jack. Hij kon zijn auto niet vinden.

Hij moest enkele rondjes over het parkeerterrein van de flat maken voordat hij zich herinnerde dat hij niet in zijn rode BMW reed, maar in een gehuurde Ford. Hij stapte in, draaide de contactsleutel om en bleef een minuut of zo achter het stuur zitten om zijn rijvaardigheid te taxeren. Niet best, concludeerde hij. Hij had op zijn minst een kop koffie nodig voordat hij probeerde naar Boston terug te rijden. Hij stapte uit, stak het parkeerterrein over en liep langs de autoweg tot hij een Dunkin' Donuts vond. Aan de overkant van de weg stond er nog een.

Een bordje op de bar vertelde hem dat ze geen biljetten van vijftig en honderd dollar aannamen 'wegens frauduleuze activiteiten'. Hij had voornamelijk briefjes van honderd, uit een van de stapeltjes in zijn koffer, en hij moest zijn zakken afzoeken, en alle vakjes van zijn portemonnee, voordat hij ten slotte een groezelig tiendollarbiljet vond.

Hij kocht twee grote bekers koffie en sloeg er een achterover aan een plakkerige, met kruimels bestrooide tafel. Hij voelde dat zijn hartslag versnelde. Hij was misschien niet nuchter, maar in elk geval alerter, op een doffe manier. De donuts roken goed en hij had trek, dus hij keerde terug naar de kassa, kocht een half dozijn en liep met de doos langs de weg terug naar de parkeerplaats, terwijl hij er twee verslond, de een na de ander, slechts lang genoeg pauzerend om te slikken. Toen hij bij de auto aankwam realiseerde hij zich dat hij nog wat meer tijd nodig had om nuchter te worden, of het in elk geval te proberen.

Dus stak hij de weg over – het duurde enkele minuten voordat hij een opening in het verkeer vond – en ging op een houten lattenbank zitten, met zijn gezicht naar de oceaan. Hij keek naar de woelige golven die op het smalle zandstrand braken. Een zeemeeuw maakte een duikvlucht en scheerde toen triomfantelijk krijsend en schreeuwend weer omhoog. Het sproeiwater van een bijzonder grote golf spatte over de lage betonnen muur. Hij voelde de fijne neveldruppels. Na een poos versmolt de roze ruis van de branding met het suizen van de banden van passerende auto's. Er kwam een fietser langs, een forse man in een David Ortiz-shirt en een pet van de Red Sox.

En hij dacht aan zijn vader. Hij dronk koffie en dacht aan Lens aspiraties, zijn onvervulde dromen, die nieuw waren voor Rick. Er bestond een andere Leonard Hoffman, een die Rick niet kende, die hij nooit had gekend. Een Leonard Hoffman die meer had willen zijn dan wat er van hem was geworden.

En toen was Rick heel even zestien en hij verveelde zich dood, slenterend door de veel te gepolijste ceremoniële zalen van het Hooggerechtshof tijdens een gezinsuitstapje naar Washington, DC. Een idee van zijn vader, die gezinsexcursie, een manier om de scherven weer te lijmen, het gescheurde weefsel van hun gezinnetje te repareren, zes maanden nadat Ellen Hoffman aan eierstokkanker was overleden. Mama was altijd al de lijm geweest die het gezin bij elkaar hield, was Rick gaan beseffen. Daarna was het vijf maanden lang haar ziekte geweest en daarna haar dood, en toen leek alles uit elkaar te spatten. Ze verkeerden alle twee in een eigen, afzonderlijke wereld van eenzaamheid, spraken nauwelijks met elkaar, zochten alleen contact met elkaar als het nodig was. Rick was nors en onaangenaam gezelschap, alleen al doordat hij een tiener was. Maar de dood van zijn moeder had iets in hem losgemaakt, had hem toestemming gegeven zijn norsheid te botvieren.

Het was trouwens het laatste waar Rick zin in had, een week van zijn voorjaarsvakantie doorbrengen met zijn vader en zijn zus, door de monumenten van de hoofdstad sloffen en de kersenbloesem bewonderen, terwijl zijn school- en buurtvrienden thuis bleven, uitsliepen, tv keken en rondhingen op Harvard Square.

Het bezoek aan het Hooggerechtshof was het hoogtepunt van hun droevige uitstapje. Lenny had geen toegang gekregen tot de eigenlijke rechtszaal, tot een echte zitting, een tekortkoming die hem scheen te ergeren en beschaamd te maken. Je moest blijkbaar een congreslid kennen – dat zei hij althans. Hoe dan ook, hij kende niemand en dus had het gezin de wat hij 'boerenlullenrondleiding' noemde gekregen.

Washington was van hetzelfde laken een pak geweest als het Hooggerechtshof: brede winkelstraten, brede lanen, brede marmeren gangen omzoomd door standbeelden en plaquettes. Geschiedenis alom. Tegenstribbelende medeslachtoffers met hun gezin die plaquettes lazen en luisterden naar het gebazel van de gidsen. Het Lincoln Monument was afgeladen vol en het Washington Monument was afgeladen vol én stom. Alleen het Smithsonian National Air and Space Museum was gaaf, vanwege de ruimtepakken en zo.

Wendy, die in groep 7 zat, had haar beste vriendin meegenomen, Peg. De twee meisjes deden alles samen en giechelden om Rick en om de collectie en wisselden privégrapjes uit. Ze hadden een kamer gedeeld in hun goedkope hotel bij Dupont Circle, en ze waren alle twee vegetariër, wat tijdens de maaltijden voor complicaties zorgde.

Een docent had een ingeblikte les gegeven over de Amerikaanse Temple of Justice, die in werkelijkheid een Mausoleum van Saaiheid was. De marmeren muren en vloeren dropen van de chloroform. Zelfs de souvenirwinkel, meestal een betrouwbare uitwijkmogelijkheid, had niets waarin Rick zelfs maar vaag geïnteresseerd was. (Tinnen babybeker! Koffiebeker met het Hooggerechtshof! Waarom geen snoepdispenser-versies van de rechters, had hij zich afgevraagd. Of actiefiguren, op zijn minst?)

Ze stonden allemaal rond het standbeeld van John Marshall, een bronzen beeld van een arrogante pief in badjas, zo leek het tenminste, terwijl Len hen doorzaagde over hoe belangrijk John Marshall was geweest. Rick, eieren opboerend door het enorme ontbijt dat hij in het hotel had verorberd, probeerde niet staandebeens in slaap te vallen.

'Waar het om gaat,' zei zijn vader, 'is dat je alles kunt worden wat je wilt! Die man daar werd geboren in een hut bij de grens met Virginia, als oudste van vijftien kinderen. Waar het om gaat is: als je het je kunt voorstellen en erin kunt geloven, kun je het bereiken!'

Wendy en Peg keken van een afstand toe terwijl Len praatte. Ze giechelden en rolden met hun ogen vanwege Lens ernst. Len was zo slecht in ouder spelen. Hij had geen ervaring. Hij wist niet eens hoe hij de kinderen moest knuffelen. Rick kon zijn vaders opgelatenheid voelen: één hand of twee, en moet je klapzoenen geven? Len leek op een schaatser die valt wanneer hij gaat nadenken over hoe je op schaatsen moet staan. En Rick merkte dat hij de oude heer begon aan te moedigen: *Kom op, pa, je kunt het! Kom op, pa! Wees een pa, pa!*

Na de dood van mama had de man zijn uiterste best gedaan om vader te zijn, contact te leggen met zijn twee kinderen, het middelpunt te zijn, mama te vervangen nu ze er niet meer was. Hij had zijn kinderen meegesleept naar DC om een leemte in hun leven die hij had gezien op te vullen, de mama-leemte die hij nooit kon vullen. Maar verdomme, hij zou het proberen. Dit uitje naar DC was onderdeel van die veldtocht. Geen van zijn kinderen had er zin in, en dat wist hij, maar hij gaf het nog niet op.

Er kwam een belangrijk uitziend man in een grijs pak langs, die bleef staan. 'Lenny? Mijn god! Ben jij het?'

'David Rosenthal,' had zijn vader zichzelf in de rede gevallen. 'Treed je op voor het Hof?'

De man knikte. 'Net klaar. Mijn hart bonst nog.' Enkele mannen in pak wachtten af op de achtergrond. 'Wat doe jij tegenwoordig? Sinds New Haven?'

Len lachte zijn bedeesde glimlach. 'O, een beetje van dit, een beetje van dat.' Hij keek raar, alsof het hem goed deed dat hij werd herkend door deze dure advocaat die net uit de rechtszaal kwam waar hij niet binnen had kunnen komen. Maar tegelijkertijd zag hij eruit alsof hij een gat in de marmeren vloer wilde boren om erin te verdwijnen.

Wendy kon Lens bescheiden maniertjes met perfecte, venijnige accuratesse nadoen en ze mimede: *O, een beetje van dit, een beetje van dat*, maar Rick weigerde oogcontact met haar te maken. Ze wilde dat haar oudere broer net als zij met zijn ogen rolde, maar hij wilde niets te maken hebben met haar minachtende samenzwering. Hij werd overvallen door een gevoel van bijna ouderlijke bescherming jegens zijn vader, hoewel hij wist dat het de omgekeerde wereld was als een kind zich zo voelde, en als hij erover nadacht was dat misschien nog beledigender voor Len dan Wendy's sarcasme.

De belangrijke man keek Len bevreemd aan. Rick was te jong om die blik te herkennen: medelijden vermengd met misprijzen. Zijn vader keek schaapachtig en geneerde zich blijkbaar. Misschien voor wie hij was, of niet was. Op de een of andere manier voelde Rick die gêne ook, vermengd met een vleugje ergernis, en het vluchtige moment van vertedering was vervlogen.

Vanuit zijn ooghoek zag hij het spottende gezicht van zijn zus, maar hij gunde haar niet de voldoening van een instemmende blik.

Ten slotte ging hij vlak voor haar staan en liet de boer die hij al een minuut of wat had onderdrukt, recht in Wendy's gezicht, zodat ze krijsend protesteerde. 'Getsie!' zei ze, theatraal luid. Op Lens voorhoofd verscheen een vluchtige frons van ergernis en Rick zág het hem beslissen: nee, hij zou geen onderzoek instellen naar het incident. Len wilde het niet weten. Hij leek bijna opgelucht door de afleiding.

Rick vroeg zich af hoeveel spijt en verbittering Len moest hebben gevoeld over de carrière die hij uiteindelijk had gemaakt, als koerier en fixer, zo ver als maar kon verwijderd van de juridische heldendaden die hij ooit voor ogen had gehad. Hij vroeg zich af of zijn vader er nog weleens over nadacht. Of hij überhaupt nog weleens nadacht. Hij vroeg zich af of het infarct zijn denkvermogen tegelijk met zijn spraakvermogen had uitgewist.

Hij dacht niet dat Joel Rubin had gelogen toen hij volhield dat hij niet wist voor wie Len contant geld kocht. Het was zo gek nog niet dat zijn vader de identiteit van zijn cliënt had beschermd, niet alleen vanwege de vertrouwelijkheid tussen advocaat en cliënt, maar ook omdat zijn cliënten bijna zeker betrokken waren bij criminele dingen. Joel had beweerd dat hij er geen idee van had wie die mysterieuze 'P' was en Rick geloofde hem.

Maar er moest een manier zijn om erachter te komen wie 'P' was, voor wie hij werkte. Niemand zou dat beter weten dan een krantenverslaggever. Een journalist van de oude stempel. Gelukkig had Rick nog contacten uit de tijd dat hij reporter was. Een groot aantal van hen was akkoord gegaan met een afkoopsom van *The Boston Globe* toen die moest inkrimpen en ze werkten nu freelance, wipten af en toe binnen, maar minstens één van hen werkte nog steeds bij de krant. Monica Kennedy was een van hun beste onderzoeksjournalisten, een vasthoudende vrouw van tegen de vijftig met weerbarstig staalgrijs haar en een dikke, vettige pilotenbril. Ze had een George Polk-prijs gekregen voor haar reeks over seksueel misbruik in het katholieke aartsbisdom van Boston en had veel aandacht getrokken met onthullingen over een forensisch laboratorium van de staat dat honderden drugstests had vervalst. In de jaren negentig had ze een serie gemaakt over de kostenoverschrijdingen voor de Big Dig.

Hij was nog steeds high, zij het minder high dan eerder in het appartement van Joel Rubin, en zijn gedachten waren troebel. Hij dacht niet helder. Het vergde veel inspanning, maar hij scrolde door de lijst van contactpersonen in zijn telefoon en vond haar ten slotte. Monica Kennedy.

Hij had Monica waarschijnlijk in geen tien jaar gesproken. Het enige nummer dat hij had was dat van haar werktelefoon, maar dat was hoogstwaarschijnlijk nog hetzelfde. Hij belde het en liet het toestel overgaan. Na vijf keer kreeg hij haar voicemail. Hij sprak een bericht in en vroeg haar hem terug te bellen.

Toen dronk hij zijn koffie op, gooide de beker in een afvalbak, stak de straat over en stapte in zijn auto. Hij voelde zich nu goed genoeg om het verkeer te trotseren. Misschien was het een illusie, maar door Boston rijden vergde meer lef dan vaardigheid.

Hij inspecteerde zijn gezicht in de achteruitkijkspiegel. Zijn ogen waren bloeddoorlopen, mat en glazig. Zijn kleren stonken naar marihuana. Hij zou niemand om de tuin leiden. Maar hij kon altijd een apotheek binnengaan, als hij er een passeerde, en wat oogdruppels kopen. Misschien dat dat hielp.

Hij zette de auto in de versnelling en sloeg linksaf naar de Lynnway, langs Meineke Muffler, de U-Haul, nog een Dunkin' Donuts en daarna langs autodealers, de een na de ander. Hij reed langzaam, remde af als een stoplicht op oranje sprong, tot woede van de achterliggers. Niet de manier waarop hij gewoonlijk reed, en niet de manier waarop je in en rond Boston reed. Maar ondanks de grote hoeveelheid koffie was de marihuana nog niet uitgewerkt. Alles om hem heen leek snel, nerveus en onstuimig te gebeuren.

Hij pakte zijn telefoon van de passagiersstoel en wierp er een blik op. Hij wist dat hij zijn mobiele telefoon beter niet kon gebruiken terwijl hij reed. Hij stopte bij een Shell-pomp, gooide de tank vol en parkeerde toen. Hij zocht 'Recente gesprekken' op zijn telefoon, draaide nogmaals het nummer van Monica Kennedy en kreeg opnieuw haar voicemail. Hij sprak niet opnieuw een boodschap in.

Hij vervolgde zijn weg over de Lynnway en kwam ten slotte uit op de VFW Parkway, langs de oude hondenrenbaan in Revere, Wonderland, nu een winkelcentrum. Even later doemde de stad Boston op, waarvan de mooie, glinsterende wolkenkrabbers hem deden denken aan de magische eerste keer dat je een glimp opvangt van de Emerald City in *The Wizard of Oz*.

Enkele minuten later reed hij over een reeks pas aangelegde wegen, brede doorgaande wegen en rotondes die tijdens de Big Dig waren aangelegd. Hij reed de Ted Williams Tunnel binnen en zoefde erdoorheen. Alles rondom Boston bewoog nu sneller. Verspilling of niet, maar je moest toegeven dat de Big Dig ervoor had gezorgd dat de treinen op tijd reden.

Hij passeerde de luchthaven en de vrachtterminal en reed over nog meer nieuwe wegen naar het hoofdkantoor van *The Boston Globe*, een groot gebouw uit het midden van de vorige eeuw op zes hectaren grond aan Morrissey Boulevard, een niemandsland ten zuiden van het centrum. Hij stopte in een parkeervak voor bezoekers en drukte op de herhaaltoets.

Ditmaal nam Monica op.

'Kennedy,' snauwde ze, het waarschuwende blaffen van een waakhond.

'Monica, met Rick Hoffman.'

'O... Hoffman, hoi.' Ze klonk afwezig, niet enthousiast. 'Ja, ik stond op het punt je terug te bellen.'

'Kan ik je mee uit lunchen nemen?'

'Ik heb al aan mijn bureau gegeten.'

'Ik bedoel, mag ik een halfuur van je tijd roven?'

Een geërgerde zucht. 'Werk je nog steeds bij dat pulpblad?'

'Min of meer.'

'Ik hoorde dat je de zak hebt gekregen.'

'Dat komt er dichter bij.'

'Hopelijk zoek je hier niets. De *Globe* heeft geen vacatures.'

'Nee.'

'Moet het per se vandaag?'

'Liefst wel.'

Opnieuw een zucht. 'Nadat ik mijn column heb ingeleverd. Vier uur, halfvijf.'

'Tref ik je bij de *Globe*?'

'De Leugenaars.' Hij wist dat ze de Three Lyres bedoelde, na werktijd de officiële bar voor *Globe*-verslaggevers, redacteuren en staf.

Ze hing op.

Monica was de kwaadste niet. Net als de meeste krantenverslaggevers verspilde ze geen charme aan iemand die geen potentiële bron was.

Hij had geen zin om op de parkeerplaats te blijven staan. Hij moest een koffieshop met wifi zoeken en wat online-research doen. Toen realiseerde hij zich dat hij niet ver van Dorchester was, waar Andrea's non-profitinstelling Geometry Partners gevestigd was. Misschien was ze daar. Ze had niet teruggebeld en hij was haar een excuus verschuldigd.

Meer dan dat: hij was haar een herhaling verschuldigd, een nieuwe afspraak, als ze daarmee zou instemmen. Hij was haar een andere Rick verschuldigd, de echte Rick, niet de aansteller, de kwast en de idioot met stapeltjes briefjes van honderd die een gat in zijn zak brandden.

Tien minuten later vond hij de vervallen straat bij Dorchester Avenue en een oud bakstenen pakhuis dat voor weinig geld tot kantoorpand was verbouwd. De paneeldeur zag eruit alsof hij niet bij een pakhuis hoorde, maar bij een splitlevelhuis in een voorstad.

Plakletters op de deur vormden het getal 14. Onder het huisnummer hing een stuk papier waarop met grote computerletters GEOMETRY PARTNERS stond. Hij moest opeens plassen. Er was een heleboel koffie door zijn spijsverteringssysteem gegaan en die wilde naar buiten.

Hij klopte een paar keer aan, wachtte toen niet langer tot er werd opengedaan en trok de deur open. Binnen was een klein kantoor met twee metalen bureaus en een paar mensen, ouders en kinderen zo te zien, zwart en hispanic. Hij liep naar een van de bureaus en vroeg aan de vrouw die erachter zat: 'Is Andrea Messina aanwezig?'

'Ja, maar ze heeft de hele middag vergaderingen. Het spijt me. Het gaat maar door.'

Hij pakte een van Andrea's visitekaartjes van een blad op het bureau, met haar naam en OPRICHTER/CEO en de naam GEOMETRY PARTNERS in een soort kleurig diagram van hoeken die door cirkels sneden en stippellijnen en punten. Hij stopte het in zijn jaszak. Toen pakte hij nog een kaartje en schreef op de achterkant: 'Nog één kans? Alsjeblieft?' en ondertekende het met 'Rick'.

'Zou u dit aan haar willen geven als u haar ziet?'

'Natuurlijk, meneer.'

'Nog één ding: mag ik het toilet gebruiken?'

'Eerste deur rechts.'

Er kwam een man binnen die eruitzag als een groepsverkrachter, met beide armen vol tatoeages en gekleed in een witte tanktop, een zogenaamde *wifebeater*, met een meisje aan zijn hand. Vader en dochter waarschijnlijk. Hij keek tegelijkertijd fel en vertederd.

Rick vond het toilet en deed een lange, opluchtende plas. Toen hij naar buiten kwam liep hij Andrea tegen het lijf. Ze droeg een zwart broekpak en een witte blouse met een v-hals. Haar decolleté was niet bijzonder diep, maar hij zag de kloof tussen haar borsten. Ze was conservatief gekleed, maar zag er op de een of andere manier toch sexy uit. Haar haren waren glanzend en vol en vielen tot op haar schouders.

'O, Rick,' zei ze. 'Wat... wat doe je hier?'

Ze gaf hem een snelle, zedige kus op zijn wang.

'Ik was in de buurt en wilde even gedag zeggen. En excuses aanbieden. En smeken om een herkansing. Ik heb er een briefje over achtergelaten.'

'Sorry, het is een gekkenhuis,' zei ze. Ze klonk niet overtuigend.

'Ik snap het.'

'Luister, Rick' – ze ging een piepklein kantoor in, niet groter dan een voorraadkast en waaraan hij door de foto's meteen zag dat het haar kantoor was. 'Ik wilde je bedanken voor het diner. Het was...' Haar neusvleugels trilden alsof ze iets smerigs rook. Ze keek argwanend in zijn bloeddoorlopen, waterige ogen en vroeg: 'Zit je erdoorheen?'

22

De Three Lyres was niet ver van Geometry Partners. De verslaggevers, fotografen en redacteuren van *The Boston Globe* die het bezochten noemden het eenvoudig Leugenaars. De Leugenaars Pub. De Leugenaars Club. De muren waren betimmerd met donker hout en de verlichting was schemerig. Aan de muren hingen talloze oude uithangborden van kroegen. De ruimte werd gedomineerd door een grote, verwelkomende U-vormige bar.

Monica Kennedy wachtte op hem op een van de banken langs de zijmuren. Boven de tafel hing een oud Guinnessbord van een toekan met een bierpul op zijn snavel. Voor haar stond een glazen pul met bier, een of ander bruin bier met een ronde, romige schuimkraag. Plus een enorme bloeiende ui, perfect bruin gefrituurd, zo groot en angstaanjagend als een zeedier, die een wat ranzige geur verspreidde.

'Honger?' vroeg ze toen Rick plaatsnam op de bank. 'Ik rammel. Ik heb de lunch overgeslagen.'

'Ik dacht dat je aan je bureau at.'

'Een yoghurt telt niet. Roep de serveerster en bestel een bier.'

Ze boog zich over de bloeiende ui heen en plukte bladeren los als een chirurg. Haar bril was vettig, zoals altijd. Rick vroeg zich af of ze zich er ooit aan stoorde, aan kijken door troebele glazen, of ze eraan gewend was, het liever zo had. Ze droeg een smoezelige bruine trui zonder kraag en daaronder een crèmekleurige blouse met lange kraagpunten die opviel als een nonnenhabijt.

'Bedankt dat je bent gekomen.'

'Heffen ze het volledig op?'

'Wat?'

'Dat pulpblad van je.'

'O. Grotendeels. Het staat voortaan alleen nog online.'

'Dat zeggen ze soms alleen maar om personeel te lozen.' Ze haalde een kleine knijpflacon neusspray tevoorschijn en prietste er wat van in beide neusgaten. Toen snoof ze luid. Ze was blijkbaar nog steeds verslaafd aan neusspray. 'Ik snap nog steeds niet waarom je in godsnaam gestopt bent met echte journalistiek om naar dat vod te gaan.'

'Geld, waarom anders?'

Ze keek op van de ui. Ze keek verrassend, ontroerend gekwetst. 'Maar je was goed.'

Hij glimlachte, haalde zijn schouders op. 'Blijkbaar niet goed genoeg.'

‘Wat dacht je, dat de *Globe* tegen het aanbod van Mort Ostrow kon opboksen? Geen schijn van kans. Je was hier de rijzende ster. Ik dacht dat je de nieuwe Sy Hersh wilde worden.’ Ze bedoelde de onderzoeksjournalist Seymour Hersh, die bij *The New Yorker* werkte, een legende in de onderzoeksjournalistiek.

‘Hoe dan ook, het was tijd voor verandering.’

Ze schudde vol afkeer haar hoofd. ‘Neem wat ui.’

‘Straks misschien.’ Hij slaagde erin de aandacht van de serveerster te trekken en bestelde een Sam Adams.

Hij herinnerde zich een tijd dat een ambitieuze redacteur hem en een paar andere beginnende reporters had toegewezen aan Monica voor een gezamenlijk Pulitzer-waardig artikel over een groot chemisch bedrijf dat een giftig insecticide had gedumpt, wat tot een reeks geboorteafwijkingen in West-Massachusetts had geleid. Monica, competitief tot op het bot, was verontwaardigd en niet blij dat ze tot ‘verdomde hondenuitlater’ gebombardeerd was. Maar toen Rick haar zijn reportage overhandigde, zei ze: ‘Hm. Niet helemaal waardeloos.’ En Rick, in het besef dat dat voor Monica de hoogste lof was, straalde.

‘Dus wat wil je?’ vroeg ze.

‘Ben je mijn vaders naam ooit tegengekomen toen je over de Big Dig schreef?’

‘Ik weet niet eens wie je vader is.’

‘Leonard Hoffman. Hij was advocaat.’

Ze haalde haar schouders op.

‘Hij had veel cliënten in de Combat Zone.’

Ze schudde haar hoofd en spreidde haar handen.

‘Hij vertegenwoordigde stripclubs en meer van zulke gelegenheden.’

‘Hé, iemand moet het doen.’

‘Hij kocht blijkbaar contant geld van ze. Veel geld.’

Ze zette grote ogen op en glimlachte. Nu had hij haar aandacht. 'Echt waar?'

'Weet je daarvan?'

Ze glimlachte nog steeds. Haar wangen bolden op en tilden haar bril op. Ze nam een grote slok Guinness en zette het glas neer. 'In theorie. Wauw.'

'Wat?'

'Alsof je me net verteld hebt dat je het monster van Loch Ness hebt gezien.'

'Hoe bedoel je dat? Je gelooft me niet?'

'Ik bedoel dat het iets is waar we jarenlang van hebben gehoord, maar nooit konden bewijzen.'

'Wat bewijzen?'

'De geldbank. Een oud gerucht. Nooit in het wild aangetroffen.'

Hij trok zijn wenkbrauwen op. 'De geldbank?'

'Om smeergeld te betalen heb je contant geld nodig. Geen papieren spoor. Maar het is altijd een probleem om genoeg contant geld in handen te krijgen.' Ze knikte snel, nadenkend, en keek naar de schuimkraag van haar bier. Ze keek je nooit aan als ze diep nadacht. Ze keek naar de grond of naar de muur of naar haar (meestal afgekloven) vingernagels. 'Als je niet in een contantgeldbranche zit, en wie zit dat nog?' Ze telde af op haar vingers. 'Kleine winkels, restaurants, slijterijen. Parkeergarages. Manicuresalons. In de hoogtijdagen van de Combat Zone stripclubs en pornozaken, dat soort gelegenheden – ik bedoel, dat zijn bedrijven waar veel contant geld omgaat. Enig idee over hoeveel we het hebben?'

Minstens drie komma 4 miljoen, dacht hij. 'Ik heb het idee dat het veel was. Je hebt nooit iets over de geldbank geschreven.'

'Luister, het zit zo.' Ze pakte de neusspray, hield hem op. 'Wat ik wéét, is dit.' Ze schudde met het flaconnetje, dat blijkbaar bijna vol was. 'Maar wat ik kan publicéren... is zo'n beetje.' Ze sprietste een dosis in elk neusgat, snoof. 'Je herinnert het je wel, of misschien ook niet. Misschien is het te lang geleden. Maar je weet altijd verdomd veel meer dan je kunt publiceren. Altijd. Dat is de irritante kant van mijn werk.'

'Dus ze noemen het de geldbank, ja?'

'Nou, dát zou nog eens een verhaal zijn, Hoffman. Als je de publicatie ervan overleeft. Wat misschien niet het geval zou zijn.'

'Overleeft?'

'Als je erover schrijft, krijg je te maken met een paar ruige jongens die niet willen dat het bekend wordt. Als je ze afzeikt...' Ze schudde haar hoofd.

'Wat?'

'Laten we het zo zeggen: als je ze afzeikt, zullen ze geen boze ingezonden stukken schrijven.'

23

Hij reed over Mass Ave dwars door Boston naar Cambridge en keerde vroeg in de avond terug naar het Eustace House. Hij had geluk en vond een parkeerplaats in Mass Ave recht voor de deur. Toen hij achteruit inparkeerde, keek hij naar het passerende verkeer en zag een grote, zwarte SUV, die voorbijreed en een meter of vijftien verderop stopte.

Het was een Escalade. Van een afstand, en in het donker, kon hij niet zien of de ramen getint waren zoals die van de Escalade die hij eerder die dag had gezien, bij de donutzaak. De kans dat het hetzelfde voertuig was, was klein, realiseerde hij zich.

Maar als het wel zo was... Hij wilde niet naar de B&B worden gevolgd. Het was beter geen risico te lopen. Vergeet het parkeren. Hij moest zich ervan vergewissen dat hij niet gevolgd was.

Hij reed de parkeerhaven uit, passeerde de Escalade en gaf toen rechts aan. Toen hij in zijn spiegel keek, zag hij dat de Escalade zich weer achter hem in het verkeer voegde en eveneens rechts aangaf.

Alsof hij hem volgde.

Hij sloeg rechts af en keek in zijn spiegel en het leek erop dat de Escalade achterbleef. Hij zag een deel van het kenteken: CYK en nog iets. Toen sloeg het voertuig eveneens rechts af en Rick voelde een tinteling van angst.

Bij de volgende straat sloeg hij opnieuw rechts af... en de Escalade niet. Rick ontspande zich even. Hij was waarschijnlijk alleen maar paranoïde geweest. Hij reed het hele blok om en passeerde het Eustace House ditmaal zonder te stoppen.

Toen hij doorreed over Mass Ave drong het tot hem door dat hij misschien helemaal niet veilig was. Misschien was de Escalade verdwenen omdat de bestuurder dacht dat hij gezien was.

Zijn maag draaide en hij probeerde te achterhalen hoe ze hem hadden gevonden, maar het lukte niet. Hij had een auto gehuurd om te voorkomen dat hij gevolgd werd en had toen hij de auto huurde goed opgelet of hij niet in de gaten werd gehouden. Dacht hij tenminste.

Het punt was dat Rick een amateur was en te maken had met professionals. Hij had te maken met koelbloedige, mogelijk meedogenloze mensen. Mensen die hem dreigden met verminking, dreigementen die maar al te reëel hadden geleken.

Hij dacht dat hij ze in het Charles had afgeschud, maar hij

had het mis. Op de een of andere manier hadden ze hem weer gevonden.

Hij moest uitgebreidere maatregelen nemen. Hij moest zekerheid hebben.

Hij reed dwars door East Cambridge naar een winkelcentrum, de CambridgeSide Galleria. Het was een doodnormaal, semi-duur centrum met een J. Crew en een Old Navy, een Abercrombie & Fitch, een Body Shop en een California Pizza Kitchen.

En een Zipcar-vestiging.

Hij parkeerde op het tweede niveau, stapte uit, liep Macy's binnen en kwam meteen weer naar buiten. Hij liep naar de Apple Store en deed alsof hij de iPads bestudeerde. Hij liep abrupt Newbury Comics binnen, waar hij deed alsof hij tussen de dvd's snuffelde. Hij maakte zich zorgen en probeerde het niet te laten merken. Het leek erop dat hij niet werd gevolgd, maar nogmaals, hij wist het niet zeker. Er was onmogelijk achter te komen. Hij ging Best Buy binnen op het ene niveau, kocht een zaklamp en verliet de zaak via een ander.

Nadat hij dit drie kwartier had gedaan voelde hij zich nerveus en paranoïde en wist hij nog steeds niet honderd procent zeker dat hij niet werd gevolgd.

Vervolgens huurde hij bij Zipcar een andere auto. Hij haalde de dossierdoos die hij uit het souterrain van Joan Breslin had meegenomen uit de vorige auto. Hij liet de oude huurauto in de parkeergarage van het winkelcentrum achter en reed met de nieuwe het winkelcentrum uit en over de Mass Ave Bridge bij MIT Boston in. Hij vond een B&B bij Fenway Park en betaalde een nacht vooruit. Hij belde Hertz om door te geven waar hij de Ford Focus had achtergelaten. Hij zou een fikse boete krijgen omdat hij de auto niet had afgeleverd bij een Hertz-vestiging, maar geld was een van de dingen waaraan hij geen gebrek meer had.

Hij vroeg zich af of hij inderdaad veilig was. Er was niet achter te komen.

En toen realiseerde hij zich dat hij terug moest naar het huis in Clayton Street. En gauw ook.

24

Om twee uur in de nacht werd Rick wakker, alsof er een wekker afging. Hij kleedde zich aan en daalde de donkere trap van de B&B af naar de verlaten straat. Hij had in een zijstraat één blok verderop geparkeerd. De verkeerslichten knipperden oranje. De trottoirs waren verlaten. De straten blonken na een avondlijke regenbui.

Hij pakte zijn huissleutels, de floppy uit Joans souterrain en de Maglite die hij bij Best Buy had gekocht.

Hij reed naar Clayton Street, langs het huis en de hoek om richting Fayerweather. Het was donker in de wijk. Er brandden enkele portieklichten en schaarse straatlantaarns. Hij parkeerde en sloeg de hoek om naar Clayton, waar hij op een afstand bleef staan en naar het huis keek. Hij voelde zich er bijna idioot bij. Er was niemand in het huis, uiteraard niet, en niemand in de buurt. Niemand wachtte op zijn terugkomst. Niet om tien voor halfdrie 's nachts.

Hij opende de deur, glipte haastig naar binnen en liep blindelings door het huis, een route die hij in zijn middelbareschooltijd talloze keren had gevolgd, eveneens in het holst van de nacht en in het donker, in de hoop dat hij zijn altijd waakzame vader of zus niet zou wekken.

Hij moest de zaklamp gebruiken om de trap naar het souterrain af te dalen zonder over de bezems en vegers te struikelen die aan de muren hingen. Zelfs bij daglicht en als het licht brandde, was deze trap een struikelblok.

Het rook beneden naar schimmel en wasmiddelen en iets van klei en zwammen. De meubels van boven waren hoog opgestapeld en afgedekt met doorschijnende lappen plastic – fauteuils, stoelen, de keukentafel. Tegen de uit cementblokken bestaande muren hingen oude plastic schappen van Bed Bath & Beyond vol oude troep: oud speelgoed, een broodbakmachine, een voedseldroger, een naaimachine die sinds het overlijden van zijn moeder waarschijnlijk niet meer was gebruikt. Potten en pannen, Igloo-koelboxen en Tupperware-dozen. In de verst verwijderde hoek stond zijn vaders werkbank, zelden gebruikt, onder een aan de muur bevestigd geperforeerd bord waaraan roestige oude zagen hingen, stalen en houten hamers, schroevendraaiers, een oud verlengsnoer, een DeWalt-boormachine. Op een ander schap stonden terpentine en spuitbussen, blikken verf en houtvernis.

Hij vond de plek waar de meubels uit Lenny's werkkamer waren opgeslagen. Het bureau van zijn vader was zorgzaam afgedekt met een doorschijnende lap plastic, nu bedekt met een dun laagje wit poeder. Het leek overal te zijn, zelfs in het souterrain, waar niet gesloopt was.

Hij tilde het plastic op, pakte het verlengsnoer van zijn vaders werkbank en sloot de oude computer aan. Hij schakelde hem in en zag tot zijn opluchting dat hij knarsend en kreunend tot leven kwam. Er verschenen groene cijfers en letters op het scherm. Het opstarten duurde lang. Terwijl hij erop wachtte keek hij om zich heen. Er lag allerlei rommel op de plastic schappen: speelgoed, apparaten, oude mobiele-telefoonrekeningen. Zijn vader gooide nooit iets weg.

Hij trok een doos van het schap waarop de spullen van Lenny's bureau stonden. Er zat een antieke koperen paperclip in de vorm van een hand in, die nog van Lenny's vader was geweest. Een envelopbevochtiger, een blauwe plastic flacon waarvan het gele sponsje bros was geworden van lijm en ouderdom. Gebruikte iemand die dingen nog? Een rode, hartvormige presse-papier, een cadeautje van Ricks moeder. Een Swingline-nietmachine. Een leeg blik waar pasta op was gelijmd en dat met lichtblauwe tempera was beschilderd – een prullerig handvaardigheidsproject dat Rick in groep vier had gemaakt. Zijn vader had er altijd zijn potloden in bewaard, hoewel hij veel mooiere dingen had om potloden in te zetten.

Toen trok hij een groot stuk schuimplastic tevoorschijn waarop een heleboel kleine stenen waren gelijmd. Ricks oude, gekoesterde stenencollectie. Het verbaasde hem dat hij die hier zag. Als kind had Rick om de een of andere reden stenen en mineralen verzameld en zijn mooiste stukken zorgvuldig op een prikbord gelijmd: roze kwarts, obsidiaan, schalie, mica schist. Daarna had hij alles zorgvuldig gelabeld met zo'n ouderwetse Dymo-lettertang, zo een met een letterdraaischijf en reliëftape. (Klik, klik, klik, *knijp!*) Maar Rick herinnerde zich vaag dat hij die had weggegooid toen hij naar de middelbare school ging en alle kinderachtige spullen uit zijn kamer had verwijderd. Len moest hem hebben gered en mee naar zijn werkkamer hebben genomen, hem al die decennia hebben bewaard, als een conservator van Ricks jeugd.

Hij vond een zilveren bureauklok, vaag bekend. Op de wijzerplaat stond TIFFANY & CO. Toen zag hij dat de voet gegraveerd was.

VOOR LEONARD HOFFMAN MET DANK VAN DE PAPPAS GROUP.

Wat was de Pappas Group, vroeg hij zich af, die Lenny zo'n duur cadeau had gegeven?

Hij draaide zich om naar de computer en zag de knipperende prompt: c:>. Klaar voor het invoeren van tekst. Mijn god, hij was die tijd volkomen vergeten, toen computers voor het eerst alom werden gebruikt. Rick had jarenlang een Macintosh gehad en was gewend geraakt aan het gemak, de gebruikersvriendelijke interface. In die tijd moest je commando's invoeren. Hij wist niet meer hoe.

Maar hij wist hoe hij er een floppy in moest doen. Hij haalde hem uit de papieren hoes en schoof hem in de drive. De harde schijf knarste wat luider en na een paar seconden verscheen er tekst op het scherm.

Het was een financieel programma, in feite niets meer dan een overzicht van stortingen op en opnamen van twee verschillende Fleet Bank-rekeningen. Fleet Bank bestond al jaren niet meer, opgeslokt door een grotere bank die op haar beurt was opgeslokt door een nóg grotere bank.

De ene was een gewone zakelijke rekening met een overzicht van de cheques die waren uitgeschreven voor de elektriciteitsmaatschappij en andere nutsvoorzieningen, voor het vastgoedbedrijf voor de kantoorhuur, voor kantoorartikelenwinkel Staples en meer van die dingen. De andere was blijkbaar een cliëntenrekening, een overzicht van de cheques die Lenny van zijn klanten had ontvangen.

Allemaal heel standaard en heel gewoon. Rick wist niet of hij er ooit iets aan zou hebben, maar voor het geval dat sloot hij de matrixprinter aan, hoorde hem ratelend tot leven komen en controleerde of hij op de computer was aangesloten. Dat was zo. Hij drukte op 'Afdrukken' en een minuut of zo later spuugde de printer een lange strook geperforeerd printerpapier met aan weerszijden kleine gaatjes uit.

Op de rand van het bureau zittend bestudeerde hij de stapel printerpapier. Het was een overzicht van de stortingen en opnamen gedurende de drie laatste jaren van zijn vaders praktijk. Hij vond de boekingen over 1996 en zocht de kolommen langzaam af op stortingen.

Hij vond er een aantal, ten bedrage van vijftig tot tweeëndertighonderd dollar. Niet meer.

Dat maakte het raadsel alleen maar groter. Volgens Lenny's dossier had hij in mei 1996 acht van zijn cliënten in totaal 295.000 dollar in rekening gebracht. Maar volgens het stadsarchief had hij niet het werk gedaan waarvoor hij een declaratie had ingediend. En nu zag hij dat zijn vader niet was betaald voor het werk dat hij had gedeclareerd. Werk dat hij blijkbaar niet had verricht. Dus de declaraties waren frauduleus.

Hij hoorde geluid boven, een bons, en hij verstarde.

Hij doofde de zaklamp en baande zich in het bleke maanlicht een weg tussen de stapels stoelen en de afgedekte salontafels naar de trap. Daar bleef hij staan en luisterde of er nog een bons zou komen, en na een minuut kwam die ook. Hij realiseerde zich dat het geluid uit de richting kwam van de koelkast in de keuken recht boven zijn hoofd, die luidruchtig aan- of afsloeg. Hij had hem ingeschakeld om water en bier koel te houden.

Met gedoofde zaklamp keerde hij terug naar zijn vaders bureau, pakte de computeruitdraai, liep de trap op en het huis uit.

Op zijn kamer in de B&B googelde Rick de Pappas Group.

Het leek een soort pr-bureau te zijn. De website toonde een stralende foto van de gouden koepel van het Massachusetts State House, die waarschijnlijk symbool moest staan voor macht en toegang, zoals een bedrijf dat in Washington DC was gevestigd waarschijnlijk het Capitool zou tonen. De site maakte weinig duidelijk. Er was sprake van 'onze gespecialiseerde tactici', 'machtige cliënten', 'discrete vertegenwoordiging' en 'reputatiemanagement'. Op een van de pagina's stonden de logo's van enkele van hun cliënten: banken, restaurantketens, universiteiten, winkelcentra, radiostations, fitnesscentra en dure detailhandels. Het enige wat Rick wijzer werd van de website was dat Pappas stevig in het zadel zat en machtige mensen kende.

De oprichter en CEO was Alex Pappas. Zijn biografie was karig: 'Al bijna dertig jaar zet de heer Pappas zijn unieke mediawijsheid en politieke inzicht in voor onderzoeken, beroemde cliënten en strategische adviezen met betrekking tot bedrijfsmatige communicatieproblemen.'

Googelen op Alex Pappas leverde weinig op. Enkele terloopse vermeldingen in de *Globe*, een artikeltje in *Boston Magazine*. Alles was oppervlakkig en vaag. Pappas was jaren geleden persvoorlichter geweest van een Democratische gouverneur van Massachusetts, had diens herverkiezingscampagne geleid en daarna de publieke sector op glorieuze wijze vaarwel gezegd om een eigen 'strategie- en crisiscommunicatiebedrijf' te beginnen. Het was alsof hij toen had besloten onder de radar te vliegen. Je zag zijn naam zelden in de media. Hij had net zo goed in een getuigenbeschermingsprogramma kunnen zitten.

Zoeken naar de 'Pappas Group' leverde meer resultaat op. De firma leidde de pr-campagne voor de Olympian Tower, een geplande wolkenkrabber in Boston die min of meer omstreden was omdat hij een lange schaduw dreigde te werpen over de Boston Public Garden. Dat was zo'n beetje alles wat Rick kon vinden.

Wat deed Lenny Hoffman, solo-advocaat, in godsnaam met een Tiffany-klok van zo'n machtig bedrijf?

's Morgens wachtte Rick tot tien uur voordat hij Monica Kennedy belde op de krant.

'Wat weet je over een zekere Alex Pappas?' vroeg hij.

'Nog steeds bezig met die geldbankkwestie?'

'Pappas is... de geldbank?' zei hij verrast.

'Is dat niet de reden waarom je naar hem informeert?'

'Wie is hij?'

'Ik denk dat je hem een publiciteitsagent moet noemen.'

'Ik heb nooit van hem gehoord.'

'Uiteraard. Hij is zo invloedrijk dat je nooit van hem hebt gehoord. Zie je, Rick, er zijn twee soorten publicisten. Degenen die je naam in de krant krijgen en degenen die hem eruit houden.'

'Wat doet hij? Ik bedoel, afgezien van je naam uit de krant houden?'

'Reputatiemanagement, crisismanagement, introducties.'

'Introducties?'

'In de tijd van de Big Dig was Pappas de man die je moest kennen wilde je een contract binnenhalen. Hij introduceerde bouwondernemingen die werk zochten bij degenen die werk te vergeven hadden. Laten we zeggen dat hij heel wat overheidsmedewerkers rijk heeft gemaakt.'

'Je hebt nooit over hem geschreven, is het wel?'

Ze zuchtte diep. 'Eerlijk gezegd, die man was altijd te glibberig om vat op te krijgen. Alsof je snot aan de muur spijkert.'

Toen pas drong het tot Rick door dat Pappas met de letter P begon.

25

Hij zou zijn bewakers, zoals hij ze was gaan noemen, nooit volledig kunnen afschudden. Dat was niet realistisch. Als hij voorzichtig was kon hij voorkomen dat ze wisten waar hij de nachten doorbracht. In theorie kon hij om de paar dagen een andere auto huren, om ervoor te zorgen dat zijn voertuig niet werd gevolgd.

Maar hij zou zijn vader blijven bezoeken, zelfs hoewel er iemand moest zijn die het verpleeghuis observeerde, het komen en gaan gadesloeg en wachtte tot hij op een gegeven moment verscheen op de plek waar hij bijna zeker naartoe zou gaan. Hij zou dan ook uitgebreidere voorzorgsmaatregelen moeten treffen.

Hij liep eerst binnen bij Brooks Brothers in Newbury Street om iets te halen voor zijn vader. Hij was er al, dubbel geparkeerd, toen de winkel werd geopend, en toen hij terugkwam vond hij een fluorescerende oranje parkeerboete op de voorruit van de Toyota Prius van Zipcar. Het kon hem niet schelen.

Daarna ging hij naar een kostuumzaak in Mass Ave, niet ver van het Berklee College of Music. Het was nog lang geen Halloween, maar op de een of andere manier bleef deze winkel open.

Om enkele minuten over elf parkeerde hij enkele straten van het Alfred Becker Nursing and Rehabilitation Center vandaan. Hij benaderde het lichtgele bakstenen gebouw met grote omzichtigheid en een vaag gevoel van angst. Hij droeg een Red Sox-honkbaljack, een zwarte pruik en een pilotenzonnebril. Wie niet al te aandachtig keek zou hem niet herkennen.

Binnen liep hij naar de toiletten in de lobby en zette de pruik en de zonnebril af. De vrouw in de glazen receptieruimte leek geen aandacht aan hem te schenken. Hij snapte niet wat ze daar deed.

'Twee keer in één week!' zei Brenda, de ziekenverzorgster, met een brede glimlach toen ze hem zag. 'Je pa zal wel blij zijn.'

'Ik heb iets voor hem,' zei Rick. Hij hield de marineblauwe cadeaudoos van Brooks Brothers op.

'Hij is gek op chocolade,' zei Brenda.

'Het zijn kleren. Laat hem er niet te veel van verwachten.'

Ze liep met hem mee door de lange gang waar Lenny's kamer aan lag. Rick was lichtelijk verbaasd. Hij had geen escorte nodig; hij kwam hier al lang voordat Brenda hier was begonnen. Hij wilde zijn vader een paar vragen stellen, liever gezegd het nog eens proberen, en hij had liever geen gezelschap.

Hij bestudeerde het kamerbrede tapijt onder zijn voeten, lichtbruine, beige en bruine ruitjes. Het was pas een paar jaar oud. Het Alfred Becker-huis verdiende goed aan zijn patiënten – aan de familie van de patiënten eigenlijk – en kon het zich veroorloven de boel goed te onderhouden. Hoewel het in wezen niet meer was dan een langparkeerplaats voor oude mensen. Ze gaven Lenny nauwelijks medische zorg omdat zijn gezondheid in feite stabiel was. In zijn geval ging er jaarlijks een bedrag van zes cijfers naar het verplegend personeel en het afschuwelijke instellingseten, waar de meeste bewoners waarschijnlijk geen bezwaar tegen maakten; ze hadden tenslotte niets te kiezen en wat had het voor zin om te klagen? De oude mensen begonnen waarschijnlijk met luidruchtig mopperen als ze er pas zaten, maar na een paar maanden kwamen ze tot bedaren en berustten ze in hun lot.

Lenny Hoffman was geen zeurkous, maar Rick vermoedde dat ook hij misschien zou mopperen als hij had kunnen praten.

'Daar is ie,' zei Rick hartelijk. Lenny zat onderuitgezakt in zijn grote met vinyl beklede stoel naast zijn bed. Er zat een streep speeksel op zijn sjofele oude pyjamajas.

De tv stond aan – tv-dokters in operatiekleding stonden op een glimmende set. 'Eén kuchje... één nies... één miljoen ziektekiemen in de lucht!' zei een commentaarstem. Het onderschrift op het scherm luidde *Ziektewolk!*

Zijn vader hief zijn hoofd langzaam op, alsof het te zwaar was voor zijn nek. Rick werd opnieuw even van de wijs gebracht door de woedende blik op Lenny's gezicht.

'Leonard!' riep Brenda, alsof hij doof was in plaats van alleen maar stom. 'Kijk eens wie er weer is.'

Zijn vader draaide zijn hoofd argwanend in Ricks richting en toen weer naar de tv.

'Volgende keer in *The Doctors*,' zei de tv-omroeper, 'hybride abdominoplastiek!'

'Bedankt, Brenda,' probeerde Rick haar weg te sturen. 'Lenny, ik heb iets voor je.' Hij overhandigde zijn vader de doos van Brooks Brothers. Lenny pakte hem met zijn goede linkerhand aan. Hij gleed uit zijn hand op zijn schoot.

'Laat me je helpen,' zei Brenda. Ze nam de doos van Lenny over en maakte hem open. Rick zocht intussen de afstandsbediening en zette het geluid uit.

'O, is ie niet mooi!' zei Brenda terwijl ze de nautisch uitziende marineblauwe pyjama met witte biezen rondom de revers tevoorschijn haalde. 'Precies wat we nodig hebben. We trekken hem na de lunch aan.'

'Hai, Lenny, hoe is het?' Rick wendde zich tot Brenda, die geen aanstalten maakte om te vertrekken. 'Ik denk dat het zo wel goed is,' zei hij vriendelijk. 'Tijd voor wat vader-en-zooncontact.' Hij ging op het voeteneind zitten.

'Natuurlijk, natuurlijk, ik begrijp het volkomen,' zei Brenda en met een kort knikje verliet ze de kamer.

Rick keek zijn vader aan en had moeite om adem te halen. De lucht in de kamer was bedompt en drukkend. Hij rook massageolie, verpleeghuiseten en een vage geur van ontlasting. Er drukte iets op zijn borst. Hij zag een zwarte haar die uit een porie in zijn vaders neus stak.

Lenny Hoffman, zo bleek, had een geheime ambitie gekoesterd. Hij was niet zielstevreden geweest met zijn schimmige werk, zijn gênante clientèle. Hij wilde meer. Hij wilde iets anders. Misschien was het net zoiets als zijn obsessie om Rick naar de Linwood Academy te sturen, die eerzucht, dat snakken naar iets meer in het leven.

Er was niets mis met Rindge and Latin, de plaatselijke openbare school. De burgemeester van New York City had erop gezeten! Net als Ben Affleck en Matt Damon! En de Linwood Academy was een middelmatige school, voor kinderen die niet naar Milton, Roxbury Latin, Belmont Hill of Buckingham Browne & Nichols konden. Natuurlijk, Rick had geen van die goede scholen bezocht. Hij was niet goed gebekt. Hij had geen belangstelling om van school te wisselen, maar zijn vader stond erop. Het was kort na de dood van Ricks moeder. Misschien wilde Lenny een school die de plaats van een moeder kon innemen, zijn kinderen de aandacht kon schenken waartoe hijzelf niet in staat was. Of misschien speelde er iets anders, iets nog droevigers. Bijvoorbeeld dat, als hijzelf niet respectabel kon zijn, zijn kinderen in elk geval naar dure scholen konden.

'Pa,' zei hij nu. 'Op de dag van je infarct zou je met iemand gaan lunchen. Iemand wiens naam met een P begint. Weet je nog wie dat was?'

Zijn vader keek hem aan, of leek hem in elk geval aan te kijken. Rick schoof dichter naar het bed. Zijn vader bleef hem aankijken.

'Knipper één keer voor ja en twee keer voor nee. Weet je het nog?'

Geen reactie. Rick wachtte. Een paar seconden later knipperde Lenny, maar het leek niets te betekenen.

'Laat me wat namen noemen. Eens zien of je je iets herinnert. Was het Phil Aronowitz?'

Geen reactie.

'Nancy Perry misschien?'

Geen reactie. Geen knippering. Wat betekende dat, áls het al iets betekende?

'Was het Alex Pappas?'

Er leek een schaduw over Lenny's gezicht te glijden. Hij keek geagiteerd – nog geagiteerder – en gekweld.

'Het geld... was dat voor Pappas bestemd? Knipper...'

Zijn vaders linkerhand schoot uit en pakte Ricks pols beet. Ricks hart stond stil.

'Mijn god,' zei Rick zacht. 'Je begrijpt het.'

26

Tegen het eind van de middag, nadat hij naar een andere B&B was verhuisd, in Boston, ging Rick weer naar het huis.

Hij nam voorzorgsmaatregelen – parkeerde drie straten verderop en stapte niet uit voordat hij er zeker van was dat niemand aandacht aan hem had geschonken – en had een koelbox vol bier meegebracht voor Jeff en de bouwploeg.

Maar iedereen was al naar huis, op Marlon en Jeff na. Marlon was nog bezig met de kozijnen, schroefde balkjes vast. De herrie maakte Jeffs woorden nagenoeg onverstaanbaar. Jeff en Rick trokken blikjes bier open en gingen op de stoffige hardhouten vloer zitten naast een reciprozaag en een leeg blikje Red Bull.

'De inspectie is geweest,' zei Jeff terwijl hij een blikje opende.

'Waarvoor?'

'Om te controleren of alles volgens bestek gaat.'

'Ik neem aan dat alles goed was.' Rick opende een blikje en nam een paar koele slokken.

Jeff haalde zijn schouders op. 'Ze kennen me inmiddels. Als je maar vaak genoeg in de stad werkt, beginnen ze je te vertrouwen.'

Marlon riep: 'Is het goed als ik er voor vandaag mee kap? Ik ben hier klaar.'

'Ga je gang,' riep Jeff terug.

Het bleef even stil. Jeff krabde aan zijn kin. De sik was waarschijnlijk nieuw en hij was er nog niet aan gewend. Hij keek Rick schuin aan. 'Kan ik je iets vragen?'

'Uiteraard.'

'Hoeveel geld zat er in de muur?'

Rick aarzelde, maar slechts even. De vraag was niet of Jeff het wist, maar hoeveel hij wist. Hij schudde vaag zijn hoofd. 'Ik heb het niet geteld. Veertig-, misschien vijftigduizend? Misschien minder. Maar, ik bedoel, het was veel.' Alle geld dat hij vond was immers veel, voor hem en voor Jeff. Jeff, die er hard voor werkte. En Rick, die er hard voor hád gewerkt.

'Het leek anders veel meer.'

'Ik zou het wel willen.'

Jeff keek hem enkele seconden aan, maar het leek veel langer. 'Hm,' zei hij ten slotte. 'Ik hoop dat je het veilig hebt opgeborgen.'

'Ik denk het wel.'

'Mooi zo. Ik bedoel, het is een smak geld en je wilt niet dat er iets mee gebeurt. Als iemand hoort over zoveel geld, doen ze de gekste dingen.'

'Ik weet het,' zei Rick ongemakkelijk. Het klonk niet als een verhulde dreiging, maar hij was er niet helemaal zeker van.

'Denk je dat je vader het bij elkaar heeft gespaard?'

'Ik zou willen dat ik het hem kon vragen.'

'Snapt hij... ik bedoel, ik weet dat hij niet kan praten, maar snapt hij wat je tegen hem zegt?'

'Tja, dat is net het punt. Ik weet het niet zeker, maar ik denk dat hij het begrijpt.'

'Hoe weet je dat?'

Rick aarzelde. 'Hij pakte mijn hand beet. Toen ik iets over het geld zei. Alsof hij me waarschuwde, misschien.'

'Waarschuwde?' Jeff klonk geamuseerd.

'Misschien beeldde ik het me in, ik weet het niet. Misschien was het niets. Ik heb alleen het nare gevoel dat hij geen plant is. Dat er iemand thuis is in dat hoofd.'

'Kijk je ooit naar *Breaking Bad*?'

'Natuurlijk.' Hij en Holly hadden enkele snikhete zomerweekends lang alle afleveringen achter elkaar gezien van de tv-serie over een scheikundeleraar die methamfetamine maakt; ze waren eraan verslaafd geraakt, als een stel zombies languit op het bed, de airco op volle toeren.

'Herinner je die oude vent met de bel? De...'

'Natuurlijk. Je bedoelt, zou ik iets kunnen met het soort letterbord dat ze gebruikten bij die ouwe man die een beroerte heeft gehad? Het is een idee, ja. Maar ik weet niet of het zou lukken. We hebben het jaren geleden eens geprobeerd, maar zonder succes.'

'Het kan geen kwaad als je het nog eens probeert.'

'Ik krijg hem niet eens zover dat hij één keer knippert voor ja en twee keer voor nee. Hij knippert, maar ik weet niet waar hij op reageert. Ik moet hem naar een goede neuroloog sturen.'

'Weet je, ik heb net een prachtig huis aan Louisburg Square gerenoveerd, van het hoofd van de afdeling neurologie van Mass General. Ik zou het hem kunnen vragen.'

'Heb je nog contact met hem?'

Jeff knikte. 'Het is een geweldige vent. Hij was tevreden

over mijn werk. Het was dan ook verdomd goed werk, al zeg ik het zelf. We hebben een schitterende wenteltrap gemaakt op de begane grond.'

'Zou je contact met hem willen opnemen?'

'Met alle plezier. Hij vertelde me over alle krankzinnige nieuwe ontwikkelingen waar het MGH mee bezig is, magneten op je hersenen of zoiets. Helemaal te gek.'

'Een soort elektroshocktherapie?'

'Is dat niet als ze je hersenen aansluiten op een auto-accu of zoiets? Nee, ik bedoel, het is letterlijk alsof ze een ontzettend sterke magneet op je hoofd zetten.' Hij tikte tegen zijn slaap. 'Het maakt depressieve mensen on-depressief, zei hij, en ze gebruiken het steeds vaker bij mensen met een hersenbeschadiging of een infarct. Het deed me aan je vader denken.'

'Breng me in contact met hem,' zei Rick. 'Ik probeer alles.'

27

Jeff belde zijn voormalige opdrachtgever, het hoofd van de afdeling neurologie van Mass General, dr. Mortimer Epstein. Dr. Epstein op zijn beurt belde Rick en bracht ruim tien minuten aan de telefoon door om naar Lenny's toestand te informeren. Een grootmoedig gebaar van een drukbezet man. Rick hoorde sporen van een oud Brooklyn-accent in dr. Epsteins woorden, waarschijnlijk sporen die hij had proberen uit te wissen, grotendeels met succes.

Na enkele minuten zei Rick: 'Jeff had het over magneettherapie.'

'We noemen het transcraniële magnetische stimulatie,' zei

dr. Epstein. 'TMS. Het is een tamelijk succesvolle therapie tegen depressiviteit en we hebben ook enkele veelbelovende resultaten geboekt in de behandeling van herseninfarcten.'

'Het is dus een gloednieuwe therapie?'

'Er is niets nieuws aan. TMS bestaat al dertig jaar. Het geweldige is dat er geen nadelen aan zitten. We plaatsen in wezen een magnetische wikkeling op het hoofd van de patiënt en sturen daar een elektrische stroom doorheen die we een halfuur aan- en uitschakelen. Als het werkt, schitterend. Baat het niet... nou, het schaadt ook niet.'

'Hoelang duurt het voordat het werkt?'

'Het kan weken duren en het kan dagen duren.'

'Het lijkt wel sciencefiction.'

'Dat zeiden ze honderdvijftig jaar geleden ook over anesthesie. Maar goed, luister, TMS is aardig populair geworden. Er zijn lange wachtlijsten van patiënten die het graag willen proberen.'

'Hoe lang is die wachtlijst? Ik bedoel, hebben we het over maanden?'

Dr. Epstein grinnikte zacht. Zijn Brooklyn-accent werd sterker. 'Tja, luister, ik zal proberen aan enkele touwtjes te trekken, je boven aan de lijst proberen te zetten. Maar hoelang is het geleden dat je vader een infarct kreeg? Ik bedoel, niet om het een of ander, maar het is al zo'n twintig jaar geleden, is het niet? Waarom opeens die haast?'

Rick wist niet wat hij moest antwoorden. *Waarom opeens die haast?* Het antwoord was simpel en bijna te schandalig voor woorden.

Een paar weken geleden kon het hem niet schelen dat zijn vader niet kon praten. De Lenny met wie hij was opgegroeid was er niet meer, verdrongen door een vermagerde, spookachtige Lenny die niets te maken had met zijn vader.

Dus had hij die vervangende Lenny de afgelopen twintig

jaar in een verpleeghuis geparkeerd, wachtend op de anticlimax van zijn dood.

Tot bleek dat er veel geld op het spel stond.

De ochtend daarna verscheen Rick bij het verpleeghuis in een uberx-auto, een keurig-nette Mitsubishi. Hij had nieuwe kleren meegebracht: een kakibroek, een riem en een blauw overhemd. Een van de verzorgers, een kleine, gedrongen Braziliaan die Paulo heette, hielp Len uit zijn pyjama en in de nieuwe kleren, een ingewikkelde operatie. Bovendien was de riem te groot; zijn vader had in de loop der jaren heel wat gewicht verloren, voornamelijk spiermassa. Rick reed hem het verpleeghuis uit en in de voor rolstoelen toegankelijke taxi, met veel hulp van de taxichauffeur.

Het was de eerste keer in achttien jaar dat zijn vader buiten de muren van het verpleeghuis kwam en Lenny staarde met grote ogen uit het raam. Kort voor de middag reden ze door de poort van de Charlestown Navy Yard, de tweehonderd jaar oude marinewerf die nu deels een woonwijk was, deels winkelwijk en deels historisch erfgoed. Het was de plek waar de Britten kort voor de slag bij Bunker Hill aan wal waren gegaan. Nu waren de marinebarakken, de schilderwerkplaatsen en de smederijen verbouwd tot appartementen; loodsen, touwslagerijen en officiersclubs waren veranderd in externe onderzoekslaboratoria van het Mass General Hospital. De taxi stopte voor een gloednieuw uitziend ziekenhuisgebouw, het Sculley Pavilion, genoemd naar een rijke weldoener, Thomas Sculley, de vastgoedmagnaat. Het zien ervan alleen al bezorgde Rick dat onafgemaakt-huiswerkgevoel. Het artikel waarmee hij zogenaamd bezig was.

Toen ze uitstapten rook Rick de zilte lucht en hoorde het

krijsen van meeuwen. Ze waren slechts twee straten van de Atlantische Oceaan.

Zijn vader uit de auto en in de rolstoel krijgen was een beproeving. Lenny's hoofd zakte naar links en er ontsnapte een straaltje speeksel uit zijn linkermondhoek. Zijn ogen gingen open toen de rolstoel over de grond schuurde.

'Gaat het, pa?'

Rick had in bijna twintig jaar niet achter een rolstoel gelopen. Hij kreeg de slag geleidelijk weer te pakken terwijl hij zocht naar de voor rolstoelen toegankelijk ingang. Zelfs de eenvoudige handeling van zijn vader het Sculley Pavilion binnenrijden en een lift zoeken om hem naar de eerste verdieping te brengen, vergde meer geduld dan Rick nog had, áls hij het ooit had gehad.

Voor de lift naar de eerste verdieping had je een magneetkaart nodig – het onderzoekslaboratorium was beveiligd – maar hij merkte dat de mensen zich uitsloofden om hem te helpen. Een vrouw in ziekenhuisuniform bediende het knoppenpaneel van de lift en nam toen zelf de trap. Passerende mensen glimlachten naar hem toen hij zijn vader de lift uit en door de gang reed. Hij was de lieve zoon die voor zijn bejaarde vader zorgde. Iedereen vond het mooi.

'Nou, Lenny, de man die we dadelijk ontmoeten is blijkbaar een of andere belangrijke pief in Mass General. Hij is een expert in iets wat transcraniële magnetische stimulatie wordt genoemd.'

Zijn vader staarde recht voor zich uit.

'Ik weet het,' antwoordde Rick op zijn vaders zwijgen. 'Dat dacht ik ook. Maar ik denk dat het een poging waard is.'

De directeur van het laboratorium voor neuromodulatie was dr. Raúl Girona, bijzonder hoogleraar neurologie aan de Harvard Medical School, een man met donkerbruine opgeknipte haren en een zo te zien bewust opgespaarde baard van enkele dagen. Hij droeg een bril met schildpadmontuur die er Europees in plaats van nerdy uitzag, een marineblauw pak, een felgroene das en een rode Pebble-smartwatch. Hij kon nog geen veertig zijn.

Intussen werd Lenny in het aangrenzende vertrek aan een reeks tests onderworpen, alle onderzoeken die hij ongetwijfeld jaren geleden had ondergaan, de *greatest hits* van revalidatie na een infarct. Hij onderwierp zich er lijdzaam aan, zoals hij nu alles deed omdat hij niet meer kon protesteren.

'Ik moet u waarschuwen,' zei dr. Girona toen ze elkaar een hand gaven. 'Uw vader is een moeilijk geval.'

'Omdat het al zo lang geleden is?'

Dr. Girona haalde zijn schouders op en leunde achterover op zijn stoel achter een klein, leeg bureau. 'Dat baart me minder zorgen dat het feit dat uw vader helemaal niet kan spreken. De meeste slachtoffers van een infarct kunnen tot op zekere hoogte spreken. Ze kunnen geluid maken, soms woorden of zinnen vormen. Maar volgens het dossier van uw vader kan hij geen enkele klank voortbrengen, nietwaar?' Volgens zijn biografie op de website van Mass General was Girona een Spanjaard, uit Catalonië, maar hij sprak vloeiend Engels, zij het met een sterk accent.

Rick knikte. 'Ik verwacht geen wonderen. Ik verwacht niet dat hij op een goede dag rechtop gaat zitten en over de opstelling van de Red Sox begint. Ik wil alleen maar weten wat de mogelijkheden zijn.'

'Nou, uw vader valt in de categorie "algeheel afatisch". Dat betekent dat hij zich niet kan uiten en niet begrijpt wat er tegen hem wordt gezegd. Maar ik begrijp dat u denkt dat die diagnose onjuist is.'

'Ik denk dat die kans groot is, ja. Het is alsof hij me begrijpt als ik tegen hem praat. Hij kan alleen niet overbrengen wat hij wil zeggen.'

'Waarom denkt u dat hij u begrijpt?'

'Soms knippert hij snel met zijn ogen, alsof hij me iets probeert te vertellen. En toen ik hem onlangs iets vroeg – iets verontrustends, denk ik – pakte hij mijn pols.'

'Met zijn rechterhand?'

'Zijn linker.'

'Ach ja. Zijn rechterzijde is verlamd. Nou, het zou kunnen. Belangrijker is de vraag hoevéél hij begrijpt. En hoe we daar achter komen.'

'Als hij iets zou kunnen schrijven misschien. Of typen.'

Dr. Girona knikte. 'De artsen en bezigheidstherapeuten van uw vader hebben vast alle standaardmethoden gebruikt. De communicatieborden met afbeeldingen en symbolen en zo. Het probleem is dat sommige afasiepatiënten geen enkel woord verstaan. In het beste geval herkennen ze vertrouwde namen.'

'Kan TMS daarbij helpen?'

'Misschien. U weet welke invloed een infarct heeft op de hersenen?'

'In grote lijnen.'

Dr. Girona ging door alsof Rick niet had geantwoord. 'Een infarct doet zich voor als iets de bloedtoevoer naar de hersenen stremt. De neuronen in een bepaald hersengebied krijgen geen zuurstof meer en sterven af. Het deel van de hersenen waar uw vader een infarct had was de linkerkant, ja? En we weten dat de linkerhersenhelft niet alleen de rechterzijde van het lichaam aanstuurt, maar ook het deel is waar het taalcentrum is gesitueerd – de linkse inferieure frontale kwab, waar de spraak wordt geproduceerd.'

'Oké.' Rick knikte.

'Welnu, als de ene zijde van de hersenen tijdens een infarct wordt beschadigd, neemt de andere het over. Ter compensatie, als het ware. Maar we willen de linkerkant weer aan het werk krijgen, ja? Opnieuw laten aangroeien, zou je kunnen zeggen. En dat doen we met gebruikmaking van magnetische pulsen om het brein opnieuw te bedraden. We sturen een stroomstoot door een spiraalvormige draad om een magnetisch veld op te wekken. Afhankelijk van wat voor veld we genereren, kunnen we hersencellen activeren of remmen. Ze meer of minder reactief maken. Kunt u me tot zover volgen?'

'Ik geloof het wel,' zei Rick. 'Dus u wilt de rechterkant afremmen om ervoor te zorgen dat de linkerkant aan het werk gaat.'

'Precies! We plaatsen de wikkeling boven de posterieure inferieure frontale kwab. Om de rechterhelft van zijn hersenen af te remmen. Wat, hopen we, ervoor zal zorgen dat de linkerkant, de taalkant, weer begint te functioneren. En het brein zichzelf geleidelijk weer bedraadt.'

'Zal hij er pijn van hebben?'

Dr. Girona schudde zijn hoofd. 'Het voelt hoogstens aan als een reeks speldenprikken.'

'Hoelang duurt het voordat we resultaat zien?'

'Een paar weken, hoogstwaarschijnlijk. Maar u moet realistische verwachtingen hebben.'

'Wat kan ik verwachten?'

'Verwacht niets, dan wordt u ook niet teleurgesteld.'

'Juist. Nou ja, alles zou een verbetering zijn.'

'Nog één ding. Misschien had ik daarmee moeten beginnen. Het is een dure behandeling, die door geen enkele verzekering wordt gedekt.'

'Over hoeveel hebben we het?'

'Dat zult u met onze financiële mensen moeten bespreken.'

'Een schatting.'

'Voor een volledige behandeling hebben we het waarschijnlijk over honderdduizend dollar.'

Rick knikte en haalde zijn schouders op. 'Dat zal geen probleem zijn.'

28

Rick belde Darren Overby, de hoofdredacteur van *Back Bay*.

'Darren, wat denk je van een profiel van Alex Pappas?'

'Alex Pappas... Wie is dat ook alweer?'

'De Pappas Group. Pr-man, fixer.'

'O, já. Dat zou geweldig zijn. Maar natuurlijk geen volledig profiel.'

'Nee, nee. Niks serieus. Een gewone vraag-en-antwoord.'

'Doen! Maar wanneer krijg ik het Thomas Sculley-stuk?'

'Binnenkort,' zei Rick. Zeg maar nooit.

Toen belde hij de Pappas Group en werd met Pappas' kantoor doorverbonden. Hij liet een boodschap achter bij een van zijn assistentes, een vrouw met een aantrekkelijk hese stem en een bekakt Brits accent.

Het was een gok, maar een poging waard.

Tot zijn verrassing werd hij anderhalf uur later teruggebeld door de assistente, die instemde met een interview de volgende ochtend.

Het spel was op de wagen.

Hij belde Monica Kennedy en slaagde erin haar zes minuten aan de telefoon te houden terwijl hij haar uithoorde over Alex Pappas. Ze beweerde weliswaar dat ze heel weinig informatie over de man had, maar wist toch een paar interessante dingen. Ze wist dat enkele voormalige gouverneurs, burgemeesters en senatoren tot zijn klantenkring behoorden. Evenals een rechter die in een omkoopschandaal verwikkeld was met betrekking tot de bouw van een gigantische parkeergarage. En een footballspeler van de New England Patriots die van moord werd beschuldigd, had Pappas in de arm genomen om het pr-probleem op te lossen, niet voor wettelijke vertegenwoordiging. Een voorzitter van het Huis van Afgevaardigden die werd beschuldigd van corruptie maar volhield dat hij onschuldig was, had de diensten van Pappas gebruikt – opnieuw niet juridisch, maar op het terrein van 'reputatiemanagement'. Om zijn imago te verbeteren. Een chemisch bedrijf dat werd beschuldigd van vervuiling van het drinkwater in een afgelegen stadje in Massachusetts, wat had geleid tot een abrupte toename van het aantal leukemiegevallen onder kinderen, had Pappas in de arm genomen. De aanklacht tegen het chemisch bedrijf was ingetrokken, maar dat was misschien het resultaat van slimme juridische vertegenwoordiging geweest.

Alex Pappas specialiseerde zich in crisismanagement, in 'branden blussen', zei Monica. In schandalen toedekken.

Hoe meer Rick opstak, hoe vager Pappas leek te zijn. Hij had schijnbaar zijn vingers in duizend borden pap.

's Morgens, na te veel koppen koffie, kwam Rick aan in Pappas' kantoor, op de eenenveertigste verdieping van de Prudential Tower in de Back Bay. Hij was om de een of andere reden op zijn hoede, waarschijnlijk omdat hij niet wist wat hij kon verwachten. Hij moest zichzelf er telkens weer aan herinneren dat hij zogenaamd kwam voor een interview. Dat was althans zijn smoes.

Naast de liften was een advocatenpraktijk gevestigd. Aan de andere kant, achter een glazen deur, was de Pappas Group. De receptie was stil en steriel. Duifgrijs kamerbreed tapijt, lage salontafels voor lage, witleren banken. Een receptioniste zat achter een lange mahoniehouten balie. Rick noemde zijn naam en bereidde zich voor op een wachttijd. Sommige geïnterviewden lieten de interviewers graag wachten, alleen maar om ze te laten zien wie de baas was. Hoe onwilliger de geïnterviewde, hoe langer de wachttijd, had Rick altijd gemerkt. De receptioniste, een donkerharige Aziatische schoonheid van een jaar of vijfentwintig, bood hem koffie of water aan. Rick nam een flesje bronwater en ging op een van de banken zitten. Hij pakte zijn iPhone, schakelde de beltoon uit en stopte hem weer in zijn zak.

Op de salontafel lagen de plaatselijke dagbladen uitgestald, de *Globe* en de *Herald*, evenals *The New York Times*, *The Wall Street Journal* en de zalmkleurige *Financial Times*. Rick wilde net de *Journal* pakken toen iemand zei: 'U moet Rick Hoffman zijn.'

Hij keek op en zag een slanke man van middelbare leeftijd die door de receptie beende. Hij had zilvergrijs haar en een bril met een dik hoornen montuur en was gekleed in een perfect passend grijs pak.

Rick stond op. 'Meneer Pappas,' zei hij en hij stak zijn hand uit.

'Alex graag.' Hij had een aangename bariton.

'Rick. Leuk je te ontmoeten.'

Pappas had een scherpe, prominent aanwezige neus als een havikssnavel, een sterk gerimpeld, gebruind gezicht en een oogverblindende glimlach. Zijn tanden hadden een tint wit die niet in de natuur voorkwam. Hij was enkele centimeters kleiner dan Rick, een gespannen man, fit en in goede conditie en energie uitstralend. 'Kom,' zei Pappas en hij legde een hand op Ricks schouder en leidde hem door de receptie en via een gang naar een groot hoekkantoor. Hier leek Pappas absoluut geen kluizenaar. De muren van zijn kantoor hingen vol foto's van hemzelf met de rijken, machtigen en beroemden: gouverneurs, senatoren, zakenlieden en tv-sterren. Hij wilde klaarblijkelijk dat bezoekers onder de indruk kwamen van zijn nauwe banden met beroemdheden, zelfs als hij er niet graag met verslaggevers over praatte.

Ze namen plaats op enkele stoelen naast zijn bureau, met een glazen salontafel tussen hen in. De stoelen hadden een hoge rugleuning, waren dik gecapitonneerd en comfortabel. Het hele kantoor was even zorgvuldig, even ceremonieel ingericht als het Oval Office. Rick legde zijn kleine, in leer gebonden notitieblok op de tafel. Hij dacht erover zijn iPhone te pakken en op 'Opnemen' te zetten, maar besloot het niet te doen. Een draaiende bandrecorder – de meeste journalisten gebruikten overigens hun telefoon om op te nemen – was de snelste manier om een geïnterviewde de mond te snoeren. En hij wilde dat Pappas zijn verdediging verwaarloosde, hoe onwaarschijnlijk dat ook was. Maar voorlopig was dat het beste waarop Rick kon hopen. Hij had een aantal vragen aan Pappas voorbereid, allemaal voorspelbaar, niets diepgravends of provocerends. Het soort vragen dat Pappas in staat zou stellen voorgekookte antwoorden te spuien, het soort vragen waardoor hij zijn verdediging misschien zou laten zakken. Het zou geen verhoor worden. Het ging erom hem in een zelfgenoegzame slaap te sussen.

'Ik vind het jammer dat *Back Bay* is gestopt met de papieren editie,' zei Pappas. 'Het was een mooi tijdschrift.'

'Ik ook.'

'Nou ja, het heeft schijnbaar de toekomst. Alles digitaal, alles online, geen papier meer.'

'Daar lijkt het wel op.'

'Ze hebben veel mensen ontslagen. En toch zit je hier.'

'Bedankt dat je me wilde ontvangen. Ik weet dat je niet vaak met de media praat.'

'Ik praat voortdurend met de media.' Hij zweeg even. 'Alleen niet over mezelf... en waarom zou ik? Ik ben sáái! Ik mag dan een paar interessante cliënten hebben, maar dat maakt míj niet interessant.'

'Nou, je bent de koning van het crisismanagement in Boston.'

'Zo noemde de *Globe* me in elk geval eens.' Hij glimlachte en ontspande zich enigszins. 'Rick, ik wil eerst enig idee krijgen van wat je in gedachten hebt. Ik denk dat het het beste werkt als we allebei weten waar we vandaan komen en waar we naartoe hopen te gaan.'

Dit was dus helemaal geen interview, dacht Rick. Het was een *pre*-interview.

'Natuurlijk,' zei Rick. 'Nou, ik ben geïnteresseerd in de wereld van het crisismanagement en reputatiemanagement. Jij hebt in het centrum gestaan van enkele belangrijke gebeurtenissen in de laatste jaren, en toch lijk je het liefst niet in de schijnwerpers te staan.'

Pappas zweeg. Hij kneep zijn lippen op elkaar.

Rick ging verder: 'Het is in wezen een karakterstudie. Wat voor persoon heeft die vaardigheden en kundigheden?'

'Ik snap het,' zei Pappas. 'Je bent iets op het spoor. Ik ben niet iemand die alle zuurstof in de kamer opzuigt. Wat de reden is waarom dat artikel van je misschien op niets uitdraait. Het is misschien iets wat we geen van beiden willen. Laten we het over jou hebben, oké?'

'Over míj?' Rick probeerde te glimlachen.

'Je bent niet meer degene die artikelen schreef over pensioenmisbruik of illegale chemische lozing in westelijk Massachusetts, wel? Hoewel die serie werd genomineerd voor een Pulitzer; herinner ik het me goed?'

Pappas herinnerde het zich waarschijnlijk van vijf minuten geleden, toen hij een informatiedossier doorlas, dat op dit moment waarschijnlijk op zijn bureau lag.

'Heel goed,' zei Rick. 'Dat klopt.'

'Je gaf een schitterende carrière in de journalistiek op en nu bak je zoete broodjes,' zei Pappas. 'Wat wil je in werkelijkheid?'

'Wat ík wil...?'

'Ja, jij. Ik vraag het omdat ik vroeger mensen uit jouw vakgebied heb ingehuurd, vaak met veel succes.'

'Waarin verander je dit… in een sollicitatiegesprek?'

'Zou je dat erg vinden?'

'Daarvoor ben ik niet gekomen.'

Pappas leunde achterover en keek naar het plafond. Zijn brillenglazen waren dik en vervormden zijn ogen. 'Het punt is dit, Rick. Ik wil eigenlijk niet dat je een artikel over me schrijft. En ik denk niet dat jij het echt wilt schrijven. Laten we het hebben over de echte reden voor deze afspraak.'

'Oké. Waar ik het eigenlijk over wil hebben is mijn vader. Je hebt hem gekend, nietwaar?'

'Nou en of,' zei Pappas onmiddellijk. 'Leonard Hoffman was een geweldige man.'

'Hij leeft nog steeds.'

Pappas BlackBerry op de salontafel trilde. Hij pakte hem op en wierp er een blik op. 'Ik heb het gehoord. Hij heeft een infarct gehad. Verschrikkelijk jammer.'

'Toen ik zijn paperassen doornam vond ik een heleboel telefoongesprekken tussen jou en hem. Was je een van zijn cliënten?' Het was pure bluf, van die telefoongesprekken. Hij gokte maar. Als die twee elkaar hadden gekend, was Pappas het soort man dat eerst zou hebben gebeld, of meer dan eens. Of hij had iemand van zijn kantoor laten bellen.

'Heb ik je vader gebeld? Natuurlijk. Ik belde hem als ik zijn hulp nodig had,' bevestigde Pappas.

'Je had met hem afgesproken te gaan lunchen op de dag van zijn herseninfarct.'

'Is dat zo? Het is jaren geleden.' Zijn stem klonk nu toonloos. 'Waar kan ik je mee helpen, Rick?'

'Ik ben benieuwd wat voor dingen hij voor je deed.'

'Allerlei juridische dingen. Ik kan niet zeggen dat ik me de details herinner.'

'Maar waarom uitgerekend hij? Je hebt toegang tot elk willekeurig duur advocatenkantoor in de stad. Ik stond er eerlijk gezegd van te kijken dat jullie elkaar kenden. Jij beweegt je in... nou ja, heel andere kringen.'

'Alsof ik me zou beperken tot de voor de hand liggende kandidaten, de Ropes en de Grays, de Goodwin Procters, de Mintz Levins... nou, ze spelen allemaal in dezelfde zandbak. Je vader daarentegen had goede contacten op bepaalde gebieden.'

'Dus wat voor juridische dingen deed hij voor je?'

Pappas was afstandelijk geworden, op zijn hoede. Zijn blik was wazig geworden. 'Ik weet zeker dat dat onder de noemer van vertrouwelijkheid tussen advocaat en cliënt valt, Rick.'

Nu boog Pappas zich naar voren en glimlachte breed als een krokodil. 'Rick, we zijn alle twee volwassen mensen. Waarom zeg je niet wat je precies wilt weten? Zeg me hoe ik je kan helpen.'

'Het kwam gewoon als een verrassing dat je iets met mijn vader te maken had,' hield Rick vol. 'Jij bent de eredivisie en hij allesbehalve.'

'Je vader bewees diensten.'

'Met diensten bedoel je...?'

'Allerlei dingen, Rick, ik ben...'

'Omvatten die diensten van mijn vader iets wat de geldbank werd genoemd?'

Hij wachtte. Pappas zweeg. Hij liet niet merken of hij het woord wel of niet herkende. Rick ging verder, schuifelde naar de rand van de afgrond. 'Ronduit gezegd: mijn vader leverde contant geld om als smeergeld te gebruiken. Ik vraag me dus af of hij jou contant geld leverde. Voor smeergeld.'

'Beslist niet, maar ik ben blij te merken dat je de oude denk-het-ergste-instincten van een onderzoeksjournalist hebt bewaard. Jongen, ik zwem niet in die baan.' Zijn BlackBerry trilde weer. Hij keek ernaar en negeerde hem opnieuw. Toen keek hij Rick rechtstreeks aan, met door zijn bril vergrote ogen en een doodse blik. 'Maar je denkt dat je vader dat wel deed.'

Rick doorstond Pappas' blik zonder met zijn ogen te knipperen. Hij knikte.

'Waren zijn boeken een zootje? Heeft hij je geld nagelaten waarover je geen rekenschap kunt afleggen? Hoe meer ik weet, Rick, hoe beter ik je kan helpen.'

'Het is duidelijk dat mijn vader in duistere zaakjes verwikkeld was. Ik probeer grip te krijgen op wat het precies was.'

Pappas zweeg lange tijd. Er trok een wolk over de skyline van Boston.

'Dat is nogal een beschuldiging,' zei hij. 'Ik neem aan dat je vader niet kan praten, anders had je het hem wel gevraagd. Je moet dus iets van bewijs hebben.'

'Een aantal documenten,' loog Rick.

Pappas zette zijn vingers peinzend tegen elkaar. 'Details graag.'

'Laat ik het zo zeggen: er is een heel interessant papieren spoor.'

Pappas zette zijn bril af en masseerde zijn oogleden met zijn vingertoppen. De BlackBerry zoemde opnieuw, maar ditmaal keek hij er niet eens naar. Met nog steeds gesloten ogen zei hij: 'Suggereer je dat je vader een koerier was?'

'Een fixer.'

Pappas liet het woord in de lucht hangen. 'Het gebruikelijke woord voor mensen zoals hij is *expediteur*, geloof ik. Hoe ze doen wat ze doen is hun eigen zaak. Ik weet er niets van en ik oordeel niet. Maar ik vind dat je hardvochtig bent.'

'Hardvochtig?'

'Zoals je misschien weet werd er in de meeste juridische kringen op je vader neergekeken. Hij werd gezien als een paria, de arme man. Maar ik wist beter. Ik wist uit welk hout hij was gesneden. Hij was een oprecht man. Hij was een goed mens. Welnu, heb ik mensen naar hem toe gestuurd? Natuurlijk. Ik hielp hem. Dus zeg me eens: waarom zou je zijn naam in godsnaam door het slijk halen, een man in zijn situatie?'

Pappas was een veel gladdere tegenstander dan Rick had verwacht. Hij aarzelde even, niet wetend hoe het verder moest. Ten slotte antwoordde hij: 'Begrijp me niet verkeerd. Ik ben niet van plan een artikel over de zaakjes van mijn vader te schrijven. Ik ben hier om duidelijkheid te krijgen over de puinhoop die hij heeft achtergelaten. Over de "geldbank" en hoe die functioneerde. Voor mezelf.'

'Juist, ja. Doodgewone nieuwsgierigheid.' Hij zei het zachtmoedig, bedachtzaam, maar Rick voelde een subtiel sarcasme.

'Meer niet.'

'De "geldbank", zei je.'

'Alles wat je me kunt vertellen.'

'Nou, Rick, Boston was twintig jaar geleden niet bepaald de schoonste stad. Er ging heel wat geld om, dat is zo. Niets van dit alles schokt me. Je weet wat Robert Penn Warren zei in *All the King's Men*. "De mens wordt verwekt in zonde en geboren in corruptie, en hij gaat van de stank van de luier naar de stank van de lijkwade." Of iets wat daar dichtbij komt. Dat mijn handen toevallig schoon zijn, wil niet zeggen dat ik oordeel. Dat doe ik niet. Vertel me dus wat je gevonden hebt. Hoeveel geld liet hij achter... tienduizend dollar? Tien dollar? Ik kan je niet helpen als je niet in details treedt.'

Rick schudde langzaam zijn hoofd.

Pappas stond op en wenkte Rick met een gebaar van zijn rechterhand. Hij draaide zich om en liep van zijn kantoor de gang op, op de voet gevolgd door Rick. Pappas zwenkte door de openstaande deur van een verlaten kantoor dat was leeggehaald. Er stonden een groot bureau met een hoge leren stoel, een lamp en een aantal stoelen met een salontafel ervoor, precies zoals in Pappas' kantoor. Het uitzicht over de haven van Boston was adembenemend. Maar er waren geen kranten of ingelijste dingen. Niemand werkte hier.

'Dit was het kantoor van Cass Mulligan. Hij is onlangs weggekocht door een prestigieuze onderneming in Washington. Ik moet hem vervangen door iemand die snel, behendig en gewiekst is.'

Rick knikte. 'Oké...'

'Laten we vrijuit praten.' Hij legde een hand op Ricks schouder terwijl ze naar de skyline van Boston keken. 'Jongen, je leven is shit. Je hebt de journalistiek verlaten, Mort Ostrow heeft je een vet salaris gegeven en dat ging een aantal jaren goed, tot het niet meer goed ging. Je werd aan de dijk gezet. Een minimale afkoopsom. Je hebt geen salaris, geen inkomen, geen uitkering. Je situatie heeft je persoonlijk veel kruim gekost... jij en je knappe verloofde zijn uit elkaar, ja? Holly, heette ze niet zo?'

Rick voelde iets draaien in zijn maag. Pappas had zijn huiswerk gedaan. 'Dat had niets met mijn werk te maken,' protesteerde hij.

'Onverenigbare overeenkomsten dan, is dat het?' Pappas grinnikte zacht. 'De temperatuur is blijkbaar aardig gedaald sinds de tijd dat jij en Holly genoten van drankjes in Pink Sands op Harbour Island, hm? Je vraagt je vast af of je de juiste beslissingen hebt genomen. Nou, je kent de media als je broekzak. Ik heb altijd al gevonden dat er geen betere advocaat is dan een voormalige aanklager. Je bent precies het soort man dat ik graag in mijn team zou willen hebben. Als dat scenario je zou aanspreken, kunnen we dat sollicitatiegesprek voeren. Maar misschien heb je andere dingen in gedachten.'

'Ik ben gevleid,' wist Rick uit te brengen.

'De vraag, Rick, is of je meer geïnteresseerd bent in het verleden dan in het heden.'

Rick aarzelde. 'Allebei, denk ik.'

'Laat me je een verhaal vertellen,' zei Pappas. 'Toen ik een kind was had mijn vader – hij was boekhouder – een klein kantoor aan huis, met een dossierkast waarvan de bovenste la altijd op slot was. Ik was natuurlijk nieuwsgierig.' Hij legde een hand op zijn borst. 'Net als nu wilde ik dingen weten. Wat kon er in godsnaam in die afgesloten lade liggen? Wat kon mijn vader in godsnaam voor me achterhouden? Ik hield van en respecteerde mijn vader meer dan wie ook. Nou goed, op een dag wisten een vriend en ik het slot van die bovenste la open te peuteren met een paar paperclips. En wat voor dossiers denk je dat er in die lade lagen?' Hij glimlachte weemoedig. 'Helaas, geen dossiers. Geen papieren. Weet je wat er in die lade lagen? Tijdschriften. Wat je vieze blaadjes zou kunnen noemen. Bladen met foto's van vrouwen met grote tieten, een heleboel leer, een heleboel kettingen. Vrouwen die gedomineerd werden. Onderdanige vrouwen. Mijn vader deed aan wat BDSM wordt genoemd. Bondage, discipline en sadomasochisme.' Hij leek even in gedachten verzonken. 'Het was een kant van mijn vader die ik liever niet had leren kennen. Ik wilde het niet weten. Het zette mijn wereld op zijn kop. Ik verloor alle respect voor hem. Ik zou willen dat ik die la nooit had geopend, Rick.'

Hij keek Rick opnieuw aan met die vergrote, wazige ogen. Rick knikte.

Pappas vervolgde: 'Het is mijn werk om dingen te weten. Zo veel mogelijk te weten. Maar soms... nou ja, af en toe ontdek je iets wat je later zou willen toedekken. Maar dat gaat niet. Hoewel je bij god zou willen dat je het kon.'

Het bleef lange tijd stil. Rick zei niets.

Eindelijk zei Pappas bedroefd: 'Wil je echt weten wat er in die ladekast ligt, Rick?'

29

Alex Pappas had zich niet om de tuin laten leiden door de interviewsmoes, geen moment. Hij wist blijkbaar al waar Rick voor kwam voordat die in zijn kantoor was verschenen. Hij was het soort man dat zich erop beroemde dat hij je altijd één stap voor was. En dat was hij.

Rick had het ongemakkelijke gevoel dat Pappas met het quasi-interview had ingestemd omdat hij Rick wilde ontmoeten. Hij wilde Rick uithoren, zo veel mogelijk te weten komen over wat Rick wist en hoe hij dat wist.

En om hem te manipuleren, voor joker te zetten als het kon, hem van verder onderzoek te weerhouden en te proberen hem af te kopen. Pappas had grondig onderzoek gedaan naar Rick, op het griezelige af, en hij wilde Rick daarvan doordringen.

Maar hoewel Pappas er dwars doorheen had gekeken, was het gesprek van Rick uit gezien toch een succes geweest. Zo had Rick Pappas' naamkaartjes in een houder op zijn bureau gezien, met de bedrukte kant naar de bezoeker, en hij had er een in zijn zak gestopt. Maar belangrijker nog, hij had een aantal nuttige dingen opgestoken. Hij wist nu zeker dat Pappas de 'P' in zijn vaders afsprakenagenda was. En hij had bevestiging gekregen van zijn theorie dat Pappas iets te maken had met de 'geldbank' waarover Monica Kennedy het had gehad. Pappas' gedrag, zijn schaamteloze pogingen om hem te manipuleren, hadden het bevestigd.

Maar alle intimidatiepogingen van Pappas waren mislukt. Pappas' neerbuigende houding jegens Ricks vader deed hem weinig. Pappas had hem gewaarschuwd en Rick had iets tegen waarschuwingen. Die spoorden hem alleen maar aan. Ze wekten het sluimerende onderzoeksjournalistendeel van zijn brein. Pappas was ergens bang voor en nu was Rick vastbesloten uit te zoeken wat dat was.

De ontmoeting met Pappas had hem zelfs aangemoedigd. Hij had zijn hoofd in de muil van de leeuw gestopt en weer teruggetrokken zonder zichtbare tandafdrukken in zijn nek. Er waren vijf dagen verstreken zonder dat hij opnieuw was ontvoerd door de gedichten citerende Ier met een slagerszaag.

Ik vraag het nog één keer, had de man gezegd. *Met wie hebt u gesproken? Een simpele vraag, meneer Hoffman. Want uw vader praat niet. Dus is het iemand anders.*

Misschien had de Ier het antwoord dat hij zocht. Of misschien had hij geconcludeerd dat Rick het antwoord niet kende.

Met wie hebt u gesproken?

De vraag was niet *Waar is het geld?*, maar *Met wie hebt u gesproken?* Wie had hem over het geld verteld?

De Ier, en dus ook Pappas – want ze moesten een team zijn – wilden weten met wíé hij had gesproken.

Je moet iets van bewijs hebben, had Pappas gezegd. Bewijs dat Lenny zich met omkoping had beziggehouden.

Hoe meer ik weet, Rick, hoe beter ik je kan helpen.

Pappas had willen weten wat Rick wist. Waren er rekeningboeken? Waren er dossiers? Was er bewijs?

Misschien had Pappas uiteindelijk geconcludeerd dat Rick nauwelijks iets wist, dat hij met niemand had gepraat, dat hij geen dossiers had, geen bewijs.

Niets waardoor Pappas in de problemen kon komen.

Dat zou betekenen dat Rick geen bedreiging meer vormde voor Pappas. Wat betekende dat Pappas geen bedreiging vormde voor Rick. Net zomin als de gedichten citerende Ier.

Dat zou betekenen dat Rick zich met een gerust hart op de voor de hand liggende plaatsen kon vertonen. Hij moest sowieso weer naar Clayton Street en overdag zou dat makkelijker zijn.

Hij dacht onderweg aan wat Pappas had gezegd. *Heb ik je vader gebeld? Natuurlijk. Ik belde hem als ik zijn hulp nodig had.*

Rick had gebluft, maar de bluf was de waarheid gebleken. Pappas had Lenny inderdaad gebeld.

Dus misschien was er schriftelijk bewijs van die gesprekken. Als je aan onderzoeksjournalistiek deed, vergaarde je zo veel mogelijk documenten, bestanden, dossiers om te proberen kleine tegenstrijdigheden te ontdekken die iets onverwachts konden onthullen. Onderzoeksjournalistiek ging niet over ontmoetingen met Deep Throat in een parkeergarage. Het had iets weg van goud delven. Je groef en groef, door de bovenlaag heen, naar de goudader, daarna blies je de rots op met explosieven, daarna bracht je de brokstukken ergens anders naartoe om ze te vergruizelen en te verwerken, en elke ton gesteente die je onderzocht leverde misschien vijf gram goud op. Als je geluk had.

Hij groef nog steeds in de deklaag.

Hij belde zijn zus, Wendy, sprak slechts twee minuten en hing op. Daarna parkeerde hij en ging het huis binnen. De ploeg was hard aan het werk, de muziek blèrde, spijkerpistolen ratelden, schroefmachines gierden en snerpten.

Rick zwaaide even naar Jeff. Jeff antwoordde met een opgestoken duim.

Daarna daalde Rick af naar het souterrain, waar het rustiger was, koeler en vredig. Hij trok aan het koord van de kale plafondlamp achter in het souterrain, waar de oude mappen en dossiers waren opgeslagen. Na enkele minuten vond hij de kartonnen dozen van Staples waarin Wendy alle oude dossiers en paperassen had opgeborgen die na het infarct van hun vader in het huis waren achtergebleven.

Hij vond de doos TELEFOONREKENINGEN en pakte hem van het schap. Hij haalde er een paar rekeningen uit en vouwde ze open.

Hij had er niets aan. Elke rekening vermeldde de 'diensten' die de telefoonmaatschappij die maand had geleverd en de interlokale gesprekken die Lenny had gevoerd. Maar de lokale gesprekken waren niet gespecificeerd. Dat gebeurde nooit. Er was hier niets te vinden.

Toen stuitte Rick op een dikke envelop die alles veranderde. Er zat een rekening in van Cellular One, voor Lenny's mobiele telefoon. Rick was vergeten dat zijn vader al tamelijk vroeg een mobiele telefoon had aangeschaft. Rond 1996 begonnen mobiele telefoons in zwang te komen, met name bij zakenlui en advocaten.

En in de begintijd van de mobiele telefoon stuurden de providers nog vette rekeningen voor elk gevoerd gesprek.

Hij haalde de Cellular One-rekeningen over 1996 uit de envelop. Hij vond er niet één van na augustus, maar toen herinnerde hij zich dat Joan Breslin zijn vaders abonnement na een paar maanden had beëindigd, toen duidelijk was geworden dat hij niet zou genezen. Hij opende de envelop met de rekening van februari, die betrekking had op alle gesprekken van de maand januari.

Hij nam de rekening door, liet zijn blik over de lijst van telefoonnummers glijden, van zelf gevoerde of ontvangen gesprekken. Hij zocht naar patronen, met name naar herhaalde gesprekken met en van een bepaald nummer. Het veruit vaakst voorkomende nummer was dat van Lenny's kantoor, wat geen verrassing was. Lenny zou vaak zijn kantoor hebben gebeld om met Joan te praten als hij de deur uit was en zijn mobiele telefoon gebruikte. Daarna kwam het vaste nummer van thuis, gesprekken tussen Rick en Wendy met hun vader op zijn werk.

Rick pakte de rekening van juni, met de gesprekken in mei, en zocht meteen 27 mei op, de dag van het infarct. Hij zag onmiddellijk een reeks van drie gesprekken, alle drie met hetzelfde 617-nummer. Hij haalde Pappas' visitekaartje uit zijn zak en zag dat het diens mobiele nummer was. Daags tevoren waren er vijf gesprekken met datzelfde nummer gevoerd. En daags dáárvoor zes. Niet één in de twee voorafgaande weken.

Dus vanwaar de gesprekken met Alex Pappas op die drie dagen tussen 25 tot en met 27 mei?

Er moest iets gebeurd zijn waarvoor Lenny's diensten nodig waren. Pappas had iets van Lenny gewild. Dus wat was er die drie dagen gebeurd?

Hij kon het niet aan zijn vader vragen. Hij moest een andere manier verzinnen. De eenvoudigste oplossing was een krant van die dagen inkijken, een online-archief. Dat betekende dat hij terug moest naar zijn B&B om weer online te gaan. Met niet alleen deze ene telefoonrekening, maar alle Cellular One-rekeningen van zijn vader naar het hotel gaan en ze doorzoeken.

Maar hij zou zoals gewoonlijk voorzorgsmaatregelen treffen om te voorkomen dat hij werd gevolgd. Hij droeg de vier dozen met telefoonrekeningen naar de voet van de trap, klom naar boven en liep door een wolk van geluid, stof, heen-en-weergepraat en heftige hiphop – *What you know about thumbing through them hunnits, twenties, and them fifties?* – naar de ramen aan de voorkant van het huis, en daar bevroor hij.

Aan de overkant van de straat stond een auto met draaiende motor.

Hear the twenties, fifties, hundreds, the money machine clickin'.

Hij had hem een uur of zo geleden al gezien, een witte sedan, een Audi, heel gewoon in deze wijk. Maar hij stond er nog steeds; de bestuurder zat te sms'en met een smartphone en achter de auto hing een rookpluim van uitlaatgassen. Rick liep weg van het raam tot hij buiten de gezichtslijn van de Audi was, maar hem nog steeds kon zien.

De auto wachtte op hem, wist hij. Iets aan de manier waarop de bestuurder angstvallig vermeed naar buiten te kijken, of de manier waarop de auto net ver genoeg verderop in de straat stond om niet op te vallen, of het feit dat de auto er al meer dan een uur stond.

Hij wist dat het huis in de gaten werd gehouden.

In theorie kende hij de wijk goed genoeg, beter dan elke achtervolger, om iedereen die hem in een auto probeerde te volgen af te schudden. Hij wist welke achtertuinen aan welke straten grensden en in welke tuinen schuurtjes stonden. Hij wist waar hij zich kon verstoppen, beter dan iedereen die niet in dit deel van Cambridge was opgegroeid.

Maar misschien was er een betere manier om te voorkomen dat hij gezien werd. Hij tikte Jeff op zijn schouder en vroeg of hij Marlon en Santiago even mocht lenen voor een korte boodschap. Jeff haalde zijn schouders op. 'Ga je gang,' zei hij.

'Mannen,' zei hij toen Marlon en Santiago bij de kartonnen dozen stonden en Marlon met de rug van een grote hand stof van zijn voorhoofd veegde. Hij gaf Santiago de sleutel van zijn meest recente Zipcar. 'Zouden jullie die dozen naar mijn auto willen brengen? Een blauwe Prius, een paar straten verderop, tegenover Fayerweather 39.'

Ze leken even te aarzelen. Marlon keek naar Jeff, die opnieuw zijn schouders instemmend ophaalde. Ze hadden er duidelijk geen zin in, zagen het nut er niet van in. Ze hoefden de eigenaar van het huis niet in zijn kont te kruipen, want ze werkten niet voor de eigenaar. Ze werkten voor Jeff. Rick trok twee briefjes van honderd tevoorschijn, een nieuw en een niet zo nieuw, en gaf er een aan elk van hen. Hun gezicht klaarde op als van een kind dat een chocolaatje krijgt. Marlon had een volledige zilveren beugel. Het was Rick niet eerder opgevallen. Hij betaalde ze veel te veel voor een simpele boodschap, maar hij hoopte dat het hem wat goodwill zou opleveren. Er was meer waar dat vandaan kwam.

'Alleen deze?' vroeg Santiago, bang voor een adder onder het gras.

'Dat is alles. En nog iets.'

Santiago keek Marlon aan. *Ik wist het wel; te mooi om waar te zijn.*

'Zou een van jullie mijn auto naar die kleine parkeerplaats naast Hi-Rise kunnen brengen? De bakkerij?'

'Op Concord rechtsaf bij Huron?' zei Marlon.

'Precies.' Hij nam niet de moeite om het uit te leggen; hij had geen uitleg nodig. Hij wilde alleen maar om de een of andere maffe reden zijn auto laten verplaatsen, naar een plek een paar straten verderop.

Marlon keek Jeff aan. 'Goed dat we er even mee kappen?'

'Blijf niet te lang weg,' zei Jeff.

Tien minuten nadat de twee mannen de kartonnen dozen naar de auto hadden gedragen verliet Rick het huis. Hij liep over Huron Avenue naar Fresh Pond, tegengesteld aan de richting waarin de twee bouwvakkers waren verdwenen. Hij zag vanuit zijn ooghoek iets bewegen, links achter hem, en probeerde niet te kijken of het de witte Audi was. Maar die was het wel. De bestuurder van de witte Audi had gewacht tot Rick het eind van Clayton had bereikt en bij Huron rechts afsloeg en uit zijn blikveld zou verdwijnen. Op het allerlaatste moment, om te voorkomen dat hij gezien werd. Rick liep verder over Huron Ave en deed angstvallig alsof hij de auto niet zag. Pas toen hij het drukke kruispunt van Huron en Fresh Pond Parkway bereikte, had hij kans om zich half om te draaien, alsof hij naar het naderende verkeer keek, en toen zag hij de witte Audi, dubbel geparkeerd halverwege de straat.

Hij werd gevolgd. Maar hij ging ergens naartoe, heel doelgericht. Hij stak Fresh Pond over en liep in de richting van het park, waar hij en zijn vriendjes hadden gefietst, waar hij hun zwarte labrador had uitgelaten, die was omgekomen toen hij de weg op rende, in hetzelfde jaar dat zijn moeder was gestorven, het *annus horribilis.*

Hij liep om de vijver heen. Enkele joggers sjokten voorbij, pratend. Hier, in de bosrijke enclave van Fresh Pond Reservation, was de Audi in het nadeel, kon hem niet zien, kon hem niet volgen. Hij had hen afgeschud. Het park had tientallen uitgangen. Hij koos er een aan de andere kant van het park, bij Concord Avenue, en hield een passerende taxi aan.

Toen liep hij enkele blokken door Concord Avenue naar de Hi-Rise-bakkerij, keek op de kleine parkeerplaats ernaast en zag zijn Zipcar niet. Hij draaide zich om en keek Concord heen en weer. Misschien hadden de mannen geen plek naast Hi-Rise gevonden en hem zomaar ergens neergezet. Maar geen spoor van de zeeblauwe Toyota Prius. Hij sloeg af naar Huron Avenue en bleef rondkijken. Misschien hadden ze hem zo dicht mogelijk bij de parkeerplaats gezet en... Maar geen Prius, niet hier.

Het leek onwaarschijnlijk dat Jeffs mannen zijn auto hadden gestolen. In elk geval geen Toyota Prius. Maar hij was nergens te vinden, net zomin als Marlon of Santiago. Hij overwoog terug te gaan naar Clayton en was er tien minuten later al naar onderweg toen er een Prius langs Concord stopte en luid toeterde.

'Daar zijn jullie?' zei Rick. 'Waarom duurde het zo lang?'

Marlon, op de passagiersstoel, glimlachte en zei: 'Deze jongen moest een boodschap doen.'

Santiago kwam achter het stuur vandaan en overhandigde Rick de sleutel. 'Sorry, man,' zei hij. 'Ik moest iets ophalen.'

Toen wist hij waarom het zo lang had geduurd. Ze hadden in de auto naar geld gezocht. Ze dachten dat Rick iets in de Prius had verborgen, onder de stoelen, in het dashboardkastje of in de kofferbak. Ze waren ergens naartoe gereden en hadden de auto overhoop gehaald. Ze hadden waarschijnlijk ook in de dozen gezocht. Maar ze hadden niets gevonden. Maar dat wilde niet zeggen dat ze niet verder zouden zoeken. De vraag was hoever ze zouden gaan. Hij had erover gedacht hun alle twee een Benjamin toe te stoppen, om hen af te kopen, hun inhaligheid te neutraliseren, maar het omgekeerde was gebeurd. Het had ze gelokt. Als het mechanische konijn op de hondenrenbaan. Alsof je een bloedhond een kledingstuk gaf, een geur: *klaar, af!*

Het was een fout geweest die hij niet nog eens zou maken. Jeff zou niets doen.

Maar die knapen misschien wel.

30

Hij voegde zich in het verkeer en was tien minuten later op de redactie van *Back Bay*. Het was riskant er voor een tweede keer naartoe gaan. Maar het soort speurwerk dat hij moest doen kon alleen op kantoor gebeuren. Hij moest uitgebreid zoeken op LexisNexis, op datum. Gewoon zoeken op internet zou een eeuwigheid duren. Je kunt in *The New York Times, The Boston Globe* of *The Wall Street Journal* zoeken naar gebeurtenissen of namen, maar niet naar wat er tijdens drie meidagen in 1996 was gebeurd. Daarvoor moest hij LexisNexis gebruiken.

Het kantoor was verlaten toen hij er aankwam, maar zijn badge verschafte hem toegang en hij deed het licht aan, knipperende tl-lampen. Hij logde in het intranet van *Back Bay* en vond een irritante mail van Darren. *Hoe staat het met de Sculley vraag-en-antwoord?* wilde hij weten. *Woensdag gaat hij naar het gala in het Park Plaza – misschien een goede gelegenheid om met hem te praten?*

Rick nam niet de moeite om te reageren. De beste strategie tegenover Darren was hem negeren. Rick bracht LexisNexis op het scherm. Hij voerde de datums in, wat honderden koppen opleverde.

Hij kreunde. Hij zag alles wat er in die drie dagen in Boston en Massachusetts was gebeurd. Politici in de problemen in het State House, stadsambtenaren die werden beschuldigd van geknoei... INWONER CAMBRIDGE AANGEHOUDEN WEGENS SCHIETPARTIJ. Bij de Portugese Football Club was iemand in zijn hals en borst gestoken. 86-JARIGE VROUW IN MALDEN LOOPT ERNSTIGE BRANDWONDEN OP BIJ BRAND IN APPARTEMENT. Een stel overlijdensberichten, sport- en medische nieuwtjes, de winnaar van de Indy 500, het jaarlijkse bal van de brandweer in het Sheraton.

Niets leek in het profiel te passen van iets waarvoor de diensten van een pr-figuur zoals Pappas nodig zouden zijn. Na enkele uren zoeken brandden zijn ogen en hij begon hoofdpijn te krijgen. Toen zag hij een artikel van Monica Kennedy, de onderzoekskoningin van *The Boston Globe*.

GEZIN IN JAMAICA PLAIN GEDOOD TIJDENS TUNNELONGELUK. Een verschrikkelijk verhaal over een jonge vader en moeder en hun dochter van veertien die waren omgekomen toen hun auto tegen de muur van de gloednieuwe Ted Williams Tunnel was gebotst. Rick wist dat de tunnel een onderdeel was van de Big Dig, dus hij las het artikel wat beter. Een tragedie, maar niet iets waarbij zijn vader of Alex Pappas betrokken zouden zijn.

Dus waarom schreef Monica Kennedy over uitgerekend een auto-ongeluk?

Hij keek op zijn horloge. Het was even over zeven in de avond. *Back Bay* was verlaten, maar Monica maakte lange dagen. Als ze niet aan haar bureau zat, was ze op weg naar huis. Ze mocht gestoord worden.

'Kennedy,' blafte ze nadat de telefoon één keer was overgegaan.

'Monica, met Rick.' Hij zweeg even. 'Hoffman.'

Er klonk een heleboel geroezemoes op de achtergrond en af en toe het rinkelen van glazen of bestek. 'Rick Hoffman! Het zwarte schaap komt altijd opdagen.' Haar woorden werden vervormd door een hap eten. 'Wat moet je verdomme nou weer?' Ze zei het schertsend, maar Rick wist dat er een kern van waarheid in zat.

'Zegt het gezin Cabrera je iets?'

'Wie?'

'Een gezin uit de Dominicaanse Republiek dat in Jamaica Plain woonde, Hyde Square. Papa, mama en tienerdochter omgekomen bij een verkeersongeluk.'

'Ik weet niet wat...'

'Het was in zesennegentig.'

'Speel je nog steeds de onderzoeksjournalist voor *Het Sufferdje* of hoe die supermarktfolder waar je voor schrijft ook mag heten?'

'De Ted Williams Tunnel...?'

'O, dát, natuurlijk, natuurlijk. Afschuwelijk verhaal. Gezin van drie omgekomen bij een botsing.'

'Maar waarom schreef jíj over een verkeersongeluk?'

'Ja, wacht even.' Ze kauwde en slikte toen. 'Weet je, ik heb het nooit goed gesnapt. Voor zover ik het nog weet ging het zo: die man en zijn zwangere vrouw en zijn dochter rijden midden in de nacht door de Ted Williams Tunnel – kort na de opening – en de man zet zijn auto tegen de tunnelmuur en ze zijn allemaal op slag dood.'

'Dat snap ik. Wat ik níét snap is waarom ze jóú daarop zetten.'

'De Ted Williams Tunnel. De gloednieuwe, net voltooide Ted Williams Tunnel, man. De Big Dig, wat denk je? Ik dacht aanvankelijk dat ik iets had over slordig werk aan de Big Dig en het bleek een doodgewoon ongeluk te zijn. Niks bijzonders. Net als mijn neusdruppels. Wacht even, nu weet ik het weer! Alex Pappas!'

'Pappas? Hoezo Pappas?'

'Hij dook om de een of andere reden overal op, als zoneverdediger. Hij belde me een paar keer. Ja, Pappas deed aan reputatiemanagement voor een van de aannemers die de tunnel hadden gebouwd en hij zorgde ervoor dat de naam van het bedrijf er niet bij werd betrokken. Maar zoals ik al zei, hij hoefde zich nergens zorgen over te maken, want het was nalatigheid van de bestuurder of zoiets. De man was dronken, heb ik altijd gedacht. Meer zat er niet achter.'

Pappas, dacht hij. Reputatiemanagement. Als Pappas praatte met een verslaggever van de *Globe* en ook met Lenny Hoffman...

Was het té vergezocht? Misschien had Pappas Lenny om juridisch advies gevraagd.

'Denk je dat je het dossier nog hebt?'

'Ergens. Ergens. Ik gooi nooit iets weg. Wanneer was het ook alweer?'

'Zesennegentig.'

'Waarschijnlijk in de dossierkast op kantoor. Mag ik nu alsjeblieft weer dooreten?'

'Ik kom morgen langs.'

Rick had zijn Zipcar geparkeerd op het grote parkeerterrein in Washington Street, achter het gebouw waarin de kantoren van *Back Bay* gevestigd waren, tegenover een sportclub en het binnenterras van een Italiaanse bistro. Overdag was het er altijd vol, maar nu was hij half verlaten. Hij drukte op de afstandsbediening om de knipperlichten in te schakelen die hem eraan herinnerden waar hij stond.

Hij stapte in, drukte op de startknop en reed naar de uitgang toen hij iets voelde kriebelen in zijn nek, een insect misschien, een vlieg. Hij wilde eraan krabben, voelde dat iets zijn linkerschouder beetpakte en hoorde een mannenstem vlak achter hem, vanaf de achterbank.

'Stop, meneer Hoffman, maar voorzichtig alstublieft, meneer. Wat u tegen uw slagader voelt is een twintig centimeter lange Japanse *santoku*, een koksmes van molybdeen, vanadium en roestvrij staal, in ijs getemperd en waarschijnlijk het beste koksmes ter wereld.'

Rick bevroor en zijn hart ging wild tekeer.

'Het snijdt al met heel weinig druk. Dus breng uw koets heel voorzichtig tot stilstand, meneer Hoffman. Het is een huurauto en het is verdomd moeilijk om bloed uit de bekleding te krijgen.'

31

Zijn lichaam schokte licht, hij kon het niet helpen, toen hij zijn voet op het rempedaal zette en de auto tot stilstand bracht. 'Jezus,' zei hij. Hij voelde het lemmet tegen zijn keel, hapte onwillekeurig naar adem toen het door zijn huid drong.

'Hoeveel wil je?' vroeg hij.

Hij voelde het warme vocht, een straaltje bloed, en tegelijkertijd een ijzige hand diep om zijn ingewanden.

Hij durfde zijn handen niet op te steken, iets te doen wat voor zijn belager reden zou zijn om harder op het mes te drukken. Hij rook die kappersgeur weer en de geur van verschaalde sigarettenrook. Hij voelde dat zijn belager alleen op de achterbank zat en hij taxeerde zijn kansen op een ontsnapping. Ze waren klein. Kon hij zijn arm maar opheffen om de pols te pakken die tegen zijn hals drukte, zo strak als een bankschroef. Maar het lemmet zou net iets sneller zijn, daar twijfelde hij geen moment aan. Hij haalde diep adem en voelde het mes op zijn strottenhoofd en de tranen sprongen hem in de ogen. Hij zou zijn belager gerust moeten stellen en dan snel handelen. Maar dat leek alleen in theorie haalbaar; in de praktijk leek het ondoenlijk.

'Als je wilt dat ik tegen je praat, zou het veel makkelijker zijn als je dat verrekte mes van mijn keel zou halen.'

Hij wist wat ze met hem van plan waren en hij wist dat hij al het mogelijke moest doen om weg te komen.

In zijn ooghoek zag hij iemand die naar zijn kant van de auto toe kwam. Het portier ging open en twee handen met een lap stof werden naar binnen gestoken. De kans was voorbij. De kap gleed over zijn hoofd en alles werd donker. Het lemmet van het mes bleef tegen zijn keel gedrukt. De kap rook naar jute en schuurde tegen zijn huid.

'Maar ik heb informatie voor je,' probeerde Rick.

'We praten niet,' zei een stem ten slotte. Niet de stem van de poëzieliefhebber. Deze was hoger, heser. In slechts die paar woorden bespeurde hij een Iers accent. 'Opschuiven nu.'

'Dat gaat niet,' zei Rick. Hij gebaarde naar de console tussen de beide voorstoelen.

Een korte stilte. 'Oké. Uitstappen.'

Het mes verdween van zijn keel.

Hij stapte uit. Iemand pakte hem bij zijn elleboog; de tweede man. Hij zag niets, maar werd op de achterbank van de Prius geduwd. Hij vroeg zich af of iemand op de donkere parkeerplaats kon zien wat er gebeurde. Hij had niemand gezien toen hij enkele minuten geleden de auto had geopend. Als iemand het zag, zou hij of zij zich er dan mee bemoeien, iets zeggen, of niet? In een stad zoals New York bemoeiden mensen zich in de regel nergens mee. Maar Boston was kleiner, in sommige opzichten een uit de kluiten gewassen provinciestad. Misschien dat iemand die iets verdachts zag de politie zou bellen.

Als hij schreeuwde, zou dat verschil maken? Hij overwoog het en verwierp het. Het zou alleen maar het mes uitlokken. Een van de mannen stapte naast hem achterin en de ander was blijkbaar achter het stuur gaan zitten, want de auto kwam in beweging.

'Naar het bedrijf?' vroeg de bestuurder.

'Ja,' zei de man naast Rick.

'Godvergeten sloom sardineblik,' zei de bestuurder.

De man naast Rick mompelde iets onverstaanbaars.

'Treffen we de man daar?' vroeg de bestuurder.

'Ja.'

Ze hadden alle twee een Iers accent.

Hij probeerde naar verkeerspatronen te luisteren om vast te stellen in welke richting ze reden, maar dat was minder makkelijk dan hij had gehoopt. Er was verkeer; dat was alles wat hij wist. De Prius reed geruisloos. Ze gingen ergens naartoe waar iemand anders, *de man*, hen zou ontmoeten.

De man zou de vragen stellen. Daarom wilden ze niet dat hij iets zei. Ze hadden misschien alleen maar opdracht hem naar de man te brengen die de vragen stelde.

Dus wat wilden ze? Informatie, zo leek het – niet per se het geld. Misschien het geld helemaal niet. De vorige keer hadden ze willen weten met wie hij gesproken had, wie hem over al dat geld had verteld.

Hij vroeg zich af waar ze naartoe gingen.

Een bedrijf, had de man gezegd. Hij vroeg zich af of het een vleesverpakkingsbedrijf was. Misschien hadden ze hem de vorige keer ook daarheen gebracht. Er was een wijk – in Roxbury, op Newmarket Square – waar een aantal vleesverpakkingsbedrijven was gevestigd. Ze slachtten en verpakten vlees voor cateraars, scholen, instellingen en restaurants. Misschien was het een van die bedrijven.

Toen de auto eindelijk stopte, hoorde hij het voorportier opengaan. Iemand stapte uit. Toen hoorde hij het rammelen van een stalen roldeur en het gieren van een motor. Een roldeur van een magazijn of een laadperron. Dertig seconden later viel de deur dicht en werd de auto een stukje verder gereden. Naar een laadruimte, nam hij aan.

Toen werd het achterportier geopend en hij werd bij zijn schouder gegrepen en de avondlucht in gesleurd. Hij rook onmiddellijk die enigszins ranzige, rottende geur die hij zich van de vorige keer herinnerde. De geur van bederf. De geur van vlees. Hij hoorde galmende voetstappen in een holle, hoge ruimte.

Hij hoorde auto's langs zoeven, de piepende remmen van

een oud busje of een truck, het krijsen van een meeuw. 'Rechtdoor lopen.'

Hij liep, maar hij wist niet in welke richting hij ging en had moeite om zijn evenwicht te bewaren. Hij gebaarde naar de kap. 'Is dit echt nodig?'

'Hou je muil, verrekte imbeciel.' Er werd nog harder aan hem getrokken en hij struikelde bijna. Hij liep door, met zijn handen voor zich uit.

'Hij is er niet,' zei een van de mannen.

'Bind hem vast,' zei de andere. 'Die paal daar.'

De andere zei iets onverstaanbaars, dat eindigde op 'Geef me iets'.

De stalen roldeur gleed rammelend omlaag en de geluiden van buiten werden gedempt. Nog meer galmende voetstappen, het geluid van metaal dat over metaal schuurde. De herrie van een motorfiets die in de verte voorbijreed.

Hij werd beetgepakt en een eind naar links geduwd. Deden ze de kap niet af om te voorkomen dat hij zou weten waar hij was, of hoe hij er was gekomen? Misschien allebei.

Er ging een mobiele telefoon over, een vlaag blikkerige muziek.

'Ja, meneer...? Oké, goed dan.'

'Waar is ie?'

'Oké, hij daar zal even moeten wachten terwijl wij de man gaan halen.'

'Ga jij maar, ik hou die klojo in de gaten.'

'De man wil ons alle twee daar hebben.'

'Laten we hem gewoon hier? Die lulhannes. Hij peert 'm.'

'Bind hem dus vast en bind hem goed vast. Check zijn zakken op messen of zoiets.'

'Steek je handen uit,' zei de stem het dichtst bij hem en Rick kreeg een stomp tegen zijn schouder.

Hij stak zijn handen uit en voelde dat er iets om zijn polsen werd gedraaid, iets ruws en prikkends, touw misschien. Toen werd er iets om zijn enkels gedraaid en om zijn benen en hij realiseerde zich dat hij aan een stevige stalen paal was gebonden.

Hij vroeg zich af wat ze in godsnaam nu met hem van plan waren. Het enige wat hij wist was dat hij werd vastgebonden om op iemand te wachten, waarschijnlijk een belangrijker iemand. Hun baas. Degene die ze meneer noemden.

Geen van zijn ontvoerders zei iets tegen hem. Ze spraken zachtjes met elkaar, aan de andere kant van de holle ruimte waar ze waren. Na een paar minuten hoorde hij de stemmen niet meer. Hij hoorde voetstappen in de verte. Een deur die open- en dichtging.

Hij wachtte.

Er verstreken enkele minuten. In de verte hoorde hij het zoeven van verkeer.

'Hallo?' riep hij.

Het touw was ongemakkelijk aan zijn polsen en enkels. Hij was vastgebonden in een houding die hem dwong rechtop te blijven staan. Als hij probeerde te gaan zitten, werd het touw om zijn benen pijnlijk strak aangetrokken. Hij probeerde het touw om zijn polsen los te maken, maar gaf het na enkele pijnlijke pogingen op. Hij begon kramp in zijn benen te krijgen.

'Wat is er verdomme gaande?' zei hij luider.

Geen antwoord.

Hij had er geen idee van hoeveel tijd er was verstreken sinds hij was ontvoerd. Een uur misschien? Twee? Hij wist dat hij ergens binnen de stadsgrenzen was, misschien net erbuiten. In een vleesverpakkingsbedrijf of een of andere voedselverwerker, vlak bij een drukke weg.

En hij wachtte.

Opeens drong het tot hem door dat hij niet machteloos was, minder hulpeloos dan hij zich voelde. 'Hé,' zei hij. 'Als je me hieruit laat, kan ik je rijk maken.'

Het bleef stil.

'Hé,' zei hij luider. 'Je weet dat ik veel geld heb, daarom ben ik hier, en als je me lossnijdt, zal ik je rijk maken.'

Stilte.

Nog luider zei hij: 'Hallo? Hoor je me? Laten we het op een akkoordje gooien.'

Stilte.

'*Hallo?*' Hij wachtte vijf, tien seconden. 'Hoor je me?'

Maar geen antwoord. Ze waren weg of ze waren niet te verleiden.

Vlakbij hoorde hij het piepen van remmen. Toen het snorren van een motor en het metalige rammelen van de roldeur die openging. Een vlaag koude lucht.

'Dat is de auto, man.' Een stem, geen Iers accent.

Een andere stem: '*Jesús Cristo! Mira!* Moet je daar zien!'

'Shit!'

Het waren niet de mannen met het Ierse accent, niet degenen die hem hierheen hadden gebracht. Maar wie dan wel? De stemmen klonken vaag vertrouwd.

'Kan iemand me helpen?' zei Rick. 'Me die kap afdoen?'

'Wat is hier verdomme aan de hand?' zei de eerste stem terwijl hij dichterbij kwam. 'Moet je zien!'

Toen werd de kap plotseling omhooggetrokken en Rick was even de kluts kwijt, maar een paar seconden later realiseerde hij zich dat hij twee bekende gezichten zag.

De knapen van Jeffs bouwploeg. Santiago en Marlon.

'Bedankt,' zei Rick en hij zoog de verse lucht op. 'Wat... wat doen jullie hier?'

'Wat is er met hem gebeurd?' zei Marlon. 'Je bloedt.' Hij voelde aan zijn eigen hals. 'Aan je hals, zeg maar.'

'Kunnen jullie me losmaken?'

'Heb je een mes?' vroeg Marlon. 'Een hobbymes misschien?'

'Wat is er met jou gebeurd, man? Wie heeft je dit aangedaan?'

'Haast je alsjeblieft,' zei Rick. 'Ze kunnen elk moment terugkomen.'

Marlon haalde een hobbymes tevoorschijn en sneed het touw om Ricks polsen door terwijl Santiago de knopen rond zijn enkels losmaakte en nog geen vijf minuten later zaten ze gedrieën op elkaar geperst op de voorbank van een Demo King Trash-a-Way pick-up en waren ze van Zuid-Boston op weg naar Cambridge.

'Dus hoe kwamen jullie daar terecht?' vroeg Rick. 'Ik snap er niets van.'

De twee zwegen.

'Volgden jullie me in de auto?'

Stilte.

'Hebben jullie een GPS aan mijn auto gehangen?'

Marlon zei: 'Vertel hem over je broer, Santiago.'

Opnieuw stilte, toen zei Santiago: 'Mijn broer werkt bij de Chevrolet-dealer in Arlington.'

Rick herinnerde zich hoe Santiago, luid toeterend, laat was aangekomen met zijn auto. 'Jullie hebben een tracker in mijn auto gestopt! Daarom bleven jullie zo lang weg!'

Ze lachten ongemakkelijk.

'Klootzak,' zei Rick.

'We wilden je niet beroven,' zei Santiago. 'Maar we weten dat je al dat geld hebt en zo.'

'En jullie wilden weten waar ik het gelaten had,' zei Rick.

De twee zwegen weer. Rick wist niet wat hij ervan moest denken. Het was griezelig, angstaanjagend dat ze hem zo makkelijk hadden kunnen vinden, maar hij was niet in een positie om zich te beklagen. Ze hadden hem gered van wat de bende Ieren was plan was.

Hij stond bij hen in het krijt.

32

De volgende ochtend was Rick tegen tien uur in de kantoren van *The Boston Globe*, het tijdstip waarvan hij wist dat Monica Kennedy dan meestal arriveerde. Hij stopte bij de beveiliging op de begane grond en belde Monica's toestel. Ze vroeg hem haar bij de liften te ontmoeten.

Hij nam de lift naar de eerste verdieping, waar de stadsredactie zat, en wachtte daar op haar. Een sportverslaggever die hij kende van zijn tijd bij de *Globe* zwaaide naar hem en liep door. Ten slotte verscheen Monica, met een bruine map in haar rechterhand. Ze gaf hem niet aan Rick. In plaats daarvan zei ze: 'Waar heb je hem voor nodig, Hoffman?'

Hij haalde zijn schouders op. 'Persoonlijke nieuwsgierigheid.'

'Je werkt niet aan een artikel. Als je hier iets meer over weet, is het mijn werk.'

'Voor wie zou ik het schrijven – *Het Sufferdje*? Kom op, Monica.'

'Weet je iets over Alex Pappas?'

Hij wilde niet tegen haar liegen. En als hij wel zou liegen, zou het niet zo makkelijk zijn. Onderzoeksjournalisten zijn geschoold in het doorzien van leugens, zeker zulke goede als Monica Kennedy.

'Het heeft te maken met mijn vader. Ik denk namelijk dat hij hierdoor in de problemen is gekomen.'

'Wat voor problemen?'

'Dat weet ik niet. In elk geval, het is iets persoonlijks. Het gaat over mijn vader en Alex Pappas. Maar luister, als dit iets interessants mocht opleveren, een artikel, kunnen we delen.'

'Delen?'

'Het is een oud, dood verhaal dat je onderzocht hebt en waarover je niets vond. Ik probeer je niet beentje te lichten en ik probeer niet met je te concurreren.'

'Oké, oké,' zei Monica, wier achterdocht voor even was bekoeld. Nu klonk ze alleen nog geërgerd. Ze gaf hem de map en draaide zich om om weg te gaan.

'Zeg eens,' zei hij, 'weet je iets over Ierse bendes in Boston?'

'De Ierse maffia? In Boston? Niet sinds de hoogtijdagen van Whitey Bulger. Twintig, dertig jaar geleden. Al jaren niks meer. Hoezo, heb je iets?'

Hij schudde zijn hoofd. 'Kunnen we een paar minuten over dit verhaal praten? Heb je tijd voor een haastige kop koffie in de kantine boven?'

'Nee, sorry, geen tijd.'

'Oké, twee minuten dan.' Hij wachtte tot een vaag bekend uitziende reporter die in het voorbijgaan naar Monica knikte was doorgelopen. 'Waarom dacht je dat het iets met de Big Dig te maken zou kunnen hebben?'

'Ik weet het niet. De Ted Williams Tunnel was net geopend. Ik dacht dat er iets gebeurd kon zijn. En warempel, tien jaar later gebéúrde er iets, ja?'

Ze had het over een incident in juli 2006, toen een deel van het plafond van een tweede Big Dig-tunnel was ingestort, waarbij een automobilist gewond was geraakt en zijn vrouw was overleden. Na een langdurig onderzoek bleek er een probleem te zijn met de lijm die was gebruikt om de plafondplaten te bevestigen.

'Klopt,' zei hij.

'Maar na mijn gesprek met de politie dacht ik dat het waarschijnlijk een geval van rijden onder invloed was. Einde verhaal.'

Hij knikte. 'Dus wat zou Pappas te maken hebben met rijden onder invloed? Waarom zou hij zich daar druk over maken?'

'In de Dominicaanse gemeenschap ging het gerucht dat er iets met de nieuwe tunnel was misgegaan en dat dat het ongeluk had veroorzaakt. Ik belde wat mensen, maar dat leverde niets op, en opeens werd ik gebeld door Pappas. Hij werkte voor een of ander bedrijvenconsortium, de Boston Common Alliance – de bedrijven die betrokken waren bij de Big Dig – en hij wilde ervoor zorgen dat dat verhaal niet verkeerd in de krant kwam. Luister, ik weet waar hij op uit was en ik benaderde hem met de gebruikelijke scepsis, maar hij bleek een nuttige bron te zijn. Hij bezorgde me het politierapport. Hij smeerde de raderen bij de politie van Boston, zorgde ervoor dat ik prompt werd teruggebeld. Ik was niet van plan hulp zoals deze af te wijzen.'

'Oké.'

'Als je iets vindt, zorg dan dat je me op de hoogte houdt, goed?'

'Goed. Doe ik.'

'Ik meen het.'

'Ik snap het.'

Hij vroeg zich af of ze merkte dat hij loog.

33

Rick zat in zijn auto – een Ford Taurus die hij had gehuurd van Enterprise Rent-a-Car op Central Square – op het parkeerterrein van de *Globe* en las het dossier van Monica. Het was dun, een verzameling gekrabbelde aantekeningen op stukjes geel blocnotepapier, roze telefoonbriefjes en fotokopieën van documenten zoals het politierapport over het ongeluk. Haar handschrift was afschuwelijk. Hij moest de hiërogliefen enkele minuten bestuderen voordat hij ze kon ontcijferen. Ze had gesproken met buren van het omgekomen gezin, een leraar van de veertienjarige dochter en bronnen bij de politie van Boston. Op de een of andere manier had ze een artikel samengesteld over de dood van een immigrantengezin uit de Dominicaanse Republiek als gevolg van een verschrikkelijk ongeluk in de gloednieuwe tunnel.

Een van de knipsels in de map was een berichtje in de *Globe* over het ongeluk, de eerste vermelding in de krant, daags na de gebeurtenis. Het artikel besloeg slechts één alinea en was geschreven door een beginnende correspondent die Rick kende, een vrouw die zich had laten afkopen en een paar jaar geleden was weggegaan bij de *Globe* om een roman te schrijven die weinig succes had gehad.

Gezin in Jamaica Plain omgekomen bij tunnelongeluk

Door Akila Subramanian
Correspondent van de Globe

Een gezin van drie personen in Jamaica Plain is omstreeks 02.15 uur omgekomen bij een eenzijdige botsing in de Ted Williams Tunnel, aldus de politie. De bestuurder, Oscar Cabrera, 36, woonachtig op Hyde Square in Boston, kwam om het leven, samen met zijn vrouw Dolores en hun 14-jarige dochter Graciela. De oorzaak van het ongeluk is niet onmiddellijk vrijgegeven. Snelheid leek volgens de politie geen rol te hebben gespeeld.

Dat was aanvankelijk alles. De kale feiten, maar niet heel veel.

Toen zag Rick in Monica's aantekeningen haar pogingen om een onderzoek te starten.

BOTSING HOE??? stond er met grote letters op geel gelinieerd papier van een notitieblok dat was bezaaid met droedels (voornamelijk slechte tekeningen van paarden), met daarbij enkele telefoonnummers en zinnen zoals *verkeerslichten?* en *verkeersstrepen???* Daarnaast: *eenzijdige botsing – muur? Dronken?* Op een telefoonbriefje stond in haar hanenpoten *vermoeden van ROI hangende BP*. Dat betekende dat de politie vermoedde dat het ongeluk was veroorzaakt door rijden onder invloed, maar dat ze het pas zeker zouden weten als de patholoog het alcoholpercentage had vastgesteld.

Terwijl hij haar andere krabbels ontleedde werd duidelijk dat Monica zich afvroeg hoe een auto in godsnaam in de tunnel kon zijn verongelukt zonder een ander voertuig te raken. Was het ongeluk veroorzaakt door iets in de tunnel? Een probleem met de wegmarkering of de verkeerspatronen? Een betonblok op een plek waar het niet had moeten staan? Maar haar gesprekken hadden blijkbaar niets opgeleverd.

Haar artikel – het andere knipsel in de map – was een langer verhaal van twee dagen later. De medeauteur was de verslaggever die het oorspronkelijke artikel had geschreven; gebruikelijke krantenetiquette. Niets rechtvaardigde een onderzoek, maar je merkte dat Monica daar wel op uit was. Desondanks werd het verhaal gebracht als een van die niet te bevatten tragedies die nou eenmaal van tijd tot tijd gebeuren.

Tragedie treft immigrantengemeenschap

Door Monica Kennedy en Akila Subramanian
Correspondenten van de Globe

Ze was een gracieuze danseres en een goedlachse, getalenteerde beginnend pianiste die haar moeder graag hielp in de keuken.

Familie en vrienden huilden openlijk tijdens de herdenking van Graciela Cabrera, de 14-jarige bewoonster van Hyde Square die vroeg in de ochtend samen met haar ouders om het leven kwam toen de Toyota RAV4 uit 1989, bestuurd door haar vader, Oscar Cabrera, 36, in de Ted Williams Tunnel verongelukte.

Oscar Cabrera, die als monteur werkte in het Colonnade Hotel in Boston, werd herdacht als een bescheiden, zichzelf wegcijferende man die altijd klaarstond om sneeuw te ruimen of pakjes te dragen voor vrienden en buren in de hechte Dominicaanse gemeenschap. Dolores, 35, werd herdacht als een liefhebbende echtgenote en moeder en een bekwaam schoonheidsspecialiste bij Hair Again, een kapsalon op Hyde Square. Het jonge gezin was 8 jaar eerder vanuit de Dominicaanse Republiek geïmmigreerd.

De uitbarsting van verdriet in deze arbeiderswijk werd slechts geëvenaard door de verbazing onder vrienden en beminden over hoe deze tragedie kon gebeuren.

De autoriteiten trachten te achterhalen wat de oorzaak kan zijn geweest van het ongeluk op maandag, waardoor de westelijke tunnel urenlang was afgesloten voor het verkeer tot het gehavende voertuig kon worden weggesleept. Voorlopig onderzoek duidde erop dat de Toyota van het gezin Cabrera zwaar werd beschadigd in de tunnel, maar dat er geen ander voertuig bij betrokken was.

'Dit is een enorm verlies voor de Dominicaanse gemeenschap,' zei buurtvertegenwoordiger Gloria Antunes van de Hyde Square Community Partnership. 'Geen woorden kunnen uitdrukken hoe erg we dit vinden.'

Rick besloot naar Hyde Square te gaan, in de voorstad Jamaica Plain, en gewoon vragen te stellen. Soms kwam je ter plekke meer te weten. Zijn voormalige baas bij de *Globe*, de barse hoofredacteur die een voorkeur had voor vlinderdassen en kleurige gestreepte overhemden met contrasterende witte kraag, zei altijd tegen zijn verslaggevers dat ze achter hun bureau vandaan moesten komen, van hun telefoon en van hun kont, om rond te snuffelen. 'Je laten zien,' placht hij te zeggen, 'is de helft van goede verslaggeving.'

Het was tijd om zich te laten zien.

34

Het gebied rondom Hyde Square in Jamaica Plain was de latinowijk van Boston, met kruidenierszaken die mangopuree en bakbananen verkochten en winkels die adverteerden met het incasseren van cheques en vreemde valuta. Dit deel van Jamaica Plain was voornamelijk Duits en Iers geweest tot de jaren zestig, toen de Cubanen, de Porto Ricanen en de Dominicanen zich er vestigden en de omgeving veranderden in de Spaanstalige wijk van Boston.

Zijn eerste stop was het kantoor van de Hyde Square Community Partnership, een organisatie die volgens haar website was gewijd aan het creëren van een veilige en hechte gemeenschap, 'het kloppende hart van het latinoleven in Boston'. Ze bracht lokale zakenlieden, politici en gemeenschapsleiders bij elkaar. De oprichter en leider was Gloria Antunes. Hij had haar naam in de uitdraai van Monica's artikel onderstreept. Hij vermoedde dat Antunes zijn beste introductie in de wijk zou zijn. De HSCP was gevestigd op de eerste verdieping van een gebouw met op de begane grond een *variedades*-winkel. Hij beklom de trap en vond een deur met een bordje HYDE SQUARE COMMUNITY PARTNERSHIP en een logo met een zon. De deur was niet op slot.

Binnen, achter een receptiebalie, zat een grote vrouw met een grote, getinte bril. Een geopende deur achter haar bood uitzicht op een kantoor waar iemand – waarschijnlijk Gloria Antunes zelf – achter een groter bureau een telefoongesprek voerde.

'Kan ik u helpen, meneer?' vroeg de receptioniste.

'Ik zoek Gloria Antunes.'

'Gloria?' zei ze met een brede glimlach. 'Maar natuurlijk. Kan ik haar vertellen waarover het gaat?'

Hij gaf haar een van zijn *Back Bay*-kaartjes. 'Mijn naam is Rick Hoffman en ik zou haar willen spreken over het gezin Cabrera.'

Ze maakte aantekeningen op een notitieblok. 'Het gezin Cabrera... Weet ze waar het over gaat?'

'Het is het gezin dat bijna twintig jaar geleden omkwam in de Ted Williams Tunnel.'

'Goed, meneer, een ogenblik graag.'

De receptioniste stond op, liep naar het kantoor en klopte op de openstaande deur. Daarna ging ze naar binnen. Een ogenblik later kwam ze weer tevoorschijn. 'Het spijt me, meneer, maar Gloria heeft een afspraak. Kan ik u ergens mee helpen?'

'Niet echt, bedankt. Ik wil haar alleen even spreken. Het duurt niet langer dan een minuut of twee. Mag ik...' en hij liep naar de deur van het kantoor van Gloria Antunes.

'Meneer, wacht hier alstublieft,' protesteerde de receptioniste.

'Mevrouw Antunes,' zei Rick, 'ik wil u alleen even spreken over de Cabrera's.' Haar op deze manier overvallen was een agressieve – sommigen zouden zeggen aanstootgevende – actie, maar hij wist wanneer hij met een kluitje in het riet werd gestuurd. Geluk moet je afdwingen, luidde een oud gezegde; het laat zich alleen zien als je de deur intrapt.

Gloria Antunes was een slanke, elegante vrouw met kort, krullend peper-en-zoutkleurig haar, een kleurrijke zijden sjaal om haar schouders en grote oorringen. Ze stond op en zei: 'Ja, meneer Hoffman, ik heb uw boodschap gekregen, maar het spijt me, ik heb mijn handen vol hier. Ik heb echt geen tijd om te praten.'

'Begrepen. Mag ik vandaag of morgen vijf minuutjes van uw tijd roven? Langer hoeft het niet te duren.'

Ze antwoordde met hooghartige stem: 'Meneer Hoffman, het is afschuwelijk en hartverscheurend wat er met de Cabrera's is gebeurd, maar ik kan u verder niets vertellen.'

'Zou u me naar een van de nabestaanden kunnen verwijzen?'

'Meneer Hoffman, ik zei al, ik heb geen tijd om te praten. En nu: goedendag.'

Haar vijandigheid was raadselachtig. Hij had verwacht dat een buurtvertegenwoordiger zoals zij hem zou verwelkomen, de doden zou willen herdenken. Om de een of andere reden wilde ze niet praten en hij moest het tot de bodem uitzoeken.

Nog geen uur later had Rick het drie verdiepingen tellende huis gevonden, niet ver van een kolossaal huisvestingsproject, waar Oscar Cabrera en zijn vrouw en dochter volgens het politierapport op de eerste verdieping hadden gewoond. Hij zat in zijn auto voor het olijfgroen geschilderde huis. Er ontbraken enkele dakpannen en de betonnen portiektrap brokkelde af. 'Wat nu?' zei hij hardop tegen zichzelf.

Het gezin was achttien jaar geleden omgekomen. Misschien was er iemand die zich hen herinnerde en iets wist over de toedracht van hun dood. Dolores had gewerkt in een kapsalon in Centre Street. Hij reed rond, langs een slagerij die heel toepasselijk Vleesland heette, een telefoonwinkel en een latinorestaurant met op het uithangbord een palmboom en een gekookte kreeft. Hij vond de Hair Again-salon. Het was volgens een bord achter het raam een 'schoonheidscentrum, gespecialiseerd in' permanenten, extensions en highlights.

Hij vroeg de jonge vrouw achter de receptie of iemand hier zich Dolores Cabrera herinnerde. Het duurde even voordat ze hem begreep. Niet alleen door de taalbarrière, maar ook door de merkwaardige vraag. Uiteindelijk kwam de manager van de salon, een oudere vrouw met glanzende zwarte haren en hoge gewelfde wenkbrauwen naar voren. 'Waarom informeert u naar Dolores Cabrera?' vroeg ze op hoge toon.

'Ik schrijf een artikel. Ter nagedachtenis aan hen.'

De vrouw liet zich onmiddellijk vertederen. 'Het was een lieve meid.'

'Heeft zij of heeft haar man familie achtergelaten?'

'Familie? Ja, natuurlijk. Waarom?'

Vijf minuten later verliet Rick de salon met een nuttig brokje informatie. Er woonde nog altijd familie van Oscar Cabrera in het huis van drie verdiepingen waar het jonge gezin had gewoond. Hij reed erheen en belde aan.

Een ogenblik lang gebeurde er niets. Achter de deur hoorde hij een kakofonie van stemmen, gesmoorde, schrille kreten. Toen klonken er voetstappen en enkele vrouwenstemmen. De deur werd op een kier geopend en een vrouw keek naar buiten. Ze droeg een groen ziekenhuisschort en had krullers in haar haren.

'*Sí?*'

'Spreekt u Engels?'

'Eh, een beetje. Ja?'

Ze was een *tía*, zei ze, een zus van Oscar Cabrera. Het geroezemoes achter haar, dat was weggestorven toen ze de deur opende, begon opnieuw. Rick hoorde water stromen en borden rammelen en minstens één huilende, krijsende baby.

Hij vertelde haar een versie van de smoes die hij de vrouw in de schoonheidssalon had verteld, dat hij journalist was en een artikel schreef over de dood van het gezin Cabrera. Hij legde niet uit waaróm hij het schreef, achttien jaar later.

'Nee!' zei ze plotseling en ze bewoog haar hand heen en weer. 'Nee. Niet praten daarover!' Ze gooide de deur dicht.

Verbijsterd belde Rick opnieuw aan. Had ze hem verkeerd verstaan? De deur werd opnieuw geopend, op een kleine kier.

'*No, yo no quiero hablar! Por favor, vete! Déjanos en paz! Por favor, vaya lejos!*'

Toen deed ze de deur weer dicht.

Hij begreep het meeste van wat ze had gezegd. Ze wilde niet praten. Ze wilde dat hij wegging. Er was blijkbaar iets misgegaan in de vertaling van het Engels naar het Spaans. Hij draaide zich om en wilde weggaan toen hij een oudere vrouw zag die aan de voet van de betonnen treden stond.

'U wilt praten over het gezin Cabrera,' zei ze. Ze was krom en had staalgrijze, in een strakke knot gedraaide haren en een heel gerimpeld gezicht. Ze moest eind tachtig zijn. 'Ze willen niet met u praten. Kom mee.'

Ze vertelde dat ze van iemand die in de schoonheidssalon was geweest had gehoord dat hij navraag deed naar het gezin. Ze had hen gekend, zei ze. Ze heette Manuela Guzman en ze kende hen van de kerk. Bovendien was ze de pianolerares van de dochter geweest.

De vrouw nodigde hem uit in haar appartement, in het souterrain van een drie verdiepingen tellend huis een eind verderop aan de andere kant van de straat. Het was een kleine maar keurig onderhouden ruimte die rook naar recente kookgeuren, naar uien, knoflook en houtvuur, en werd gedomineerd door een vleugelpiano.

Ze wenkte hem naar een grote oorfauteuil en ging naast hem op een bank zitten waar ze een lap plastic overheen had gelegd.

'De familie wil nooit over het ongeluk praten,' zei ze bijna fluisterend. 'Maar als u iets over hen schrijft, wil ik dat u zich hen herinnert zoals ze waren, niet wat iedereen zegt.'

'Dank u,' zei Rick ongemakkelijk. Hij wilde eigenlijk niet liegen tegen deze oprechte en vriendelijk uitziende oude vrouw. 'Maar waarom willen ze er niet over praten?'

'Ik zal het u uitleggen.'

'Oké, dank u wel.' Hij pakte zijn notitieblok en deed alsof hij aantekeningen maakte voor een artikel.

'Graciela was mijn pianoleerling. Ze had heel veel talent. Ze was een lief meisje. Ze werkte hard, probeerde Beethovens *Mondscheinsonate* onder de knie te krijgen, toen ze...'

Ze zweeg. Ergens vlakbij hoorde hij het zachte tikken van een klok.

'Vertel me het verhaal,' zei Rick. Hij worstelde nog steeds met de onderlinge verbanden. Waarom was Pappas zo geïnteresseerd in dit ongeluk dat hij Monica Kennedy enkele malen had gebeld op de *Globe* – en herhaaldelijk ook Lenny Hoffman?

'Er is geen verhaal,' antwoordde ze. 'Er is alleen verdriet. Verdriet en leugens.'

'Leugens,' drong Rick aan.

'Na hun dood werd er gezegd dat Oscar dronken was geweest.' Ze maakte een gebaar alsof ze uit een glas dronk. Toen wuifde ze wegwerpend en fronste haar wenkbrauwen. 'Maar ik weet dat het niet waar is. Hij dronk niet.'

'Wat is er dan gebeurd?'

'Graciela was opgewonden over een reis met haar moeder naar Santo Domingo om haar *abuela* en *abuelo* te bezoeken. Oscar reed naar de luchthaven om zijn vrouw en dochter op te halen, maar de vlucht was laat... had vertraging. Midden in de nacht reden ze door die Williams-tunnel en opeens waren ze allemaal dood.'

'Maar... Oscar was niet dronken.'

Ze stak een kromme vinger op. 'Nooit.'

'En de auto verongelukte. Hoe?'

'Maar ziet u, dat weet niemand. Er zijn alleen verhalen en geruchten.'

'Zoals?'

Ze schudde haar hoofd.

'Lag er, u weet wel, olie op het wegdek?' vroeg Rick. 'Was er iets met de auto? Er ging in elk geval iets mis.' Het artikel van Monica Kennedy zei daar niets over. Haar aantekeningen wezen erop dat ze rijden onder invloed vermoedde, maar dat was blijkbaar niet waar gebleken, anders had het in haar artikel gestaan. 'Denkt u niet dat de krant daar iets over zou hebben gezegd?'

'De kranten kenden de waarheid niet. Maar als ze zeggen dat Oscar gedronken had, zeg ik dat ik het beter weet.'

'Maar ik snap nog steeds niet waarom de familie niet met me wil praten.'

Ze boog zich naar voren, stak een wijsvinger op en zwaaide ermee. 'Omdat ze betaald worden.'

'Ze worden betaald.'

'Ze krijgen geld. Om hun zwijgen te kopen. Ze zeggen niets en ze vragen niets. Dus wonen ze in hun huis van het geld dat ze krijgen.'

'Geld... waarvan? Van wie?'

Ze fronste haar wenkbrauwen en schudde haar hoofd. 'Dat weten ze misschien zelf niet eens. Maar niemand wil praten over wat er in de tunnel gebeurde. Niemand wil de waarheid spreken over de dood van Graciela. Ik wil u iets laten zien. Alstublieft?'

Het duizelde Rick. Het werd steeds raadselachtiger. Was de waarheid die avond op de een of andere manier verdoezeld – en zo ja, had Pappas daarmee te maken gehad?

En Lenny Hoffman?

De oude vrouw opende een kast waar een oude tv in stond en allerlei andere elektronische apparaten en vond toen een videoband, die ze in een videorecorder schoof. Ze frunnikte aan de afstandsbediening en de tv ging aan, een luidruchtige Dr. Phil-show. 'Kunt u me helpen?' vroeg ze.

Rick liep naar haar toe en probeerde enkele andere afstandsbedieningen en ten slotte verscheen het videobeeld op het scherm.

Het was een opname van een pianorecital, realiseerde Rick zich, met al haar leerlingen. Het vond plaats in wat een ruimte in een kerk of een school kon zijn. Manuela Guzman, aanzienlijk jonger en energieker, gekleed in een blauwe, hooggesloten blouse en zwarte opgestoken haren, zei iets tegen het publiek, dat merendeels uit ouders en familie leek te bestaan.

Er werd geklapt en toen kwam er een verlegen meisje met staartjes naar voren, gekleed in een tule-achtige witte jurk met een roze strik om haar middel, en ging achter de piano zitten. Ze speelde vurig, schudde theatraal met haar hoofd. Wat ze ook mocht spelen, ze speelde het blijkbaar goed. Ze maakte slechts enkele fouten. Toen ze klaar was werd er geestdriftig geapplaudisseerd en ze stond op en boog weer, maar ditmaal glimlachte ze breed.

Iets aan de glimlach, ernstig en onzeker, pijnlijk mooi, kneep Rick de keel dicht. Hij draaide zich om en zag dat de tranen de oude vrouw over de wangen biggelden. Ook zijn eigen wangen waren nat van de tranen. Ze glimlachte naar Graciela en drukte op de pauzetoets.

'Als u uw artikel schrijft,' zei ze, 'wil ik dat u zich Graciela herinnert.'

'Dat zal ik doen,' zei hij en hij schraapte zijn keel omdat hij schor was.

'Het is verdrietig van Graciela, vindt u niet?'

Rick knikte. 'Het is een tragedie. Het is onuitsprekelijk verdrietig.'

'Tragedie, ja. Grappig is dat; hij zei precies hetzelfde toen ik hem dit liet zien?'

'Wie?'

'Uw vader.'

35

'Zodra ik het nieuws hoorde ging ik naar het appartement van de Cabrera's om te proberen... om ze te zien, te helpen,' zei Manuela Guzman.

'Om ze te troosten.'

Ze knikte. 'Oscars zus Estrella was er en ook Dolores' broer Ernesto met zijn vrouw, en iedereen was... nou ja, ze waren in shock en iedereen huilde. Hoe had dat kunnen gebeuren? Iedereen zei: hoe kon dat in godsnaam gebeuren? Ze waren... van streek en boos, buiten zinnen, begrijpt u?'

'Natuurlijk.'

'De politie zei dat Oscar misschien gedronken had, maar iedereen wist dat dat niet waar was. Oscar dronk niet. Als hij zijn vrouw en dochter afhaalt van het vliegtuig? Oscar was zo voorzichtig! En toen zei de broer van Dolores, Ernesto, dat hij Gloria Antunes had gesproken, die een soort leidster is in de Dominicaanse gemeenschap.'

'Ik weet wie ze is.' Hoe zou hij de hooghartige vrouw kunnen vergeten die niet met hem wilde praten?

'Gloria Antunes zei dat ze een onderzoek wilde laten instellen, dat het ongeluk niet was wat de mensen zeiden. Maar er kwam een man aan de deur, een man die precies op u lijkt. Het was vast uw vader, niet?'

'Dat zou kunnen.'

'Hij zei dat hij van de Kamer van Koophandel was en dat hij alles wilde doen om hen in deze afschuwelijke tijd te helpen. Hij wilde ze helpen met begrafeniskosten. Hij zei: als we u kunnen helpen, dit is mijn kaartje, bel me.'

Kamer van Koophandel? dacht Rick. Het was vast iemand anders geweest. Zijn mobiele telefoon ging over, maar hij liet hem doorschakelen naar de voicemail.

'Hij wilde helpen. Hij was heel aardig. Hij noemde me "pop".'

Een vrouw 'pop' noemen was bijna Lenny's handtekening. Misschien was het hem toch.

'En toen ging ik met die man – uw vader? – naar mij thuis en ik liet hem Graciela's recital zien, net zoals ik het u heb laten zien. En hij begon te huilen. Hij zei dat het een tragedie was. Wacht even.'

Ze legde een hand op zijn schouder, draaide zich om en

zocht in een schemerige hoek van het appartement, rommelde in een boekenkast. Ze pakte een groen plastic doosje zoals dat gebruikt wordt voor indexkaarten of recepten. 'Ik weet zeker dat ik een kaartje heb. Wacht.'

Er gingen enkele minuten voorbij. Opeens zei ze: 'Aha! Ja!' Ze gaf Rick een beduimeld wit visitekaartje met daarop, zoals hij wist, de woorden:

ADVOCATENKANTOOR LEONARD HOFFMAN

Hij keek haar aan. 'Dat is mijn vader.' Er stond niets over de Kamer van Koophandel. Hij had het fatsoen gehad om geen valse visitekaartjes te gebruiken. Maar hij had te maken gehad met immigranten die makkelijk te misleiden zouden zijn. Het visitekaartje van een advocaat straalde op zichzelf al een zeker gezag uit. Hij glimlachte bedroefd. 'Hoe wilde hij helpen, zei hij daar iets over?'

Ze schudde haar hoofd. 'De familie wil er niet over praten. Ik denk dat die man hun geld heeft gegeven. Misschien veel geld.'

'Voor hun zwijgen?'

'Niemand praat erover. Maar opeens' – ze wreef haar handen over elkaar alsof ze ze afstofte – 'werd er niet meer over het auto-ongeluk gesproken. Ze willen er nooit over praten. Ze wonen in dat huis, alle drie de verdiepingen, de hele familie. Ik weet niet wat voor werk ze doen. En Gloria Antunes – de Hyde Square Community Partnership werd opeens iets groots, met een kantoor en een secretaresse. Ik denk dat ze haar ook geld hebben gegeven. En zelfs na al die tijd... praat niemand.'

Zodra hij het appartement van de oude pianolerares had verlaten checkte hij zijn telefoon. De oproep die was binnengekomen was van een telefooncentrale die hij herkende als Massachusetts General Hospital.

'Meneer Hoffman, met dokter Girona van Mass General-neurologie,' zei de voicemail. *'Zou u me zo snel mogelijk willen bellen?'*

Tot Ricks verbazing had dr. Girona zijn privénummer achtergelaten.

Voor de deur van een buurtwinkel belde Rick de dokter terug.

'Ja, meneer Hoffman, bedankt dat u belt,' zei dr. Girona. 'Ik heb net de nieuwe MRI-scans van uw vader bekeken en er zit me iets dwars.'

'Oké.'

'De status van uw vader vermeldt uiteraard een hemorragisch infarct. Maar de scans die we net hebben teruggekregen – nou ja, ze zijn tegenwoordig veel geavanceerder dan de scans van twintig jaar geleden – duiden op de gevolgen van een ernstig traumatisch hersenletsel. Ik bedoel overeenkomend met zware mishandeling.'

'Ik begrijp het niet.' Rick voelde dat zijn mond droog werd.

'Ik bedoel dat we iets hebben gevonden wat volledig over het hoofd is gezien toen hij in 1996 werd opgenomen. De waarschijnlijke oorzaak van zijn aandoening.'

'U zegt dat hij is mishandeld,' zei Rick.

'Daar lijkt het wel op.'

'Ik kom er meteen aan.'

36

Terwijl hij naar de Charlestown Navy Yard reed om dr. Girona te ontmoeten dacht hij na over zijn vader. Over het mysterie Leonard Hoffman. Hoe meer Rick te weten kwam, hoe minder hij wist, leek het wel.

Zijn vader was mishandeld? Dat klopte absoluut niet met het relaas van Leonards secretaresse. Ze had Len op de grond gevonden, maar niet in een plas bloed, en het alarmnummer gedraaid.

Al zijn kennis over de afgelopen twintig jaar was gekanteld. Zijn vader had een reeks mobiele-telefoongesprekken gevoerd met Alex Pappas, in een periode van drie dagen voordat... voordat hij werd mishandeld. Rick stelde zich een honkbalknuppel tegen zijn vaders slaap voor. Eén klap en zijn vader zakte op de grond en kreeg een acuut infarct. Misschien niet wat de belager had bedoeld.

Dus wie kon Leonard hebben aangevallen, als hij inderdaad was aangevallen? En wat was er in die drie dagen gebeurd?

Rick wist dat zijn vader de nabestaanden van het gezin Cabrera om de een of andere reden had afgekocht en daarna dezelfde video-opname had gezien die Rick zojuist had gezien, en gehuild had toen hij het meisje zag, net zoals Rick had gehuild. Rick wist nu dat Leonard kort daarna was mishandeld, ernstig genoeg om een infarct te veroorzaken.

Maar door wie? En waarom?

Hij vroeg zich af of zijn vaders secretaresse, Joan, er enig idee van kon hebben.

En hij dacht aan het geld dat in het huis was verstopt, de drie miljoen dollar die nu in zijn opslagruimte lagen. Als Leonard dat geld had gekocht van gelegenheden in de Combat Zone, was het nog niet uitbetaald. Hij moest de familie Cabrera geld hebben gegeven...

Tenzij hij dat niet had gedaan.

Tenzij zijn vader het geld om de een of andere reden had gehouden, niet had uitbetaald, en misschien was hij daarom mishandeld.

Bij een stoplicht keek Rick op zijn horloge. Zijn vader zou

op ditzelfde moment aan zijn therapie beginnen. Een verpleeghulp bracht Lenny sinds kort in een busje van het verpleeghuis naar Charlestown voor de dagelijkse therapie. Zo deden ze het het liefst.

Rick bedacht dat hoe dieper hij groef, hoe meer rottigheid hij blootlegde. Hij dacht onwillekeurig aan het werk van Jeff en zijn bouwploeg in het oude huis, het slopen van vermolmd hout en stucwerk.

Zijn gedachten dwaalden af terwijl hij reed, maar hij kwam telkens terug bij dezelfde vraag: waarom had zijn vader aangeboden de familie Cabrera af te kopen? Over welk aspect van het ongeluk moest worden gezwegen? Ten slotte belde hij Monica Kennedy op de *Globe*. Ze nam meteen op, met haar gebruikelijke blaf: 'Kennedy.'

'Met Hoffman,' zei hij. Zonder eerst te vragen of ze tijd had om te praten ging hij halsoverkop verder. 'In je map zit een aantekening over een geval van ROI. Je schreef *"hangende BP"*, wat neem ik aan wil zeggen dat je wachtte tot de uitslag van het bloedonderzoek bekend was. Waarom vermoedde je rijden onder invloed?'

'Wauw, wauw, wauw, rustig aan. "Hangende BP"... Oké, goed. Dat moet van de politie zijn gekomen.'

'Niet van Pappas?'

'Waarschijnlijk eerst van hem, ja.'

'Dus waarom ging je daar niet op door? Je zegt er niets over in je artikel.'

Ze zuchtte. 'Omdat toxicologierapporten pas na zes dagen binnenkomen.'

'Je had het desondanks kunnen vermelden.'

'Geen neusdruppels in de flacon.'

'Geen bevestiging.'

'Zoiets schrijf je niet over een vader die net is overleden, samen met zijn vrouw en zijn tienerdochter, tenzij je de feiten hebt, en die had ik niet.'

'Lief,' zei hij.

'Kom op, man,' zei ze. 'Zelfs ik heb normen.'

'Ik hoorde iets over een onderzoek. Een buurtvertegenwoordiger die het had over een onderzoek naar de werkelijke oorzaak van het ongeluk?'

'Ik ook, en dat was de reden waarom Pappas zich ermee bemoeide. Luister, geloof me, de stad en zelfs de staat en alle ondernemingen die bij de bouw van die tunnel waren betrokken, waren doodsbenauwd voor een rechtszaak. Iedereen was bang voor druk vanuit de samenleving om een onderzoek in te stellen.'

'Maar je zei niets over een onderzoek.'

'Omdat er geen was! Er viel niets te melden. Pappas zorgde ervoor dat ik iets niet vermeldde wat ik sowieso niet wilde vermelden.'

'Dus voor wie werkte hij?'

'Iets wat de Boston Common Alliance heette of zoiets. Heb ik je dat niet verteld?'

'Je zei dat het een samenwerkingsverband was van bedrijven die bij de bouw van de Big Dig betrokken waren. Weet je toevallig welke?'

'Ik denk niet dat het nog bestaat, maar ik weet zeker dat het te achterhalen is. Luister, Hoffman, ik moet ervandoor.'

'Bedankt,' zei hij, maar ze had al opgehangen.

Zijn vader was nog bezig met zijn TMS-therapie toen Rick arriveerde.

Hij werd door een laboratoriumassistent naar een verduisterde kamer gebracht, waarin Lenny rechtop zat in een soort tandartsstoel, enigszins achterover gekanteld.

Er lag een witte doek over zijn hoofd, dat in de armen van een kolossaal toestel was genesteld. 'Hij moet nog een paar minuten,' zei een arts of een laboratoriumtechnicus die blijkbaar de leiding had. Zijn vader richtte zijn blik op Rick, die naar hem wuifde. Er klonk een luid ratelen, als het gedempte geluid van een mitrailleur. Rick wachtte. Na een korte stilte klonk het mitrailleurvuur opnieuw. Lenny leek geen pijn te hebben. Hij keek recht voor zich uit en af en toe naar Rick. Hij leek op de een of andere manier meer betrokken, meer aanwezig.

Na een paar minuten stopte het geluid. De laboratoriumtechnicus of arts tilde de armen van het toestel van zijn vaders hoofd. 'Alles goed, meneer Hoffman?' zei ze.

Lenny hief zijn linkerhand en stak zijn duim op in een gebaar van instemming.

De deur ging open en dr. Girona kwam binnen. Hij knikte. Ze zouden elkaar onder vier ogen spreken.

Terwijl hij de dokter een hand gaf stamelde Rick onwillekeurig: 'Hij stak net zijn duim op! Ik geloof niet dat ik hem dat heb zien doen sinds zijn infarct!'

'Dat doet hij nu al een paar dagen.'

De vrouw die de leiding had over de therapie zei: 'Ik ben Rachel. Ik coördineer het klinisch onderzoek.'

'Rachel, blij kennis te maken,' zei Rick en hij stak zijn hand uit.

'U bent de zoon van meneer Hoffman, nietwaar?'

Hij knikte.

'Nou, meneer Hoffman is een geweldige patiënt. Hij heeft nu een afspraak met de logopediste. Wilde u met hem meegaan?'

'Is dat oké, pa?' vroeg hij.

Lenny stak zijn duim op terwijl hij in zijn rolstoel werd geholpen.

'Dokter Girona,' zei Rick, 'hebt u even?'

Girona knikte. 'Natuurlijk,' zei hij en hij ging Rick voor naar zijn kantoor tegenover de behandelruimte.

'Denkt u dat mijn vader mishandeld is en dat dat de oorzaak was van zijn infarct?'

'Hij heeft een traumatisch hersenletsel opgelopen, zoveel kan ik met zekerheid zeggen. Het lijkt erop dat hij tegen de linkerkant van zijn schedel is geslagen. Er zitten botsplinters precies op de plaats waar het bloedvat is gesprongen. De enige verklaring die ik kan bedenken is dat hij een klap tegen zijn hoofd heeft gekregen, die tot het hemorragisch infarct heeft geleid.'

'Maar hoe kan het dat niemand dat in zesennegentig heeft opgemerkt?'

'De scans waren indertijd van een veel lagere resolutie dan tegenwoordig. Ik ben ervan overtuigd dat ze bewijs van een infarct hebben gevonden en het daarbij hebben gelaten. Hij vertoonde geen externe sporen van een trauma – geen bloed bijvoorbeeld. Toch?'

'Klopt.'

'Er was dus geen reden om verder te zoeken. Het infarct was duidelijk.'

'Hij kan toch een ongeluk hebben gehad?'

Dr. Girona haalde zijn schouders op. 'Beslist een mogelijkheid. Er waren misschien geen externe tekenen zoals bloed of een kneuzing. Maar op de een of andere manier heeft hij een cerebrovasculaire beschadiging aan zijn hoofd, zijn hersenen opgelopen.'

'Hij heeft er nooit op gezinspeeld.'

'Nu misschien wel,' zei dr. Girona.

Enkele minuten later zat Lenny aan een tafel naast een whiteboard dat in een klein vertrek aan de muur was bevestigd. Rick zat tegenover hem aan de tafel en de logopediste, een Aziatische vrouw van midden dertig, zat naast Lenny.

'Zou ik mijn vader een paar minuten alleen kunnen spreken?'

'Zeker, natuurlijk!' zei de therapeute. Ze stond onmiddellijk op, verliet de kamer en deed de deur achter zich dicht.

'Pa, ik moet je iets vragen,' zei Rick.

Zijn vader draaide zich naar hem toe.

'Je moet me ergens mee helpen. Misschien mijn leven redden, oké?'

Leonard keek hem recht in de ogen. Hij luisterde.

Rick dacht even na. Hij kon ja-of-neevragen stellen. Maar op basis van wat de logopediste zojuist had gedaan, wist hij dat hij ook open vragen kon stellen, zolang Lenny maar kon antwoorden met het letterbord.

'Ik heb het geld gevonden dat je thuis hebt verstopt. Ik weet dat je belast was met het verzamelen ervan voor de geldbank. Om mensen voor Pappas af te kopen. Pa, het is bijna twintig jaar geleden, maar nu zijn er mensen die me kwaad proberen te doen. Me misschien proberen te vermoorden, ik weet het niet. Oké? Dus je moet praten. Om me uit de narigheid te helpen. Oké?'

Zijn vader keek hem nog steeds aan en er leek iets in zijn blik te liggen, iets meer dan angst. Misschien ontzetting of iets van dien aard. Op zijn minst een enorme weerzin. Hij stak zijn duim niet op of naar beneden, maar hij keek en wachtte. Zijn linkerhand lag voor hem op tafel. Zijn rechterhand lag nutteloos op de armleuning van zijn rolstoel.

'Je bent bang van Alex Pappas, is het niet?'

Lenny stak langzaam zijn duim op.

'Heeft hij je mishandeld?'

De duim ging omlaag.

Rick dacht even na. 'Heeft hij... je laten mishandelen?'

Lenny's duim werd langzaam, aarzelend opgestoken. Toen trok hij zijn duim weer in en legde zijn hand plat op de tafel.

'Wie deed het?'

Lenny's linkerhand bleef plat op de tafel liggen.

'Wie heeft je mishandeld?' vroeg Rick.

Lenny's linkerhand gleed over het tafelblad naar het letterbord. Rick schoof zijn stoel om de tafel heen tot hij naast het whiteboard zat. Hij pakte een groene viltstift, klaar om letters te schrijven als Lenny ernaar wees.

Lenny balde zijn linkerhand, stak zijn wijsvinger op en wees. Hij liet zijn vinger langs de reeks letters glijden en stopte bij *N*. Toen schoof hij verder naar de *I* en Rick schreef een *I* op het bord. Toen *E*. Toen *T*. En *D*, *O*, *E* en *N*.

De woorden op het whiteboard waren NIET DOEN.

Lenny maakte een kappend gebaar met zijn vingers, waarvan Rick aannam dat het 'einde woord' betekende.

Toen raakte Lenny de *W* aan en Rick schreef een *W*, toen een *E* en nog geen minuut later stond de zin WEET IK NIET MEER op het bord.

'Je weet het niet meer,' zei Rick.

Lenny stak langzaam zijn duim op.

Hij wist het niet meer. Dat was niet verwonderlijk, als hij de waarheid sprak. Een harde klap tegen zijn hoofd, hard genoeg om een infarct te veroorzaken... geen wonder dat zijn geheugen hem in de steek liet.

Hij probeerde een andere vraag. 'Pa, voor wie was al dat geld? Ik moet het weten.'

Zijn vader bewoog lange tijd niet. Rick wist niet of Lenny hem had begrepen en herhaalde de vraag. 'Voor wie was al dat geld?'

Opnieuw een lange stilte. Toen schoof Lenny zijn linkerhand over het letterbord en legde zijn wijsvinger op de *I*.

Rick veegde 'Weet ik niet' uit en schreef er een *I* voor in de plaats.

Zijn vaders vinger schoof naar *K*, toen *W* en toen *I*. Een paar seconden later bewoog zijn wijsvinger naar de *L*.

Rick schreef de letters op het bord. IKWIL. Toen hij zich realiseerde dat het twee woorden waren in plaats van één, veegde hij ze uit en schreef ze opnieuw, met een spatie tussen *ik* en *wil*.

Geleidelijk sneller bewoog Lens wijsvinger naar de *D* en toen de *O*.

Rick schreef op het whiteboard: IK WIL DO.

Rick sprak de woorden hardop uit: '"Ik wil do..." Wat wil je, pa?'

Zijn vaders wijsvinger gleed nogmaals naar de letter *O* en toen naar de *D* en toen realiseerde Rick zich wat zijn vader zei en er sprongen tranen in zijn ogen toen hij de zin afmaakte.

IK WIL DOOD.

Rick legde zijn hand op zijn vaders nutteloze rechterhand en probeerde Len weer in de ogen te kijken, maar zijn vader wendde nadrukkelijk zijn blik af en er rolde een traan over zijn linkerwang.

37

Toen Rick uit Charlestown wegreed had hij het onaangename gevoel dat hij werd gevolgd.

Het was niet zeker. Er reed al vanaf de parkeergarage van het ziekenhuis tot Storrow Drive een auto achter hem. Geen zwarte Escalade of Suburban, maar een grijze GMC Yukon. Was het een achtervolger of gewoon toeval, dat iemand achter hem van Mass General naar Boston reed?

Het had misschien niets om het lijf, maar hij moest voorzichtig zijn. Het was cruciaal dat hij niet werd gevolgd naar de plek waarheen hij op weg was.

Hij zag de afslag naar Copley Place en besloot op het laatste moment die te nemen. Toen hij Storrow verliet en de Yukon hem volgde, besefte hij dat hij zich niets inbeeldde.

Een snelle bocht naar links en rechtdoor via Arlington Street en een paar blokken verderop bereikte hij het Park Plaza Hotel. Hij wist dat er een galadiner werd gehouden, het galadiner waarvan Darren van *Back Bay* wilde dat hij het bijwoonde. Het was waarschijnlijk al begonnen. Hij was niet van plan erheen te gaan, maar zijn naam stond op de gastenlijst. Dat bracht hem op een idee.

Hij stopte voor de portier en de Yukon parkeerde dubbel aan de overkant van de straat. Hij vroeg zich af of ze wilden dat hij zijn achtervolger had gezien, alsof het deel uitmaakte van zijn strategie om hem zenuwachtig te maken, hem iets doms te laten doen.

Nou, ze konden hem volgen in het hotel, maar niet naar het gala.

Hij stapte uit, gaf zijn sleutels aan de portier en liep zonder om te kijken het hotel binnen.

Hij vond de banketzaal waar het evenement plaatsvond zonder moeite. De gebruikelijke menigte verzamelde zich en dromde voor de ingang bijeen voor een bord voor het SCULLEY FOUNDATION LITERACY INITIATIVE, waar aantrekkelijke jonge vrouwen met headsets en iPads namen afvinkten.

Hij had een spijkerbroek en een fleecetrui aan, veel te sjofel voor de gelegenheid. Maar ze zouden hem niet de deur wijzen omdat hij geen jasje-dasje droeg. Hij hoefde er alleen maar een halfuur, drie kwartier te blijven, lang genoeg voor zijn achtervolgers om het op te geven en te vertrekken. Hij zou moeten doen alsof hij er was in opdracht van *Back Bay*. Wat niet moeilijk zou zijn, want dat was ook zo.

Iemand pakte hem bij een elleboog. Het was Mort Ostrow.

'Ik mag jouw idee van cocktailkleding wel,' zei hij. 'Zag ik je laatst niet bij Marco?'

Rick haalde zijn schouders op. 'Hallo, Mort.'

'Sculley is ginds. Staat hij deze week niet in je balboekje?'

'Inderdaad.'

'Luister, Rick, ik wil dat je hem de echte Rick Hoffman-behandeling geeft.'

Rick kreunde. 'Natuurlijk.' Maar eigenlijk kon Rick de intro van het vraag-en-antwoordgesprek in zijn slaap schrijven: *Hij mag dan eigenaar zijn van enkele van de meest beeldbepalende gebouwen in de skyline van Boston, maar als je praat met de miljardair en bouwer Thomas Sculley, zal hij je zeggen dat hij zijn fortuin te danken heeft aan mensen, niet aan gebouwen.*

'Laat me je aan hem voorstellen,' zei Ostrow.

'Mort, als we het eens een andere keer deden, ik ben...'

'Twee minuten.' Ostrow schuifelde naar hem toe en fluisterde: 'Sculley en ik zijn in gesprek. Ik denk dat hij het blad elk moment kan kopen. Al noem ik het een verticaal geïntegreerde mediaonderneming. Ik wil dat hij de volledige Rick Hoffman-behandeling ervaart.'

Thomas Sculley was in gesprek met een elegante blondine van een jaar of veertig, maar toen hij Ostrow zag, draaide hij zich om. Hij had een doorgroefd, verweerd gezicht en was zo te zien een eind in de zeventig.

'Thomas, mag ik je een van onze sterreporters voorstellen, Rick Hoffman?'

Sculley gaf hem de gebruikelijke stevige handdruk-en-bicepsgreep en grijns. 'Ach ja. Meneer Hoffman, waarom voeren we ons gesprekje niet nu meteen?'

'Ik zou het fijn vinden, maar ik denk niet dat deze mensen het me zouden vergeven als ik u ontvoerde.' Rick gebaarde vaag naar de menigte. 'Misschien kunt u komende week een paar minuten tijd vinden?'

'Uiteraard,' zei de man en er verschenen lachrimpeltjes rond zijn ogen.

Een paar minuten later wist Rick uit Ostrows klauwen te ontsnappen. Hij liep de balzaal rond, die vol stond met voor het diner gedekte tafels, en verdween door een van de deuren aan de achterkant. Hij verliet het hotel bij de taxistandplaats en stapte in een van de gereedstaande taxi's. 'Government Center graag,' zei hij.

38

Rick had speciaal agent Ernie Donovan van de FBI een paar keer ontmoet, maar de laatste keer was minstens zeven jaar geleden. Donovan was niet veranderd. Hij was een oud-marinier en hij was er trots op dat hij nog steeds hetzelfde voorkomen had, het hoog opgeknipte, korte haar en hetzelfde postuur. Zijn zwarte haren vertoonden nu grijze strepen, maar dat was het enige verschil.

Rick had acht jaar geleden een artikel geschreven over sekssmokkel van minderjarigen en had daarbij kennisgemaakt met Donovan. De FBI is altijd op zijn hoede als het over journalisten gaat. Ze zien ze als onbetrouwbare, onhandelbare, publiciteitsgeile, losgeslagen figuren, wat merendeels klopt. Journalisten vinden de FBI vooringenomen, bureaucratisch en formalistisch, wat ook merendeels klopt. Maar als hun belangen elkaar overlapten – als de FBI iets wilde laten uitlekken – kon hun relatie harmonieus zijn.

Ze troffen elkaar in een Starbucks tegenover het FBI-kantoor in Boston. Donovan sloeg Ricks aanbod om na het werk iets te gaan drinken af. Hij had vier kinderen en het was een lange rit van Boston naar zijn huis.

Donovan ontmoette Rick in de rij. De handdruk van de agent was heel erg oud-marinier. Ze praatten over koetjes en kalfjes tot ze met hun koffie aan een tafel zaten. Rick vertelde hem over zijn onderzoek, het ongeluk dat in de doofpot was gestopt. 'Is dat ooit op jullie radar verschenen?'

'Je bedoelt de Big Dig. Het was in die tijd verschrikkelijk druk op de radar.'

'Dus niets over dit ongeluk in het bijzonder? Een doofpot?'

'Ik kan je nergens mee helpen, Rick.'

'Bedoel je dat je me niets kunt vertellen of dat je niets weet?'

Donovan glimlachte. 'Als ik iets wist, zou ik het je niet kunnen vertellen.'

'Je zou het weten als er ooit een onderzoek was ingesteld.'

'En officieel mag ik je niet vertellen dat er nooit een onderzoek is ingesteld.'

'Ik snap het. Bedankt.'

'Ik kan me dat ongeluk nog goed herinneren. Onder ons gezegd: het heeft me altijd dwarsgezeten.'

'Maar niet genoeg om een onderzoek te beginnen.'

'Er was toen van alles aan de hand. Whitey Bulger was een jaar eerder uit Boston verdwenen. Er werden veel beschuldigende vingers uitgestoken. Maar als je iets vindt, laat het me zien.'

'Misschien.'

'Luister, Rick, je graaft in een moeras. Het gaat over Boston en de Big Dig en corrupte aannemers en veel mensen willen niet dat er in de beerput wordt geroerd. Kijk uit, ja?'

39

'Je komt als geroepen,' zei Joan Breslin toen ze opendeed. 'Ik heb net scones gebakken.'

Het had Lenny's secretaresse verbaasd dat ze opnieuw van Rick hoorde, maar ze had, zij het aarzelend, ingestemd met een nieuwe ontmoeting. Ze was ditmaal wat informeler gekleed, in een grijs vest met daaronder een roze blouse.

Het huis geurde verrukkelijk naar haar versgebakken scones. Ze ging hem voor naar de keuken, die was behangen met turquoise papier met witte strepen. De houten keukentafel, gedekt met twee borden, boter en jam, was turquoise geschilderd, evenals de stoelen. Ze tilde enkele scones met een spatel van een rooster boven op de oven en liet ze op een schaal glijden. Toen serveerde ze er een aan Rick en een aan zichzelf.

'Tast toe,' zei ze en ze wees naar de scones. 'Vertel me hoe ik je kan helpen.'

'Het gaat uiteraard over mijn vader. Toen je hem vond, vlak na zijn infarct – zou het kunnen dat hij mishandeld was?'

'Mishandeld? Waarom vraag je dat in godsnaam?'

'Omdat zijn arts een reeks nieuwe MRI-scans heeft laten maken en onmiskenbare bewijzen vond van traumatisch hersenletsel.'

Ze keek hem met grote ogen aan en schudde haar hoofd. 'Hij lag op de grond toen ik hem vond. Er lagen wat spullen van zijn bureau op de vloer. Ik heb altijd aangenomen dat hij was gevallen en daarbij het bureau had geraakt.'

Rick aarzelde even. 'Daar heb je nooit iets over gezegd.'

'Wel tegen de dokter.'

'Kun je je verder nog iets herinneren? Zag hij eruit alsof hij misschien was geslagen?'

Ze keek naar het plafond. 'Het is zo lang geleden. Hoelang, twintig jaar?'

'Ongeveer. Dus geen bloed of andere aanwijzingen dat hij was aangevallen?'

'Nee, niets. Wie zou Len willen mishandelen?'

'Dat wilde ik je net vragen. Of hij voor zover jij wist vijanden had. Je zei toch dat hij zakendeed met schimmige figuren in de oude Combat Zone?'

'Ik weet niet of daar gewelddadige mensen tussen zaten.'

Hij nam een hap van zijn scone. Die was nog warm van de oven. Toen verslikte hij zich bijna. De scone was zo droog als een hap zand. Hij moest een grote slok koffie nemen om hem weg te spoelen. 'Mm,' zei hij. 'Heerlijk.'

'O, fijn. Een recept van mijn moeder. Ierse sodabroodscones. Neem er gerust nog een. Timothy vindt er niks aan.' Ze nam een nuffig hapje en slikte het probleemloos door.

'Ik hoef niet meer,' zei hij en hij nam nog een slok koffie.

'Maar een paar oude cliënten van je vader – nou ja, ik hield mijn mond maar, want het waren mijn zaken niet, maar voordat hij... begon in de Combat Zone, had hij nogal wat ik langharige Amerika-haters noem, je weet wel. Ik denk dat sommigen daarvan gevaarlijk konden zijn.'

'Vechtersbazen?' Hij nam opnieuw een grote slok koffie.

Ze kneep haar lippen op elkaar. 'Die studenten die de regering omver wilden werpen. Met hun lange haren en hun "alle macht aan het volk" en hun betogingen.' Ze balde haar vuist en stak hem op. 'Hoe minder er over die cliënten wordt gezegd, hoe beter het is. Je vader en ik waren het erover eens dat we het oneens waren.'

'Wat bedoel je, Joan? Was er onenigheid? Bedreigingen?'

'Wie weet, met zulke mensen.'

'Je weet niet of hij vijanden had? Nam hij je in vertrouwen over mensen van wie hij mogelijk bang was?'

'Ik zei al, je vader nam me niet vaak in vertrouwen. Hij had een heleboel geheimen, maar weinig mensen die hij in vertrouwen nam. Ik weet eerlijk gezegd niet of hij veel vrienden had.'

Dat was zo, dacht Rick. Zijn vader had zijn werk, zijn cliënten en daarna kwam hij thuis en ging naar zijn werkkamer. Hij had blijkbaar geen sociaal leven gehad.

'Ik denk niet dat hij veel vrienden had,' zei Rick. Hij kon er geen bedenken.

'Er was een rare vent in New Hampshire die af en toe belde.'

'New Hampshire?'

'Zo'n sjofele vent. Een korte naam? Kent of Jones? Je vader was een week of zo voor zijn infarct naar New Hampshire gereden. Ik denk om zijn vriend te bezoeken. Clark?'

'Clarke, ja!' zei Rick. 'Paul Clarke.'

'Clarke. Ik denk dat het een vriend was.'

Rick herinnerde zich opeens de reizen naar New Hampshire toen hij en Wendy kinderen waren, een bezoek aan een oude vriend van Lenny die esdoornsiroopboer was. Paul Clarke heette hij. Hij woonde in een oude boerderij met een schuur. Rick herinnerde zich dat hij had gespeeld met een Victrola-grammofoon met een schitterende hoorn die in de schuur stond, en 78-toerenplaten had gedraaid. Lenny en Paul verdwenen altijd naar Pauls werkkamer en praatten daar urenlang, terwijl Wendy en Rick en hun moeder het huis verkenden en in de schuur speelden of buiten in de sneeuw. Of ze gingen kijken in de suikerraffinaderij waar Paul siroop maakte. Of ze sleeden een steile heuvel af.

'Heb je toevallig zijn telefoonnummer?'

'Het zal wel in de oude Rolodex zitten. Ik zal eens naar beneden gaan om te kijken of ik het kan vinden. Neem intussen gerust nog een scone.'

'Ik ben nog met deze bezig. Ik probeer niet te schrokken.'

Terwijl zij naar het souterrain ging, keek Rick de keuken rond. Hij zag een ingelijst borduurwerkje aan de muur met in gele letters op een groene achtergrond ERIN GO BRAGH. Rondom de woorden stonden klaverblaadjes. Rick wist niet meer wat *Erin go Bragh* betekende, alleen dat het een verengelste Ierse uitdrukking was. Hij dacht aan de '666'-klavertjes op de pols van een van zijn ontvoerders.

Boston was in vele opzichten een Ierse stad. Er woonden meer Hispanics en Aziaten in Boston, procentsgewijs, maar de Ieren hadden Boston meer dan een eeuw gedomineerd. Ze waren rond het midden van de negentiende eeuw aangekomen om aan de hongersnood te ontsnappen en hadden een onderdrukte minderheid gevormd. De gevestigde inwoners hadden de Ierse immigranten aangenomen als bedienden en hun een slavenloon betaald. De Ieren deden alle klussen die niemand anders wilde doen, veegden de goten, deden de was, slachtten de varkens en zorgden voor de baby's. Ze konden geen ander werk krijgen. Op borden in etalages stond IEREN NIET WELKOM. Maar tegen het eind van de negentiende eeuw begonnen de Ieren zich te organiseren en werden ze gekozen voor politieke functies en honderd jaar lang waren de meeste burgemeesters van Boston Ieren geweest.

'Daar gaan we,' zei Joan toen ze terugkwam. 'Een 603-netnummer; dat is New Hampshire.' Ze had een grote Rolodex meegebracht waarop wel duizend kaarten zaten. De kaarten waren vergeeld. Ze zette hem op de keukentafel, geopend bij een kaart met 'CLARKE, Paul', getypt op een oude schrijfmachine. De *e*'s waren volgelopen. Op de kaart stonden een 603-telefoonnummer en een postbusnummer in Redding, New Hampshire.

'Mag ik deze meenemen?' vroeg Rick.

Joan aarzelde even, ging toen zitten en zei: 'Ik denk het wel.' Ze maakte de kaart los en gaf hem aan Rick.

'Bedankt,' zei hij. 'Ik wil je nog een naam voorleggen. Ik denk dat het de mysterieuze "P" is met wie mijn vader zou gaan lunchen op de dag van zijn infarct. Alex Pappas?'

Ze knipperde één keer met haar ogen. 'Alex Pappas. Natuurlijk.' Ze keek alsof ze verder niets wilde zeggen.

'Ken je hem?'

Ze haalde haar schouders op. 'Via je vader.'

Raar, dacht hij, dat ze de naam nooit had geopperd toen hij haar had gevraagd wie 'P' geweest kon zijn.

'Ik vraag me af of Pappas, of iemand die voor hem werkte, naar kantoor is gekomen. Hem misschien bedreigd heeft. Hem misschien heeft geslagen. Ik weet dat Lenny bang is van Pappas.'

Joan lachte schel, vreugdeloos. 'Báng van hem? Je weet niets, is het wel? Wie denk je dat al die jaren voor hem heeft gezorgd?'

'Wat bedoel je? Ik dacht dat het de ziektekostenverzekering was... nee?'

'De Donegall Charitable Trust,' zei ze. 'Die heeft alle onkosten betaald sinds zijn infarct.'

'Donegall Charitable... Wiens geld is dat?'

'Dat weet ik niet. Ik weet alleen dat Alex Pappas het heeft geregeld. Dus voordat je Alex Pappas beschuldigt van mishandeling van je vader, kun je dat in je zak steken.'

Donegall was waarschijnlijk een plaats in Ierland, dacht Rick. 'Ik snap het niet... Waarom regelde Pappas dat zijn verzorging werd betaald?' Daar had Pappas nooit iets over gezegd.

'Omdat Alex Pappas een loyale man is. Je vader heeft veel zaken gedaan met Pappas en Alex ontfermde zich over hem toen hij hulp nodig had.'

'De... geldbank, bedoel je. Contant geld verzamelen en smeergeld betalen en zo.'

Ze haalde haar schouders op. 'Ik neem aan dat ik contant geld op de bank stortte als het me gevraagd werd. Soms stopte ik contant geld in de kluis. Maar het ging me allemaal niet aan en ik stelde geen vragen,' zei ze bijna trots, uitdagend.

'Wat weet je over de Donegall Charitable Trust? Heb je een adres of de naam van een contactpersoon?' Rick herinnerde zich de nieuwe Audi op de oprit van Joan en vroeg zich af of de Donegall Charitable Trust ook voor haar zorgde.

'Het loopt allemaal via telegrafische overboekingen en zo, en ik hou me niet bezig met de details. Ze hebben altijd op tijd betaald en er zijn nooit problemen geweest.'

'Dus je hebt geen naam?'

'Je weet niet van ophouden, wel?'

'Ik geef het nooit op. Zo vader, zo zoon, nietwaar?'

'Dat dacht ik niet.'

'Nee?'

'Is het niet jouw werk om geheimen bloot te leggen?'

'Ja.'

'Nou, je vader wilde ze juist bewaren.'

40

Rick keerde terug naar de B&B op Kenmore Square, pakte zijn koffer in en schreef zich uit. Hij reed een paar honderd meter naar een DoubleTree in Soldiers Field Road en reserveerde een kamer. Nadat hij zich had ingeschreven ging hij online, zocht de Donegall Charitable Trust en vond niets.

Hij pakte de Rolodex-kaart die Joan hem had gegeven en zocht het telefoonnummer van Paul Clarke op onder netnummer 603. Was het nog steeds in gebruik? Hij dacht om de een of andere reden dat mensen in landelijke gebieden – en Paul Clarkes huis stond in een landelijk deel van New Hampshire, dat stond vast – minder vaak verhuisden dan die in grote steden.

Hij dacht aan Clarke. Hij herinnerde zich een lange man in een verbleekte blauwe spijkerbroek en een jekker, een man met zilvergrijze haren en donkere wenkbrauwen. Hij herinnerde zich dat hij hem aardig had gevonden. Hij herinnerde zich de eeuwig vermaakte blik op Clarkes gezicht, alsof met je praten net zoiets was als kijken naar een lichtelijk amusante tv-serie. Clarke leek op de een of andere manier te elegant om een esdoornsiroopboer te zijn. Hij leek niet op zijn plaats in de oude boerderij.

Rick had geen idee hoe oud Clarke was, alleen dat hij van ongeveer dezelfde leeftijd was als Len. Voor een kind lijken vijfendertig en vijftig één pot nat. Zou hij nog leven? Als hij ongeveer even oud was als Lenny, zou hij ergens rond de zeventig zijn. Hij kon best nog in leven zijn.

Als Lenny in de week voor zijn infarct naar New Hampshire was gereden om Paul Clarke te bezoeken, had hij hem misschien in vertrouwen genomen over wat hem bang maakte. Misschien wist Clarke iets nuttigs.

Rick haalde diep adem en belde het nummer.

Het ging niet eens over. Hij kreeg meteen een antwoordapparaat, een vrouwenstem: *'U hebt een nummer gebeld dat niet meer in gebruik is. Controleer het nummer en probeer het nogmaals.'*

Dus misschien was de man dood. Hij pakte zijn laptop en googelde Paul Clarke, op zoek naar een overlijdensbericht. Hij vond niets. Hij probeerde ZabaSearch, typte 'Paul Clarke' in en specificeerde New Hampshire in het menu. Dat leverde één treffer op.

1 Treffer voor Paul Clarke
Paul Wayne Clarke, Redding, NH

Dat wees erop dat Paul Clarke waarschijnlijk nog in leven was. De woonplaats klopte. Hij belde de informatiedienst in New Hampshire. Een robotstem zei: *'Noem de naam of voer een bedrijf in.'* Toen hij de naam van Clarke zei, zei de robot: *'Ik verbind u door met een medewerker.'*

Enkele seconden later kreeg hij een medewerkster aan de lijn. 'Ja, New Hampshire, waarmee kan ik u van dienst zijn?'

'Kunt u me het nummer van Paul Clarke in Redding geven?'

De medewerkster rammelde op haar toetsenbord. 'Ik vind een Paul Clarke, maar het nummer is niet opgenomen.'

'Maar er ís een nummer?'

'Niet opgenomen, meneer.'

Hij hing op. Toen belde hij het mobiele nummer van zijn zus. Ze nam meteen op. Ze was op een lawaaierige plek, waarschijnlijk achter in het veganistische restaurant van haar partner. 'Herinner je je Paul Clarke?'

'Wie?'

'Clarke, Paul Clarke.'

'Is dat niet een vriend van pa die ergens in de rimboe woont?'

'Die bedoel ik!'

'De esdoornsiroopman. Schepte die geen sneeuw van de grond waar hij siroop op deed, die we dan moesten opeten?'

'We moesten niets. We konden er niet genoeg van krijgen.'

'Esdoornsiroop op sneeuw. Dat klinkt verschrikkelijk smerig, dus waarom waren we er dol op?'

'We waren kinderen.'

'Hij en pa zonderden zich af en voerden diepzinnige gesprekken en wij mochten ze niet storen, toch? En hij had een potloodtruc die we maar niet snapten?'

'O ja. Maar hij heeft het me uiteindelijk geleerd. Hoe dan ook, ik probeer hem te bereiken.'

'Waarvoor?'

'Dat vertel ik je nog weleens. Binnenkort. Maar voor nu vraag ik me af of je weet waar pa zijn telefoonnummer kan hebben bewaard.'

'Heb je het Joan gevraagd?'

'Het nummer dat zij heeft is buiten gebruik.'

'Waarschijnlijk ergens in zijn werkkamer.'

'Die nu leeg is. De stuclaag wordt bijgewerkt en opnieuw geverfd.'

'Ik heb geen idee.' En met bedroefde stem: 'Je zult het pa niet kunnen vragen.'

'Niet bepaald. Hoewel hij vooruitgaat.' Hij vertelde haar over de transcraniële magnetische stimulatie en dat het leek te werken. Hij zei niets over Lenny's 'Ik wil dood'-boodschap.

'Wat? Dat meen je niet! Geweldig. Denken ze dat hij ooit weer kan praten?'

'Ze weten het niet. Het is allemaal nogal experimenteel en het is nog vroeg dag. Verwacht er niet te veel van.'

Enkele minuten later hing hij op en besloot naar New Hampshire te rijden.

41

Hij nam voorzorgsmaatregelen.

Het was bijna een tweede natuur voor hem geworden. Hij had de Zipcar ingeruild – nadat hij de GPS-tracker uit de wielbak linksachter had verwijderd en op een andere auto had geplakt – voor een Suburban van Avis. Als hij weer in Boston was zou hij uitchecken bij het DoubleTree en een andere plek zoeken, misschien in een van de dorpen rondom Boston, Newton bijvoorbeeld.

Maar hij moest in beweging blijven, makkelijke gewoonten en routines vermijden tot...

Tot hij wist wie hem achterna zat en waarom.

Hij greep de lange rit over de 93 North naar New Hampshire aan om eindelijk eens na te denken. De rit was monotoon en saai, zijn gedachten dwaalden af en hij begon onwillekeurig te dagdromen.

Hij dacht aan wat Joan Breslin had onthuld, dat Pappas al die jaren voor Lenny had gezorgd. Waarom in hemelsnaam? Zeker niet uit de goedheid van Pappas' hart.

En hij vroeg zich af wat Joan verborg. Ze had Pappas' naam nooit genoemd toen Rick had gevraagd wie 'P' kon zijn. Het kon geen vergissing zijn geweest. Ze hield iets achter, dat was zeker. Hij vroeg zich af of ze, net als Lenny, bang was van Pappas.

Zulke betalingen konden bedoeld zijn om zwijgen te kopen. Misschien was het hare gekocht. Waarom zouden ze Lenny dan afkopen, die toch niet kon praten?

Nadat hij zo'n anderhalf uur had gereden trok de snelweg een spoor door het White Mountain National Forest, dichtbegroeid met sparren, Amerikaanse eiken en kaneelvarens. Het deed hem denken aan het bos op het terrein van Paul

Clarke, dat minstens tien tot vijftien hectaren groot moest zijn geweest. Toen ze er jaren geleden in een weekend in de winter op bezoek waren geweest, zaten er tuitjes in de stammen van de suikeresdoorns, waaruit helder sap in zinken emmers sijpelde. Meneer Clarke, lang, zilvergrijs en gedistingeerd, had hun laten zien hoe de volle emmers sap werden verzameld.

Rick herinnerde zich dat hij in de suikerraffinaderij was geweest waar het sap werd ingekookt in een gigantisch destilleervat boven een bulderend vuur, de sensatie en het aroma van getroffen worden door de muur van stoom, bezwangerd van de zoete geur van esdoornsiroop. Je had veertig liter sap nodig, had Clarke gezegd, om één liter esdoornsiroop te maken.

Paul Clarke had er merkwaardig hip en knap uitgezien voor een vriend van zijn pa. Hij zag er in zijn jekker meer uit als een senator die zich opnieuw verkiesbaar heeft gesteld dan als een boer. Ze hadden uitgegeten in het enige pizzarestaurant in het dorp. Tijdens de maaltijd liet meneer Clarke Rick een kunstje met een potlood zien. Hij begon met gevouwen handen, alsof hij bad, met een potlood onder zijn beide duimen geklemd. Dan draaide hij zijn hand op de een of andere manier om en opeens wezen de duimen omlaag en zat het potlood onder zijn handen. Het zag er heel simpel uit, maar het was ondoenlijk. Wendy en Rick hadden het herhaaldelijk geprobeerd. Ze vroegen hem het langzaam te doen, maar hoe vaak hij het ook deed, ze konden het niet nadoen. Ze bleven hem uiteraard aan zijn hoofd zeuren over hoe hij het deed.

'Wat is de truc?' had Rick gevraagd.

'Het is geen truc,' had meneer Clarke met een stalen gezicht geantwoord. Het leek een truc, maar het was helemaal geen truc. Het had alles met techniek te maken. Niets in de mouwen, niets in de zakken. Je zag wat je kreeg. Geen truc.

Hij herinnerde zich dat zijn vader en meneer Clarke zich voor lange gesprekken terugtrokken in de van boeken vergeven werkkamer van meneer Clarke. Rick, Wendy en hun moeder werden achtergelaten om te lezen of in het bos te wandelen. Rick, al op achtjarige leeftijd een onderzoeksjournalist in de dop, werd nieuwsgierig en luisterde aan de deur van de werkkamer, maar de zachte stemmen waren onverstaanbaar. De volgende ochtend stond hij vroeg op en hij trof meneer Clarke in de suikerschuur, druk in de weer met de emmers sap. Aan het ontbijt kreeg hij meneer Clarke ten slotte zo ver dat hij hem de potloodtruc leerde en hij rende door het huis en jubelde tegen zijn jongere zus: 'Ik ken de truc! Ik ken de truc!'

Maar hij had er nog steeds geen idee van wie meneer Clarke was, de man die een van de beste vrienden van zijn vader was. Met de kenmerkende onachtzaamheid van kinderen liet het Rick en zijn zus koud waar papa en meneer Clarke elkaar van kenden. Klasgenoten? Collega's? Was hij een oude cliënt? Wat precies? Ze hadden geen idee en vroegen er niet naar. Om de een of andere reden had Lenny contact gehouden met Paul Clarke en was in de week voor zijn infarct bij hem op bezoek geweest. Rick vroeg zich af waarom.

Toen Interstate 93 het White Mountain National Forest verliet, reed hij langs Franconia, sloeg af bij Littleton en nam de 116 in noordoostelijke richting langs de kronkelende Ammonoosuc River tot hij aankwam in Redding, New Hampshire.

Het enige wat hij wist was dat Paul Clarke in Redding woonde. Hij wist niet waar. Hij had alleen maar een postbusnummer. Maar toen hij door het dorp reed begon hij dingen te herkennen. Ze hadden Clarke een paar keer bezocht, lang geleden, maar vaak genoeg om zich het dorp te herinneren, op een schetsmatige manier.

Hij passeerde een boekhandel die er bekend uitzag; ernaast was een warenhuis. Hij herinnerde zich dat zijn vader en moeder schijnbaar urenlang in de boekhandel hadden rondgesnuffeld terwijl hij en Wendy naar het warenhuis waren gegaan en snoep en stripboeken hadden gekocht. Toen kwam de rij winkelgevels, de kunstgalerie, een kinderkledingwinkel, een stoffenzaak, een koffieshop, een zaak die internet en grafisch-ontwerpservices aanbood.

Hij ging de koffieshop binnen, Town Grounds genaamd, bestelde een kop Sumatra – dure ambachtelijke koffie, zelfs op het platteland van New Hampshire! – en vroeg de jonge vrouw achter de bar of ze wist waar Paul Clarke woonde. Ze glimlachte verontschuldigend en zei dat ze geen idee had. Toen hij de koffieshop verliet zag hij, aan de overkant van de straat, Town Pizza. Het was zo te zien dezelfde zaak als waar ze weleens gingen eten als ze op bezoek waren bij Clarke, die vrijgezel was en zelden kookte.

Hij stak de straat over en ging de pizzazaak binnen. Een kale man van middelbare leeftijd achter de bar schoof met een lange spaan een pizza in een oven. Hij zag eruit alsof hij de eigenaar kon zijn.

'Kent u Paul Clarke?'

'Paul? Natuurlijk.'

'Weet u waar hij woont? Ik ben een vriend van vroeger.'

'Ik denk dat ik het vrij precies weet,' zei de man en hij tekende een kaart op een papieren placemat.

Rick stapte weer in de Suburban, reed langs een kerk met een witte spits, een klein dorpshuis en een pompstation met merkloze benzine. Daar sloeg hij links af en reed zo'n anderhalve kilometer rechtdoor tot de T-splitsing bij Chiswick Road. Hij sloeg rechts af en reed over een door bomen omzoomde weg met om de paar honderd meter een bescheiden, wat naar achter gelegen houten huis. Hij bereikte een grote, ongeverfde brievenbus met daarop in grote plakletters CLARKE.

De bus stond bij de ingang van een smalle, onverharde weg die in een dicht coniferenbos verdween. Maar er waren ook volop esdoorns, wist hij. Hij zag de sporen van brede banden in het zand die er tamelijk vers uitzagen.

Hij aarzelde slechts even en reed toen de eigen weg in, die zich een paar honderd meter tussen de bomen door slingerde en toen overging in een grindpad langs een kaal gazon en een grote, witte boerderij. Het grind spatte op onder de brede banden van de Suburban. Twee veelgebruikte voertuigen stonden naast elkaar, een Ford F-150-truck en een Subaru Outback.

Als er in de jaren sinds het laatste bezoek van het gezin niets was veranderd, woonde Clarke hier alleen. De kans was dus groot dat hij thuis was.

Hij parkeerde en stapte uit.

Plotseling hoorde hij een schot en nog geen meter verderop explodeerde een boomstam. Hij dook geschrokken in elkaar. 'Wel verdomme!' zei hij hardop toen hij zich in een flits realiseerde dat de kogel hem bijna had geraakt.

Hij kwam langzaam overeind en stak zijn handen in de lucht. 'Ik kom voor Paul Clarke!' riep hij.

Er stond een man voor het huis, met een jachtgeweer op hem gericht. 'Wie ben je, verdomme?'

'Ik ben Rick Hoffman, de zoon van Lenny.'

'O, jezus.' De man liet het geweer zakken. Hij kwam op Rick af. Hij droeg een wollen overhemd met groene en zwarte ruiten. 'We hebben een serieus indringersprobleem. Verderop woont een stel junks en ze hebben net zo'n zwarte Suburban als jij. Je kunt niet voorzichtig genoeg zijn. Het nadeel van in de rimboe wonen is dat niemand je kan horen roepen.'

42

Rick deed een paar stappen naar voren en gaf de oude man een hand.

'Rick Hoffman. Ik weet dat ik eerst had moeten bellen, maar ik kon je telefoonnummer niet vinden.'

'Paul Clarke,' zei de oude man. 'Het is jaren geleden, is het niet? Hoe is het met je vader? Is hij...?'

'Hij maakt het goed,' zei Rick. 'Je weet toch dat hij een infarct heeft gehad?'

Clarke knikte. 'Ik kan hem niet bezoeken. Ik weet niet of je vader het ooit heeft uitgelegd.'

Rick schudde zijn hoofd. 'Ik heb een paar vragen voor je, als je het niet erg vindt.'

'Kom binnen.'

Clarkes huis had een lage zoldering en zag er heel oud uit, met kleine ramen en brede vloerdelen. Het was een donkere doolhof die overal naar houtrook geurde. Clarke ging hem voor door enkele schaars gemeubileerde vertrekken naar een kamer met een grote open haard en enkele niet bij elkaar passende banken en stoelen, waar Clarke zo te zien het grootste deel van zijn tijd doorbracht. Rick herinnerde zich de kamer, het knetterende houtvuur, de comfortabele banken waarop ze zich hadden opgerold om te lezen terwijl Clarke en zijn vader praatten in Clarkes werkkamer.

'Kom je uit Boston?' vroeg Clarke terwijl hij voor de open

haard knielde en een oude krant opfrommelde.

'Ja. Ik kon je niet bereiken. Pa kan niet praten, zoals je misschien hebt gehoord...'

Clarke draaide zich om en knikte. 'Afschuwelijk.'

'En het telefoonnummer van twintig jaar geleden dat hij had was buiten gebruik.'

'Ik snap het. Ik ben niet makkelijk te vinden en dat is geen toeval.'

Clarke doelde kennelijk ergens op, maar Rick drong niet aan. Een paar minuten later had Clarke de krant aangestoken en had het aanmaakhout vlamgevat, en het duurde niet lang of er bulderde een vuur.

'Wat kan ik je inschenken?' zei Clarke. 'Koffie? Thee? Scotch?'

'Scotch graag.' Hij wilde Clarke tipsy en spraakzaam maken.

Clarke knikte en verliet de kamer en Rick hoorde het geluid van stromend water uit de aangrenzende keuken. Clarke kwam terug met twee pas omgewassen glazen scotch met ijs. Hij gaf er een aan Rick. 'Ik had het moeten vragen, je hebt hem liever puur?'

'Dit is prima, bedankt.' Het was kort na de middag. Hij zou die namiddag terug moeten rijden en dat betekende nu een bezoek aan de Town Grounds voor een paar doses cafeïne om hem door de rit naar huis heen te helpen. 'Ik heb goede herinneringen aan bezoeken hier als pa ons meenam. Maak je nog steeds esdoornsiroop?'

'Nou en of. Nog altijd suikermaker. Ik heb de oude suikerschuur nog steeds. Een beetje geavanceerder dan toen jullie als kind hier kwamen – leidingen en omgekeerde osmose en zo. Ik heb hier maar zo'n vijfentwintig hectaren, dus ik ben een kleinschalige producent. Maar het betaalt de rekeningen, die niet hoog zijn.'

Rick zat op het uiteinde van een bank en Clarke in een gecapitonneerde fauteuil naast de bank. De bekleding van de stoel was kaal en plukken witte vulling staken uit gaten in de armleuningen. Clarke had zijn groengeruite overhemd uitgetrokken. Hij droeg een groene corduroy broek met brede ribbels en een vaalbruin flanellen hemd en zijn zilvergrijze haren leken onlangs geknipt.

'Mikte je op me?' vroeg Rick en hij nam een slok scotch.

'Als ik op je gemikt had, Rick, had ik je geraakt. Nee, ik mikte net boven je hoofd en een paar decimeter naar rechts. Rakelings genoeg om je de vreze Gods bij te brengen. En nogmaals, het spijt me. Ik was te impulsief.'

Rick glimlachte. 'Mijn schuld; ik kwam onaangekondigd binnenvallen. Maar ik moet met je praten. Jij was, denk ik, een van pa's beste vrienden. Misschien de beste. En ik weet dat hij je een week voor zijn infarct heeft bezocht.'

Clarke knikte. Joan had hem 'een van die sjofele lui' genoemd, maar hij had amper minder sjofel kunnen zijn. Hij had een plattelandsjonker in een Ralph Lauren-advertentie kunnen zijn.

'Zijn artsen denken nu dat hij geslagen is – mishandeld. Ze denken dat zijn infarct waarschijnlijk het gevolg is van een traumatisch hersenletsel.'

Clarke kromp ineen, boog zijn hoofd en sloeg zijn hand voor zijn ogen. 'O, jee. Het verbaast me niet. Het verbaast me alleen maar dat ze hem in leven hebben gelaten. Hij verwachtte dat hij zou worden vermoord.'

'Echt waar? Waarom?'

'Omdat je vader in gewetensnood was geraakt. Hij wilde kappen met het leven waarin hij verzeild was. Hij kon er niet mee doorgaan.'

Je hebt je niet aan de regels gehouden...

'Waarom niet?'

'Er zat hem iets ontzettend dwars. Iets wat hij moest doen.'

'Wat was dat?'

Clarke schudde langzaam zijn hoofd. 'Hij wilde me beschermen. Me onwetend houden. Hij dacht hoe minder ik wist, hoe veiliger ik zou zijn. Hij was een zorgzaam man, je vader. Hij wilde alleen zeggen dat er enkele mensen waren omgekomen en dat hij opdracht had gekregen iets over hun dood in de doofpot te stoppen.'

Rick dacht aan het meisje van het pianorecital en hij wist dat zijn vader even ontroerd was geweest als hijzelf. Lenny had opdracht gekregen de nabestaanden af te kopen. Het moest onderdeel zijn geweest van een doofpotaffaire.

'Waarom kwam hij hierheen? Wilde hij het met jou bespreken, was hij daarvoor gekomen?'

'Ik denk dat dat een rol speelde, ja. Maar ik denk dat het vooral was omdat hij mijn hulp nodig had.'

'Waarbij?'

'Hij wilde mijn hulp om hetzelfde te doen wat ik had gedaan, jaren geleden.' Clarke keek hem doordringend aan.

Rick schudde zijn hoofd. 'Om wat te doen?'

'Hij heeft je nooit... over mij verteld?'

'Over jou?'

'O, heer. Hij wilde verdwijnen. Net als ik.'

43

'Lenny had opdracht gekregen iets in de doofpot te stoppen en hij kon er niet mee doorgaan. Dus hij wist dat hij geen andere keus had dan eruit stappen, zijn leven te beëindigen en aan een nieuw te beginnen. Sorry, ik dacht dat hij het jou en je zus verteld had. Hij was het van plan. Misschien heeft hij er nooit kans toe gezien.'

'Hoe wilde hij zijn leven "beëindigen"? Wat betekent dat precies?'

'Hij was zijn bezittingen al aan het verzamelen – contant geld vergaren, genoeg om een nieuwe identiteit te kopen en een nieuw leven, en iets voor jullie achter te laten, voor jou en – hoe heette je zus ook alweer? Wendy?'

Rick knikte. Hij vroeg zich af hoeveel Clarke wist over het geld, en hoeveel het was. 'Maar waar haalde hij dat geld vandaan?'

'Een van zijn cliënten betaalde hem vorstelijk – degene van wie hij bang was geworden – en hij had altijd bescheiden geleefd. Bovendien denk ik eerlijk gezegd dat hij wat van het geld achterhield dat hij voor zijn cliënt had verzameld. Het morele aspect zat hem niet dwars, moet ik zeggen. Hij noemde het "stelen van dieven".'

'Hoe kon hij verdwijnen?'

'Net als ik. Je weet toch dat Clarke niet mijn werkelijke naam is?'

'Nee.'

'Dus je weet niet... Je vader steunde me toen niemand anders dat deed.'

'Hoe steunde hij je?'

'Lenny was een held. Hij nam indertijd zaken aan die geen enkele advocaat wilde hebben. Zoals de mijne. Mijn werkelijke naam is Herbert Antholis. Je hebt de naam misschien gehoord...?'

Rick schudde zijn hoofd. 'Ik geloof het niet. Zou ik moeten weten wie je bent?'

Clarke – Antholis? – schudde zijn hoofd en lachte de scheve halve glimlach die Rick zich goed herinnerde. 'Die tijd is lang voorbij, denk ik, en maar goed ook. Ik was lid van de

Weather Underground. In de tijd voordat het een meteorologische website was. We waren radicale studenten. We hadden allemaal een exemplaar van Mao's *Rode Boekje* en we waren ervan overtuigd dat voorzitter Mao gelijk had, dat politieke macht uit de loop van een geweer komt.

Nou, we protesteerden tegen het Amerikaanse bombardement op Hanoi in 1972 – we wilden inbreken in een rekruteringscentrum van het leger midden in Boston en dossiers stelen. Maar ik stond onderaan in de pikorde en wat ik niet wist, wat ze me niet vertelden, was dat mijn kameraden in feite van plan waren er een zelfgemaakte bom tot ontploffing te brengen. Ik reed en ik moest wachten tot mijn kameraden terugkwamen en 'm dan smeren. Later ontdekte ik pas dat een sergeant van het leger, de man die de leiding had over het rekruteringscentrum, omkwam toen de bom afging. Een vader van vier kinderen. Dat hoorde absoluut niet bij het plan. Niemand had het me verteld. Maar nadat we waren gearresteerd en aangeklaagd, maakte het geen verschil meer dat ik onderaan in de pikorde stond. Een jury bevond me schuldig en de aanklager ging voor de maximale straf – levenslang. Ik bedoel, ik bestuurde een vluchtauto, dus ik wist dat ik medeplichtig was. Ik verdiende een of andere gevangenisstraf. Maar geen levenslang. Je vader nam mijn zaak aan en hij geloofde in me. Hij werkte zich te pletter, maar hij wist dat ik nooit een eerlijk proces zou krijgen. Ik zei tegen je vader: "Wat zijn mijn kansen?" en hij zei: "Eerlijk gezegd klein." Ik zei dat ik de benen zou moeten nemen, zou moeten onderduiken zoals een paar van mijn Weather Underground-kameraden hadden gedaan. Hij zei: "Weet je in wat voor positie dat me brengt?" Maar hij hielp me toch. Het was begin jaren zeventig veel makkelijker om te verdwijnen. Ik kreeg valse papieren, verhuisde naar het platteland van New Hampshire en begon een nieuw leven.

Niemand weet ervan, mijn buren noch mijn vrienden in het dorp. Ze kennen me alleen als suikermaker.'

'Ik had er geen idee van.'

'Voor je vader was het veel moeilijker om te verdwijnen in, wat was het, 1995? '96?'

''96.' Rick stond versteld van Antholi's verhaal. Dit was een Lenny Hoffman die hij niet herkende.

'Hij moest een vals adres hebben en ik denk dat hij bezig was met een rijbewijs op een andere naam. Maar het belangrijkste is dat je van contant geld moet leven. Wat verrassenderwijs niet zo heel moeilijk is.'

'Tegen wie vertelde hij het? Alleen jou? Of ook tegen Joan?'

'Joan, zijn secretaresse? Geen sprake van. Joan was altijd een probleem voor hem. Ik snap niet dat hij haar nooit heeft ontslagen.'

'Wat? Ze lijkt zo loyaal als maar kan.'

'Heeft hij je dat nooit verteld? Weet je nog dat er tijdens de busstakingen in Boston veel geweld werd gepleegd? Het gerechtshof had bevel gegeven dat zwarte kinderen per bus naar blanke scholen werden gebracht, en blanke kinderen naar zwarte scholen... Er was een zwarte tiener die ervan werd beschuldigd dat hij auto's met stenen had bekogeld. Lenny verdedigde hem pro Deo. Ik denk niet dat die jongen schuldig was. Nou, Joans oom was tijdens al die ongeregeldheden ernstig gewond geraakt – hij werd geraakt door een betonblok of zo bij een huisvestingsproject in Roxbury. Gegooid door een andere zwarte tiener. Ik denk dat Joan het hem nooit heeft vergeven dat hij die zwarte jongen verdedigde.'

'Maar ik snap het niet,' zei Rick. 'Ik dacht dat pa stripclubs en zo vertegenwoordigde. Al zijn cliënten kwamen uit de Combat Zone.'

'Zeker, zo eindigde het. Maar zo was het niet begonnen. Zo wilde Lenny niet zijn. Je vader zag zichzelf als een burgerrechtenadvocaat. Dat was iets waar hij zich intens om bekommerde. Ik bedoel, het was niet het soort pro Deo-werk waarvoor partners van grote advocatenkantoren bonuspunten krijgen. Dit was belangrijk voor hem. Zijn leven. Maar ja, hij had kinderen en hij wist dat hij een betrouwbare manier nodig had om aan de kost te komen.'

Rick verbaasde zich onwillekeurig over de oude Leonard Hoffman, de man die hij nooit had gekend. 'Dus wat veranderde er?' vroeg hij. 'Hoe kon zo iemand een man worden zoals, nou ja, mijn pa?' Maar hij wist al wat Antholis ging zeggen en hij was er bang voor.

'Kijk in de spiegel, Rick,' zei Antholis.

44

Tegen de tijd dat hij aankwam in zijn meest recente hotel, het DoubleTree Suites in Soldiers Field Road in Boston, was hij doodop. Het was donker en koud en hij had moeten opboksen tegen het spitsverkeer dat vanuit New Hampshire terugkeerde naar de stad. Toch was hij te opgefokt om te kunnen slapen. Hij schonk zichzelf een scotch in uit de minibar en probeerde even tv te kijken, maar niets hield zijn belangstelling vast.

Hij kon aan niets anders denken dan aan wat hij in New Hampshire had opgestoken van zijn vaders oude vriend. Hij was nog steeds verbijsterd.

Zijn vader had willen verdwijnen, een voortvluchtige willen worden, en alleen een infarct had zijn plan gedwarsboomd. Hij wilde uit het leven stappen dat hij door eigen toedoen had geleid, een leven vol bedrog, afkoopsommen en smeergeld – een leven dat gevaarlijk en weerzinwekkend was geworden.

De Lenny Hoffman die Herbert Antholis kende was een held, punt uit. Hij had verschoppelingen en uitschot verdedigd, hij had mensen verdedigd die niemand anders hadden om hen te verdedigen. Ja, hij had dingen aangenomen die hij verfoeide om een gezin te onderhouden. Hij had zichzelf verkocht. Maar uiteindelijk had hij het juiste gedaan, het dappere. Hij had geweigerd de oorzaak van een ongeluk waarbij een gezin om het leven was gekomen te verdoezelen.

Hij verbaasde zich over het bedrog van 'Paul Clarke', alias Herbert Antholis. Rick wilde zijn zus bellen om haar te vertellen wat hij had ontdekt over de mysterieuze man die hen kennis had laten maken met esdoornsiroop op sneeuw – ze zou even perplex staan – maar hij kon het nu niet riskeren.

Hij was moe, niet alleen door de lange dag, de drank en de lange rit, maar van moeten vluchten en zich verbergen. Hij was moe van zijn wanhopige, nomadische bestaan, van om de andere dag van hotel te moeten verwisselen, altijd achterom te moeten kijken. Het fortuin dat hij had gevonden – of was het eigenlijk een wánfortuin? – had hem ondergedompeld in eenzelfde wereld vol gevaren als waarmee zijn vader te maken had gehad. Hij kwam in de verleiding om het op te geven, de handdoek in de ring te gooien, te stoppen met vluchten. Maar wat zou dat precies tot gevolg hebben? Was het zelfs maar mógelijk?

De mensen die achter hem aan zaten wisten blijkbaar van geen ophouden. Nu had hij in elk geval enig idee van het waarom. Als Herbert Antholis gelijk had, was een deel van die 3,4 miljoen achterovergedrukt – gestolen, om het simpel te zeggen – van Alex Pappas of wie diens cliënten ook mochten zijn.

Wie was Pappas' cliënt? De oplossing, datgene wat hem in veiligheid zou brengen, was misschien zo simpel als uitzoeken wie die cliënt was en het met hem op een akkoord te gooien, een deel van het geld terug te geven. Dat was een mogelijkheid. Uitzoeken wat ze wilden en het hun geven.

Maar er was nóg een mogelijkheid. Noem het de confrontatie-optie. Onderzoeken, achterhalen wie de cliënt of cliënten waren en hen confronteren met het bewijs voor hun misdaad, of hun aandeel in het verdoezelen van de ware oorzaak van het ongeluk waarbij de Cabrera's om het leven waren gekomen. Misschien zou dat hen uitroken, hen koest houden.

Misschien.

Hij opende zijn laptop. Het probleem was dat hij heel weinig wist. Hij had slechts enkele draadjes om aan te trekken. Om te beginnen het vleesverpakkingsbedrijf in het zuiden van Boston waar hij naartoe was gebracht om te worden gefolterd – en vast en zeker zou zijn gefolterd, verminkt of erger – als de mannen van de slooploeg hem niet waren gevolgd.

Wie was de eigenaar van dat bedrijf?

Op het bord op de voorgevel van de loods waar hij naartoe was gebracht had B&H VERPAKKINGEN, NEWMARKET SQ 36, gestaan.

Newmarket Square was een gebied waar veel groothandels waren gevestigd – vishandelaars, groente- en fruitverkopers en zo – vlak bij de Southeast Expressway en de Mass Turnpike. Hij googelde B&H Verpakkingen op Newmarket Square en kwam terecht op een kale, tijdelijke website. Een slogan – 'Kwaliteitsleveranciers aan de betere restaurants in Boston en omgeving' – en daaronder slechts één regel: 'Nieuwe website in ontwikkeling'. Enkele andere pogingen leverden weinig meer op. Het was een doorsnee vleesverpakkingsbedrijf, meer niet. Nergens een eigenaar te vinden, maar wie het ook was, hij moest rechtstreeks te maken hebben met de Ierse bende die hem twee keer ontvoerd had.

Het leek een doodlopende weg.

Maar hoe zat het met de Donegall Charitable Trust, die volgens Joan Breslin het verpleeghuis van zijn vader betaalde? Dat kostte, wist hij, meer dan 120.000 dollar per jaar. Niet goedkoop. Ook dat was een losse draad. Hij googelde de naam, zoals hij eerder had gedaan, maar Google antwoordde slechts met:

Geen resultaten gevonden voor 'Donegall Charitable Trust'

Hij wist dat liefdadigheidsinstellingen ingeschreven moesten staan bij de belastingdienst. Er moest informatie te vinden zijn. Maar tenzij Joan Breslin had gelogen over de naam – wat een mogelijkheid was – leek het niet te bestaan.

Een doodlopende weg.

Bleef over het grootste, vetste doelwit: wie had de Ted Williams Tunnel gebouwd? Dat was makkelijk. Google leverde een aantal ondernemingen op. De projectmanager was de gigantische bouwonderneming Bechtel/Parsons Brinckerhoff. Maar toen viel hem een naam op: Donegall Construction Company.

Dat was het verband. Donegall Construction.

Het duurde niet lang voordat hij constateerde dat Donegall Construction geen zaken meer deed.

Dus wat betekende dat?

Twee punten bepalen een lijn. Het maakt niet uit of beide punten onscherp zijn. Een bouwbedrijf dat geen zaken meer deed en een onvindbare liefdadigheidsinstelling. Als hij maar diep genoeg groef, zou hij het verband tussen die twee vinden. Hij vertrouwde op zijn vermogen om dat te doen.

Maar er was een makkelijkere manier. Een naam in de map met aantekeningen die Monica hem had gegeven.

De naam van de politieagent die het rapport over het ongeluk had ondertekend. Als er sprake was geweest van een doofpot, zou de politieagent die ter plekke was geweest weten hoe het zat. Hij had een naam – Walter Conklin – van iemand die twintig jaar geleden sergeant van de politie was geweest. Grote kans dat hij nog leefde. En met pensioen was.

Er woonde een handvol Walter Conklins in het land. In Massachusetts maar één. Maar die woonde in Marblehead, een welvarend stadje vol jachtclubs. Geen omgeving waar politieagenten woonden. Een zoekopdracht naar die Walter Conklin leverde enkele artikelen op over lokale onenigheid over een windmolen voor de kust van Marblehead. Er was een openbare hoorzitting geweest in het stadhuis van Marblehead, alleen staanplaatsen, waar inwoners lucht gaven aan hun mening over de plaatsing van een ruim 130 meter hoge windturbine bij Tinker's Island, binnen het gezichtsveld van Marblehead. 'Over mijn lijk,' had inwoner Walter Conklin gezegd.

Toen Rick Google Maps opende, ontdekte hij twee dingen. Conklins huis stond niet zomaar in Marblehead, maar op Marblehead Neck, een schiereiland met enkele van de grootste huizen van de stad. Zijn huis stond pal aan het water. Geen wonder dat hij zijn uitzicht niet wilde laten bederven door een gigantische windmolen. Rick ging naar Google Street View en vond een groot huis met een leien dak aan Ocean Avenue. Hij ging naar Zillow.com en zocht Conklins huis. Het was getaxeerd op 2,9 miljoen dollar.

Een gepensioneerde politieman uit Boston die in een huis

van bijna drie miljoen dollar op Marblehead Neck woonde?
Er was iets helemaal mis.
Hij keek op zijn horloge. Nog niet te laat om hem te bellen.
'Met Walter Conklin?'
'Met wie spreek ik?' antwoordde een barse stem.
'Met Rick Hoffman van het tijdschrift *Back Bay* in Boston. Ik ben bezig met een artikel over de windmolendiscussie in Marblehead. Het schijnt dat ze een gigantisch grote, foeilelijke windmolen in uw voortuin willen zetten. Ik vroeg me af of u bereid zou zijn daar even over te praten.'
'Verdomme, en óf ik erover wil praten. Als de selectiecommissie denkt...'
'Ik ben morgenmiddag in Marblehead en zou graag langskomen om uw visie aan te horen en u te interviewen.'
'Graag,' zei Conklin. 'Met alle plezier.'

45

Hij was bij het stadsarchief toen het openging, met een doos van een dure bakkerij op Harvard Square.
'Ik hoop dat het niet weer van de Tastee is,' zei Marie Gamache. 'Want dat zou onnodig wreed zijn.'
Hij gaf haar de doos. 'Verse rozijnen-pecanbroodjes en wortelmuffins. Alle twee glutenvrij.'
'Interessant,' zei ze. Ze opende de doos. 'Zonder meer veelbelovend. Je bent te lief voor me.'
'Alleen als ik onredelijk ben.' Hij had haar gisteravond gemaild en gevraagd om een afspraak vroeg in de ochtend. Maar dat was niet de lastige vraag. Hij had gevraagd of hij

het archief van de afdeling openbaar vervoer kon inzien, met name de reparatierapporten over een specifieke periode in 1996. Sinds 11 september waren die dossiers niet meer open voor het publiek. Maar met speciale toestemming kon het worden geregeld.

'Het stelt weinig voor,' zei Marie. Ze wees naar een stalen karretje met grijze archiefdozen. 'Als je de juiste mensen kent. Veel plezier.'

Rick had een theorie. Achttien jaar geleden was er een ongeluk gebeurd in de Ted Williams Tunnel. Een ernstig ongeluk, zo ernstig dat er drie mensen om het leven waren gekomen. De tunnel was volgens de krant minstens een deel van de daaropvolgende dag afgesloten geweest voor het verkeer. Standaardprocedure. De beschadigde auto zou er lang genoeg zijn gebleven om het reconstructieteam gelegenheid te geven om te achterhalen wat er gebeurd was. Pas daarna zou de auto zijn weggesleept en zou de tunnel weer geopend zijn voor het verkeer.

Beide rijbanen in westelijke richting een dag lang gesloten. Dat stond in het openbare verslag. Een enorme overlast voor automobilisten.

Maar Rick was ervan overtuigd dat er nog iets moest zijn. Er moest een rapport zijn van de werkzaamheden. Hij hoopte een document te vinden waaruit bleek dat er een olievlek was geweest of een probleem met het asfalt. Iets. Na twee uur zoeken in taaie dossiers voelden zijn ogen aan als schuurpapier. Hij wilde het juist opgeven toen iets zijn aandacht trok.

Het was een memorandum op briefpapier van Donegall Construction aan de afdeling openbaar vervoer. 'Vervanging gevallen NuArt-tl-armatuur' was het onderwerp.

Hij las het enkele keren. Er was een aan het plafond bevestigd tl-armatuur in de Ted Williams Tunnel naar beneden gekomen. Het was vervangen daags na het ongeluk waarbij de Cabrera's om het leven waren gekomen.

Een verlichtingsarmatuur?

Hij stelde zich een dunne glazen tl-buis voor die van het plafond viel en snapte niet wat dat te maken kon hebben met de oorzaak van het ongeluk. Hij zocht een computer op een van de werkstations die voor archiefgebruikers ter beschikking stonden en ging online. Hij ontdekte al snel dat de lamparmaturen in de Ted Williams veertig tot vijfenvijftig kilo wogen. Bevestigd met bouten en epoxylijm.

Veertig kilo viel. Waarop? Stel dat het op een auto viel? Hij stelde zich de gevolgen voor, de gebarsten voorruit. De verblinde bestuurder, de paniek.

De onbestuurbaar rondtollende auto.

Zo simpel was het. Nu begreep hij wat er gebeurd was, wat het ongeluk had veroorzaakt. Nu klopte het. Maar in de kranten had niets gestaan over een vallend lichtarmatuur. Dat was op de een of andere manier verdoezeld.

Hij had een aardig goed idee van hoe dat kon zijn gegaan.

Hij moest een paar aantekeningen maken. Hij zocht in zijn zakken. Het enige wat hij had was zijn portemonnee en, om de een of andere reden, Andrea Messina's visitekaartje. Hij glimlachte. Hij had aan haar gedacht en aan hoe afgrijselijk hun etentje was verlopen. Toen herinnerde hij zich dat hij een van zijn oude notitieblokken had meegenomen, lang en dun en met een spiraal aan de bovenkant, voor zijn interview met Conklin later in de ochtend. Hij wilde dat het op een echt interview zou lijken.

Hij opende het notitieblok en maakte aantekeningen. Nu wist hij precies wat hij de oud-agent moest vragen.

Hij reed langs Clayton Street en trof er Jeff aan, die met één hand aan het vegen was. Met zijn andere drukte hij zijn telefoon tegen zijn oor. 'Oké, prima,' zei hij. 'Ik snap het. Geen punt. Goed, tot later.'

Jeff klapte de telefoon dicht en die viel op de grond. 'Shit,' zei hij en hij bukte zich om hem op te rapen. Hij stak hem triomfantelijk op. Het was een oud model, een inklapbare Nokia. 'Krijgt een tik, maar blijft tikken.' Hij klapte hem een paar keer open en dicht. 'Een gouwe ouwe. Praat niet tegen je en zegt niet hoe laat de film begint, maar het scherm barst niet als je 'm laat vallen.'

'Inderdaad.'

'Wat is er, chef?'

'Heb je even?'

Jeff haalde zijn schouders op. 'Tuurlijk.'

'Je moet me ergens mee helpen. Ken je iemand die aan de Big Dig heeft gewerkt?'

'De Big Dig?' Hij grijnsde. 'Nou en of. Een heel stel.'

'Laat me je een verhaal vertellen.' Hij gaf Jeff de kortst mogelijke samenvatting van zijn onderzoek. Toen hij daarmee klaar was zei hij: 'Er moeten een stuk of tien mensen ter plekke zijn geweest om dat armatuur te vervangen. Onderaannemers. Elektriciens, verlichtings- en lijmspecialisten en zo.

'Boston is een kleine stad,' zei Jeff. 'Ik moet minstens iemand kennen die iemand kent. Ik heb een paar ideeën; laat me navraag doen, dan neem ik weer contact met je op.'

'Bedankt. En doe me een lol... zeg niet waarom je het vraagt, oké?'

Jeff zweeg even en zei toen voorzichtig: 'Ik zal mijn best doen.'

'Er zijn mensen die niet willen dat er vragen worden gesteld.'

46

Marblehead was een halfuur rijden van Boston, grotendeels over de 1A langs de kust. Het was een kleine stad die gewoonlijk 'charmant' werd genoemd, met een haven die tot de beste van de oostkust werd gerekend en de Kamer van Koophandel in staat stelde Marblehead 'de jachthoofdstad van Amerika' te noemen.

Niet het soort stadje waar gepensioneerde politieagenten naartoe trokken.

Rick was in grotere en grootsere huizen geweest dan Walter Conklins verblijf aan het water, maar het waren er niet veel. En geen ervan was eigendom van gepensioneerde politiemannen.

Toen hij ernaartoe reed werd hij verblind door het licht dat van het water weerkaatste, door de stralende witte verf, het smaragdgroene gazon. Het huis stond op een klif met uitzicht op de oceaan. Je moest vanuit bijna elk vertrek de zee kunnen zien. Hij parkeerde op de rondlopende oprit naast een champagnekleurige Mercedes sedan. Het was een heel eind lopen naar het huis. Het bood volstrekte privacy.

Walter Conklin zag eruit als een grootindustrieel in ruste, misschien een gepensioneerde admiraal. Zijn dichte, zilvergrijze haren waren zorgvuldig achterovergekamd. Hij droeg een wit poloshirt onder een zachtblauwe lamswollen trui, een lichtbruine broek en mocassins. Zijn verweerde gezicht getuigde van lange namiddagen zeilen vanaf zijn privéstrand. Zijn handdruk was nodeloos stevig.

'Makkelijk kunnen vinden?'

Maar zijn accent was puur, onversneden Zuid-Bostons.

'Heel makkelijk. Via de 1A. Prachtige ligging.'

'Bedankt.'

Een slanke vrouw in tenniskleren doemde op in de gang achter hem. Haar grijsblonde haren waren achterover gebonden met een limoengroene haarband. Ze leek minstens vijftien jaar jonger dan Conklin. 'Lunch om één uur in de club?' Ook zij had een Bostons arbeidersaccent, hoewel Rick het niet precies kon thuisbrengen. Ze kuste haar man op zijn wang, keek Rick oplettend aan en glipte door de voordeur.

Het interieur was smaakvol. 'Mijn vrouw heeft koffie gezet,' zei Conklin. 'Hoe drink je hem?'

'Niet voor mij.'

'Dan help ik mezelf.' Hij ging Rick voor naar een ruime keuken – granieten kookeiland, kersenhouten kasten, ingebouwde ovens – en schonk zichzelf een beker koffie in uit een Krups-apparaat op het kookeiland. Hij liep naar een bankje bij het raam naast een ronde, houten keukentafel en wenkte Rick naderbij. Hij nam een slok koffie en keek Rick over de rand van de beker aan. 'Dus hoe kijk je tegen die windmolen aan?'

'Ik ben eigenlijk meer geïnteresseerd in jouw kijk.' Hij pakte een van zijn oude notitieblokken en een pen en begon te noteren.

'Hebt je enig idee hoe groot dat ding is?' vroeg Conklin. 'Hoger dan het Vrijheidsbeeld. Hoger dan de Zakim Bridge. Ik bedoel, elk van de wieken is zo breed als een footballveld, weet je dat?'

'Je hebt hier een schitterend uitzicht op de Atlantische Oceaan. Wat vind je van wat een windmolen met je uitzicht zou doen?'

'Het uitzicht? Dat is lang niet alles. Die dingen maken een hels kabaal. Ik heb erover gelezen op een website. Ze verstoren je slaap en maken je prikkelbaar. Alsof er een straalmotor boven je hangt.'

'"Een straalmotor"... dat is een mooie.'

'Plus dat er stukken ijs af vallen als het vriest. En ze doden vogels.'

Rick knikte en deed alsof hij aantekeningen maakte terwijl hij bedacht hoe hij het tunnelongeluk ter sprake kon brengen.

'Ja, het is een afschuwelijk monster.' Conklin zweeg en glimlachte scheef. 'Maar ik heb het idee dat je niet echt over windmolens komt praten, is het wel, Rick?'

'Neem me niet kwalijk?'

'Ik ben niet bepaald een *Back Bay*-lezer, maar ze hebben nooit een artikel over de windmolen op Tinker's Island besteld. Niet hun ding. Als iemand zo'n windturbine in Boston Common zou willen zetten, misschien dat ze dan iets zouden doen.' Conklins ogen fonkelden. Hij nam een slok koffie.

Rick voelde een stoot adrenaline, een steek van angst. 'Ik ben van gedachten veranderd over koffie.'

'Ga je gang,' zei Conklin nonchalant. 'De bekers staan ginds. Koffieroom in de koelkast.'

Rick nam een aardewerken mok van een rek naast het koffieapparaat en schonk zichzelf een beker koffie in, en tegen de tijd dat hij een slok nam had hij een antwoord verzonnen. 'Ze hebben meestal geen idee waaraan ik werk tot ik het inlever.' Hij ging op een van de ongemakkelijke rechte stoelen rond de tafel zitten.

'Hm-hm. Ze zeggen ook dat je er niet meer in dienst bent.'

Alle pensioenjaren waren van hem afgevallen en Conklin was weer een politieagent die in een verhoorruimte met een verdachte praatte. Hij keek Rick met een dompteursblik aan.

'Betrapt,' zei Rick. 'Weet je, je hebt gelijk. Ik heb in feite een andere vraag aan je en sorry dat ik onder valse voorwendselen ben gekomen. Ik ben eigenlijk met iets veel interessanters bezig. Een artikel over een ongeluk achttien jaar geleden in de Ted Williams Tunnel waarbij een gezin omkwam.'

'Ik heb geen idee waar je het over hebt.'

'Je weet precies waar ik het over heb. Je reed toen patrouille. Je ondertekende het proces-verbaal.'

'Weet je hoeveel ellende ik over me heen heb gekregen in de twintig jaar dat ik bij de politie werkte? Hoelang was het geleden?'

'Achttien jaar.'

'Kom op.'

'Nou, ik heb een tamelijk goede theorie over wat er gebeurde. Jij kwam langs of je werd via de radio opgeroepen en je trof een gruwelijk ongeluk aan. Je zag een auto die zwaar gehavend was. Toen zag je wat er gebeurd was. Je zag dat er een lichtarmatuur van het plafond was gevallen en op de voorruit was gestort. En toen nam je een heel slim besluit.'

Conklin keek Rick niet meer aan. Hij leek leeggelopen, vijandig misschien, maar moeilijk te doorgronden.

'Omdat je een slimme vent bent,' ging Rick verder, 'realiseerde je je dat je iets heel waardevols had gevonden. Iets wat verdomd veel geld waard zou kunnen zijn voor het bedrijf dat de tunnel net had gebouwd. Je had waarschijnlijk zelfs vrienden die in dienst waren van Donegall Construction. Dus je wist wie je moest bellen. En het was een telefoontje dat je rijk maakte.'

Radertjes draaiden in het hoofd van de oud-politieagent. Misschien probeerde hij te bedenken of hij bijna twintig jaar stilzwijgen moest doorbreken.

'Je wist dat Donegall Construction niet wilde dat de oorzaak van het ongeluk bekend werd. Want dat zou ze verdomd slechte publiciteit hebben opgeleverd en wie weet misschien honderd miljoen dollar smartengeld. Je besefte dat dat lichtarmatuur ze heel veel geld waard zou zijn.' Rick zweeg even en glimlachte. 'Maar alleen als je het ergens verstopte. Ervoor zorgde dat het niet door andere agenten van de stads- of de staatspolitie, of door rechercheurs, werd gevonden. Dus verstopte je het ergens. In de kofferbak van je auto bijvoorbeeld.'

Conklin staarde nog steeds in de verte. Rick probeerde te peilen of zijn gissingen doel troffen, of hij op hoofdpunten gelijk had. Maar de man bleef ondoorgrondelijk.

'Ik vermoed dat je een heel goeie deal met ze hebt gesloten. Misschien zelfs miljoenen dollars. Want dat was het Donegall Construction wel waard. Afgezet tegen hoezeer ze de klos zouden zijn geweest als iemand achter dat gevallen lichtarmatuur zou komen, was het een habbekrats voor ze.'

'Het blokkeerde het verkeer,' zei Conklin ten slotte. 'Ik wilde het daar niet laten liggen.'

'Natuurlijk niet.' Rick had meer van zulke momenten meegemaakt, waarop een interview een abrupte wending neemt. De vijandig gestemde president-directeur die opeens besluit: verdomme, waarom zou ik het niet opbiechten? Maar nu ging het erom Conklin tot een bekentenis te verleiden.

Rick boog zich naar voren en zei vastberaden: 'Luister, het komt hoe dan ook uit. Je kunt alleen maar hopen dat het een versie van de gebeurtenissen is die...' *Gunstig voor je is*, dacht hij, maar hij zei: 'precies is zoals je het je herinnert. Dit gesprek kan volledig onder ons blijven, als je dat liever hebt. Niemand hoeft te weten dat we elkaar gesproken hebben. Ik wil alleen de waarheid weten. Dat is alles.'

Rick keek Conklin recht in de ogen en ditmaal beantwoordde de oud-agent zijn blik. Conklin perste zijn lippen op elkaar en keek alsof hij net iets smerigs had ingeslikt. Er viel een lange stilte.

'Maak verdomme dat je wegkomt,' zei hij.

47

Conklins toch al rode gezicht was paars geworden en zijn ogen glansden vochtig. Er lag iets in zijn blik dat aan haat grensde.

Rick wilde net iets zeggen, proberen de man over te halen met een mengeling van vleierij en dreigementen, toen Conklin een worstvinger onder Ricks neus heen en weer zwaaide en met blikkerende tanden zei: 'Flikker meteen op, verdomme, voordat ik je eruit mieter.'

Er viel niet meer met hem te praten. Trouwens, Rick had waarvoor hij was gekomen. Hij stond op en de keukenstoel kletterde achter hem op de vloer. Hij raapte hem op en schoof hem netjes tegen de tafel. Toen liep hij de keuken uit en door de gang naar de voordeur. Zijn voetstappen galmden luid in de stilte.

Met bonzend hart daalde hij de treden van de grijsgeverfde, om het hele huis heen lopende veranda af. De lucht was zilt en het zonlicht zo fel dat hij een paar keer met zijn ogen moest knipperen om ze te laten wennen. Toen hij al een heel eind van de lange oprijlaan achter zich had gelaten hoorde hij iets achter zich. Een schrapend geluid, als van een schoen op grind. Hij draaide zijn hoofd om en in een flits zag hij iets in zijn ooghoek, een persoon.

Toen kreeg hij een zo harde dreun tussen zijn schouderbladen dat hij languit op de grond viel. Hij hoorde een krakend geluid toen hij neerkwam en vroeg zich af of het een bot was. Na een kort moment van niets explodeerde er een supernova van pijn boven in zijn rug, met een kracht die hij nooit eerder had meegemaakt. Naalden van pijn schoten door zijn armen en zijn handen en straalden uit naar zijn onderrug. Zijn rechterwang had over het asfalt geschuurd, maar die pijn had niets te betekenen. Wel verdomme? Hij keek op en zag een man met een honkbalknuppel die zich over hem heen boog, een silhouet tegen het felle zonlicht.

'Laat het... verdomme... rusten,' zei de man. Het was de uitsmijter van Jugs en de man was duidelijk van plan hem te vermoorden.

Hij krabbelde overeind en de grond onder hem kantelde terwijl hij wankelend naar zijn auto strompelde. Hij probeerde te rennen, maar om de een of andere reden bewoog hij trager dan anders; misschien kwam het door de pijn in zijn rug en zijn schouders.

De uitsmijter bewoog de knuppel naar achter en haalde hard uit naar zijn gezicht.

Rick zag het aankomen, als in vertraagde beweging, en hij wist dat de knuppel zijn gezicht zou verminken zodra dat geraakt werd, zijn neus en zijn kaakbeen zou verbrijzelen en waarschijnlijk nog meer botten waarvan hij niet wist dat hij ze had. Een fractie van een seconde lang overwoog hij in foetushouding in elkaar te duiken om zich te beschermen. Maar op het laatste moment, toen de knuppel op hem af kwam, draaide hij zich om en stak zijn handen uit om te proberen de klap op te vangen en de knuppel uit de handen van de man te rukken, maar hij slaagde er slechts in de vingers van zijn linkerhand langs de knuppel te laten glijden, de snelheid af te remmen en misschien de baan net genoeg te veranderen, zodat hij aan zijn kaak werd geraakt. Zijn blikveld explodeerde in een stelsel van sterren. Zijn linkerarm viel verlamd langs zijn zij en hij gilde het uit van pijn. De botten in zijn linkerarm voelden aan alsof ze als glas waren verbrijzeld.

Hij proefde de metalige smaak van zijn eigen bloed. Een deel van zijn brein, de projectmanager die alles vanaf een koele afstand gadesloeg, vroeg zich af of de uitsmijter hem wilde doden of alleen maar hersenletsel wilde toebrengen. Misschien zou hij aan de zijkant van zijn hoofd worden geraakt en een infarct krijgen en dan zou hij eindigen zoals zijn vader.

'Hou op,' hijgde hij. 'Luister.'

Of misschien dacht hij alleen maar dat hij het hardop had gezegd. Zijn kaak leek gebroken en zijn mond functioneerde niet.

'Laat het... verdomme... rusten,' zei de uitsmijter opnieuw.

Hij probeerde zijn armen op te heffen om de volgende klap af te weren, maar hij kon zijn linkerhand niet optillen en ditmaal raakte de knuppel zijn romp en ramde zijn maag, zodat hij naar adem hapte en dubbelsloeg. Hij kreeg geen lucht. Hij hapte tevergeefs naar adem als een vis op het droge. Alles verliep in stilte en het enige wat hij hoorde was een hoog gillen, als het rondzingen van een microfoon. Hij zakte in een bal op de grond.

Maar de man was nog niet klaar.

De knuppel raakte hem nog één keer, tegen zijn rechterschouder en zijn rechteroor, en op de een of andere manier was die sterrenexplosie nog erger, een crescendo van pijn, en zijn gezichtsveld verduisterde en hij was buiten westen.

48

Hij kon zich niet bewegen.

'Stilliggen, meneer,' zei een stem.

'Nee... nee...' kreunde Rick.

Iemand deed iets met zijn linkerarm. Hij probeerde de arm terug te trekken, maar er kwam geen beweging in. Toen herinnerde hij zich vaag een honkbalknuppel die zijn hand raakte en hem nutteloos maakte.

Iemand anders stak iets scherps, een speld of een naald of zoiets, in zijn andere arm. Hij was zich ergens ervan bewust dat het pijn deed, maar hij was in een wereld van zoveel pijn dat het nauwelijks tot hem doordrong.

Een tweede stem, een vrouwenstem, zei: 'Zeg uw naam. Hoe heet u?'

'Rick Hoffman,' zei hij misschien, maar misschien dacht hij het alleen maar.

'Bloeddruk is honderd,' zei de eerste stem, een mannenstem, hoog en nasaal.

'Eruit.... eruit...' zei Rick. Hij zat in iets gevangen, realiseerde hij zich nu. Of op iets. Zijn hele lichaam was vastgevroren en hij vocht uit alle macht om los te komen.

'Grote naald weer,' zei de vrouw.

'Au!' kreunde Rick.

'Lukt het?' vroeg de man.

'Hij voelt het,' zei de vrouw. 'Ja, de naald zit goed in het bloedvat.'

'Ik hang er een liter vocht aan,' zei de man.

Rick zag gezichten beurtelings scherp en wazig, in en uit.
'Eromheen,' zei de vrouw. 'Bent u er nog, meneer?'

Rick kreunde opnieuw en probeerde te zeggen dat ze hem verdomme met rust moesten laten.

De gezichten waren nu verdwenen en hij zag blauwe lucht die begon te bewegen en hij zag schaduwen en een donkere vorm en hij wist niet waar hij was, ergens binnen nu, niet buiten, en alles was donker geworden en hij verloor het bewustzijn.

Nu stonden er enkele mensen over hem heen gebogen. Ze droegen gele papieren schorten. Een van hen zei met zachte, hese stem: 'Vertel op.'

Een bekende stem – een mannenstem, hoog en nasaal – zei: 'Dertig en nog iets, man, mishandeling. Geen getuigen, maar de man die het alarmnummer belde zei iets over "knuppels".'

Rick bewoog, werd gereden. Hij ging door glazen deuren die opengleden toen hij ze naderde. Een van de mensen in de gele papieren schorten die naast hem liep, zei: 'Meneer, hoe heet u, meneer?'

Rick noemde opnieuw zijn naam.

'Wat zei hij?'

'Is al de hele tijd zo.' De vrouwenstem van even geleden zei: 'GCS ongeveer 10, een bloeddruk van honderd en de pols is 120.'

Eindelijk begreep hij dat hij in een ziekenhuis was. Hij zag bedden met patiënten erin, verplegers in uniform die opzij stapten, toen een scherpe bocht en hij was in een grote ruimte, helder verlicht, hectisch en vol mensen.

'Op mijn tel.' De zachte, hese mannenstem. 'Een... twee... *drie...*'

Hij werd hoog opgetild en toen weer neergelegd.

'Geen medisch verleden,' zei de nasale stem. 'Hij zegt niet veel. Is er al een liter ingelopen?'

Nu was hij zich bewust van enkele mensen boven hem, mannen en vrouwen. Ze maakten hem duizelig. Hij liet zijn ogen dichtvallen. Nu was er alleen nog geroezemoes om hem heen, kabbelende, onduidelijke stemmen en alles was donker geworden.

Een mannenstem: 'Zit het infuus goed, is de infuusvloeistof ingelopen?'

Een vrouwenstem: 'Open uw ogen, meneer! Zeg hoe u heet.'

Rick opende gehoorzaam zijn ogen. Hij zei *Rick Hoffman*, maar wat naar buiten kwam klonk meer als *dikke hopman.*

Zijn mond deed het niet goed. Het deed pijn als hij probeerde te praten.

'Meneer, weet u nog wat er gebeurd is?' zei de vrouw.

Rick zag haar gezicht, keek haar in de ogen. Hij probeerde te knikken.

'Niet bewegen, meneer,' zei een man. 'Ik breng een tweede infuuslijn aan.'

'Oké,' zei de vrouwelijke arts, 'bescherm zijn luchtwegen voorlopig.' Ze had een stethoscoop in haar oren en zette het membraan op zijn borst. Intussen knipte iemand zijn overhemd open met een grote schaar. 'Goede ademhaling beide longen.' Haar stem was zacht en omfloerst.

Een nieuwe stem. Mannelijk. 'Op de monitor – bloeddruk 108 over 64, pols 118, saturatie 92 procent.'

'Goede perifere pulsaties overal,' zei een andere stem.

'Steek uw duim op,' zei de vrouw. 'Knijp me....'

Rick probeerde in de vinger te knijpen die ze in zijn linkerhand had gelegd, maar bewegen alleen was godvergeten pijnlijk.

'Hij voert geen opdrachten uit. Meneer, kunt u uw tenen bewegen?'

Rick bewoog gehoorzaam zijn tenen.

'Ik denk het niet,' zei iemand.

De vrouw zei: 'Oké, tweede liter ook ingelopen. CBC en traumateam.'

'Wil je wat fentanyl?' vroeg een man.

Er werd een apparaat naast zijn bed gereden. Hij voelde dat er iets kouds en glibberigs op zijn borst werd gespoten.

'Vijftig fentanyl om te beginnen,' zei de vrouw. 'Bent u er nog, meneer? Open uw mond. Wijd.'

Iets kouds en metaligs, hij veronderstelde dat het een sonde was, bewoog in kleine kringen op zijn borst.

Rick gehoorzaamde, of dacht het. Hij kreunde. Zijn kaak was ongelooflijk pijnlijk, maar alleen als hij zijn mond opende om te ademen of iets te zeggen. Zijn borst en maagstreek deden ontzettend zeer. Hij kreunde opnieuw.

'Geen pericardiaal vocht, goede cardiale functie,' zei iemand anders. Een jongeman. 'Veelvuldige schaafwonden en kneuzingen op de borstkas.'

'Ahh,' kreunde Rick. Hij hapte naar adem van pijn.

'Sorry,' zei de jongeman. 'Goede ontplooiing van de longen, geen pneumothorax.'

'Groot letsel aan de linkerslaap,' zei de vrouw met de omfloerste stem. 'Hechttang.'

'Geen bloed in subhepatische ruimte. Linker paracolische sulcus droog.' De jongeman.

De vrouw: 'Zet twintig etomidaat en 120 succs klaar voor het geval we hem moeten intuberen.'

De jongeman: 'Hij is erg ver weg; je moet hem meteen intuberen.'

De vrouw: 'Meneer! Zeg uw naam.'

Rick probeerde opnieuw zijn naam te zeggen, maar ditmaal klonk het als *Op me.*

De vrouw: 'Meneer, ik moet een buisje in uw keel steken om u te beschermen. Begrijpt u me? We moeten u even in slaap brengen.'

Ik wil geen buisje in mijn keel, probeerde Rick te zeggen. *Dat is nergens voor nodig.*

'FAST is negatief,' zei de jongeman. 'Bel de scanner en zeg dat er iemand geïntubeerd en met een hersenletsel onderweg is.' Er blonk iets – een mes of zo? De artsen en verplegers rondom het bed leken van plaats te verwisselen. Ergens vlakbij huilde een baby of een peuter.

'Reanimatieteam hier?' vroeg de vrouw.

'Ze zijn er,' zei iemand.

Er rende iemand met zware stappen voorbij. Hij hoorde een sissend geluid. Toen zette iemand een luid sissend masker op zijn gezicht.

'Saturatie stijgt naar zesennegentig.'

'Oké,' zei de jonge mannelijke arts. 'Eerst de etomidaat, daarna de succs toedienen.'

'Ik heb je canule,' zei de vrouwelijke arts met de omfloerste stem. 'Doe jij de wervel.'

'Oké.'

'Narcoticum zit erin.'

'Meneer!' zei de vrouwelijke arts. 'Meneer! U zult zich nu slaperig gaan voelen. Ontspan u, ga gewoon...'

49

Andrea Messina praat tegen hem. Ze ziet er tegen het zonlicht in nog adembenemender uit dan anders, als in een tv-spot voor shampoo. Maar hij begrijpt niet wat ze zegt. Hij vraagt haar het nog eens te zeggen, maar nu begrijpt *zíj* niet wat *híj* zegt. Hij kan zijn ogen niet openhouden en als hij ze weer opendoet is ze weg.

Het volgende waarvan Rick zich bewust werd was licht, verblindend licht. Hij vroeg zich af of hij dood en in de hemel was, maar hij voelde zich ook alsof hij door een vrachtwagen was aangereden – nee, alsof de vrachtwagen over hem heen was gereden en nog op zijn lichaam stond – en hij bedacht dat hij niet in de hemel en tegelijkertijd in een wereld vol pijn kon zijn.

Alles was licht en schitterend en hij realiseerde zich dat hij maar met één oog keek. Zijn linkeroog wilde niet opengaan.

Hij hoorde een gestaag piepen en nog een ander geluid, een vreemd geluid dat *woesj-klik, woesj-klik, woesj-klik* deed. Hij hoorde geroezemoes van luide stemmen alsof hij midden in een menigte was.

Hij hoestte en realiseerde zich dat er iets in zijn keel zat, iets groots, en nu begon hij te kokhalzen, te stikken, en hij probeerde in te ademen, maar het was alsof hij door een rietje ademde, hij kreeg amper lucht binnen en hij moest dat ding uit zijn keel zien te krijgen of hij zou stikken. Hij werd overvallen door paniek. Hij worstelde, probeerde overeind te komen, dat ding uit zijn keel te trekken en toen klonk er een luid gepiep en hij hoorde een vrouwenstem die zei: 'Hij is wakker, hij vecht tegen de tracheacanule.'

'De dokter is er,' zei een andere stem.

Hij kon zijn keel niet schrapen, bleef maar kokhalzen.

'Oké, rustig, rustig, u voelt de tube. U moet me laten zien dat u zelfstandig kunt ademen. Adem in en uit.'

Rick, nu volledig in paniek, vocht uit alle macht, wist één hand te bevrijden en bracht die naar wat het verdomme ook was wat er in zijn keel stak.

'Meneer Hoffman, ontspan u, u hebt een buisje in uw keel, voor de ademhaling, maar... meneer Hoffman, als u me begrijpt, steek dan uw duim op, oké?'

Rick stak zijn duim op, met de enige hand die leek te werken, en hij dacht: *Hier heb je verdomme je duim, haal dat ding uit mijn keel*, maar hij kon geen woord uitbrengen.

'Meneer Hoffman, adem diep in en uit.'

Rick probeerde in te ademen, maar hij kreeg nauwelijks lucht binnen.

'Oké, prima,' zei de vrouw. 'Nu wil ik dat u hoest. Of heel diep uitademt alsof u hoest. Diep hoesten. Ik wil dat u op drie hoest. Een, twee, drie... uitstekend.' Rick hoestte, al voelde het meer aan alsof hij kokhalsde, hij kuchte en hield toen zijn adem in – en even later haalde hij diep en heerlijk adem en het was alsof hij opsteeg van de bodem van een zwembad; hij slokte de lucht op en het was geweldig. En toen, bijna op hetzelfde moment, voelde hij een verschrikkelijke, stekende pijn in zijn borst.

'Mooi zo, goed gedaan. Nu spugen.'

Iemand hield een roze plastic kom onder zijn mond en hij spuugde klodders van het een of ander uit en het voelde geweldig.

'Meneer Hoffman, ik ben dokter Castillo. U bent geïntubeerd omdat we bang waren dat u uw luchtwegen niet zou kunnen beschermen. Herinnert u zich wat er gebeurd is?'

De dokter was wazig. Rick knipperde een paar keer en ze begon scherp te worden, maar hij zag haar alleen met zijn rechteroog.

'Hm,' zei hij.

'Uw vitale functies zijn in orde. Kunt u uw naam zeggen?'

'Hm... Rick Hoffman,' zei hij. Zijn stem was schor en zijn keel deed pijn.

'Prima. Goed, het lijkt erop dat iemand u zwaar heeft mishandeld. Weet u nog wat er gebeurd is?'

Rick keek de dokter slechts aan; ze had donkere haren, was knap en zag eruit als begin twintig. 'Hm,' zei hij. De kamer was wit en verblindend licht, en grotendeels wazig.

Hij herinnerde zich de honkbalknuppel en de man met de klavertatoeage die ermee naar hem uithaalde, herinnerde zich dat hij had geroepen dat hij moest stoppen. En de man stopte niet. Hij snapte niet hoe hij hier was gekomen, hoe hij in dit ziekenhuis terecht was gekomen, waar het ook was.

Maar waarom kon hij met maar één oog zien? Hij voelde aan zijn linkeroog, tilde het ooglid op, zag wazige vormen, en toen hij het losliet viel zijn oog weer dicht.

'Nou, u hebt er lelijk van langs gekregen,' zei de dokter.

'U hebt een linker laterale clavicale fractuur, een sleutelbeenbreuk. Plus enkele gebroken ribben aan uw linkerkant.. posterieure ribben drie, vier en vijf links. Op de CT-scan is te zien dat uw linkerkaakbeen is gebroken, en u heeft een zygomafractuur, een jukbeenfractuur.'

Hij ademde diep in en snakte opnieuw van de stekende pijn in zijn borst.

'Ja, u zult veel pijn hebben, bijna onafgebroken.' Ze lachte zacht. 'We hebben u pijnstillers toegediend, maar u zult zo te zien veel meer nodig hebben. U hebt een paar grote kneuzingen op uw rug, uw borst en boven uw linkernier. Er zat bloed in uw urine, wat we hematurie noemen, als gevolg van de gekneusde nier.'

Rick realiseerde zich opeens dat hij daar beneden een raar, onbekend gevoel had en hij voelde eraan.

'Tja,' zei de dokter, 'u hebt een slang daar, een urinekatheter, en we kunnen hem over een paar minuten verwijderen. Uw urine zal enige tijd roze zijn. O, en het lijkt erop dat u een borstbeenfractuur hebt – en de maagstreek is geraakt. Ik weet niet of u het wilt zien.' Ze gaf hem een spiegel met een wit plastic handvat. 'Misschien beter van niet.'

Hij pakte de spiegel aan. Hij wilde zien hoe ernstig het was.

Het was heel ernstig. Hij kende het gezicht in de spiegel nauwelijks terug. Eén kant van zijn gezicht zag er bijna normaal uit, hier en daar slechts een paar schrammen, maar de linkerkant van zijn gezicht was opgezwollen en misvormd en zo paars als een aubergine. Zijn linkeroog was gesloten en gezwollen. Hij zag eruit als een bokser na twaalf ronden, als een paars Pillsbury Doughboy-poppetje. Hij bracht zijn hand naar zijn gezicht en tilde zijn linkerooglid weer op, om na te gaan of zijn linkeroog functioneerde. Dat deed het. Hij bewoog zijn kaak op en neer en merkte tot zijn genoegen dat het lukte. Voorzichtig draaide hij zijn hoofd enkele keren naar links en naar rechts. Het deed pijn, maar ook dat functioneerde. Hij gaf de spiegel weer aan de dokter.

'Ziet er lelijk uit, nietwaar?' zei ze.

'Behoorlijk.'

'Maar ik zou zeggen dat u geluk hebt gehad.'

'Geluk.' Hij lachte sarcastisch en het deed pijn aan zijn hoofd.

'Ik heb het erger meegemaakt. U hebt een heleboel kneuzingen op uw borstkas en uw rug, maar afgezien van de gebroken ribben en het sleutelbeen bent u er goed van afgekomen. U had een hersenschudding, dus daar zullen we mee moeten oppassen. U zult er een week of wat opgezwollen uitzien – u zult een tijdlang wasberenogen hebben – en veel pijn hebben.'

'Wat voor pijnstillers krijg ik op dit moment?'

' Fentanyl en propofol via het infuus.'

'Het haalt niets uit. Het werkt niet.'

'We hebben de medicatie verlaagd om u wakker te krijgen.'

'Nou, oké, ademhalen doet pijn.'

'Dat zal nog wel even duren. Alles zal pijn doen. U zult zich voelen als een footballspeler daags na de wedstrijd. Maar we zullen u wat pijnstillers geven tegen pijnscheuten. O, en ga geen vuistgevechten aan. Een hersenschudding maakt u gevoeliger voor een nieuwe hersenschudding.'

'Oké. Tussen haakjes, waar ben ik? Mass General?'

'North Shore Regional Medical Center in Salem. Ik geloof dat het traumateam u in Marblehead heeft opgehaald.'

Hij knikte kreunend. Hij vroeg zich af wie het alarmnummer had gebeld. Conklin? De uitsmijter, toen hij klaar was met zijn honkbalknuppel?

'Wanneer mag ik weg?'

'Misschien later op de dag, als uw vriendin terugkomt.'

'Mijn vriendin.'

'Mevrouw... Messina, meen ik? Gezien uw toestand laat ik u liever niet gaan, alleen als er iemand is die voor u zorgt.'

'Andrea? Ik snap het niet.'

'Hoe dan ook, hebt u een huisarts, meneer Hoffman?'

'Huisarts... ja, ik geloof het wel.'

'Mooi. U zult voor een vervolgbehandeling naar uw huisarts of een traumakliniek moeten gaan. De hechtingen zullen er over een week uit moeten.'

'Hechtingen, zei u?'

'U hebt een lelijke wond aan uw schedel. En er zitten enkele hechtingen in uw linkerwang. Ze lossen vanzelf op, maar misschien wilt u ze toch laten weghalen.'

Iemand, een mannenstem, zei: 'Kan ik hem nu spreken, dokter?'

Rick zag een politieagent in uniform die de afgeschermde ruimte binnenkwam.

'Ik denk dat hij zich goed genoeg voelt om te praten, nietwaar, meneer Hoffman?'

'Praten met...'

'Meneer, eh, Hoffman,' zei de agent. 'Ik ben rechercheur Harrison. Kan ik u even spreken?' Hij was jong en dik, met zwarte haren, grijze ogen en wallen onder zijn ogen.

'Natuurlijk.'

'Goed, meneer Hoffman,' zei de dokter. 'Ik zal zien of we mevrouw Messina kunnen bereiken.' Ze schoof een gordijn open en verdween.

'Meneer Hoffman, wie heeft u mishandeld?'

'Ik... ik weet het niet.'

Hij dacht: *De uitsmijter van Jugs. Hoe heette hij ook alweer? Niet antwoorden.*

'Laat me, laat me even teruggaan. Kunt u zich iets van het incident herinneren?'

'Alleen dat ik werd afgetuigd met een honkbalknuppel. De rest is tamelijk vaag.'

'Maar u kent de persoon die u heeft mishandeld niet?'

'Nee, inderdaad niet.'

'Kunt u hem beschrijven?'

'Het enige wat ik zag was die honkbalknuppel.'

'Hebt u enig idee waaróm hij u zo heeft mishandeld?'

Rick probeerde nee te schudden, maar het deed te veel pijn. 'Nee.'

'Meneer Hoffman,' zei de agent wanhopig. 'Ik kan u niet helpen als u me niet vertelt wat u weet. Bent u om de een of andere reden bang van die persoon?'

'Kijk me eens goed aan,' zei Rick. 'Zou u dat niet zijn?'

'U moet enig idee hebben van de dader.'

'Nee.'

'Het kwam uit de lucht vallen. U liep over straat en iemand kwam met een honkbalknuppel op u af en tremde u in mekaar.'

Rick zweeg.

'Hier is mijn kaartje,' zei de rechercheur en hij gaf het aan Rick. 'Bel en vraag naar rechercheur Harrison als u zich bedenkt.'

Rick knikte en het deed pijn, maar minder dan nee schudden.

Waarom wilde hij het de politie niet vertellen? Hij had geen idee. Misschien omdat het zinloos leek. De politie zou er toch niets aan kunnen doen.

Een minuut later hoorde hij een vrouwenstem. Het gordijn werd opengeschoven en hij zag Andrea.

'Rick, je bent wakker! Wat is er verdorie gebeurd? Wie heeft je dit aangedaan?'

Hij keek haar met zijn ene geopende oog aan. Hij glimlachte, of probeerde te glimlachen. Ze droeg een smaragdgroene jurk. Haar glanzende bruine haren vielen golvend over haar schouders. Haar volle lippen, de lippen die altijd een beetje op elkaar geknepen leken, waren geopend. Haar bruine ogen, meestal sceptisch, waren groot.

'Ze zeiden dat je portemonnee verdwenen is. Ben je overvallen en heb je geprobeerd terug te vechten of zo?'

'Zoiets. Andi, waarom ben je hier?'

'Andi. Zo ben ik in pakweg twintig jaar niet genoemd.'

'Oude gewoonte. Sorry.'

'Nee, het geeft niks, het is alleen maar... iemand heeft je je portemonnee afgepakt en het enige wat erin zat was mijn kaartje en ze moeten hebben gedacht dat we vrienden zijn.'

'Sorry.'

'Niet doen...' Ze glimlachte spijtig. 'Je zult met mij mee naar huis moeten. Anders laten ze je niet gaan.'

'Geeft niks, ik red me wel.'

'Heb je jezelf gezien? Je ziet eruit als... Raging Bull of zo. Hoe dan ook, ik heb volop plaats.'

'Ik wil niet dat je dit doet, Andrea.'

'Voor zover ik kan zien heb je twee mogelijkheden. De komende week doorbrengen in het North Shore Regional Medical Center of met mij meegaan. Als je het niet erg vindt een huis te delen met een jongen van acht.'

Hij sloot zijn ene functionerende oog en opende het weer. 'Niet langer dan een dag of zo.'

'Ik zal zien wat ik kan doen om je te laten ontslaan.'

'Bedankt.'

'Onderweg naar huis kun je me alles vertellen.'

'Goed,' zei hij. De vraag was of hij haar ook maar iets zou kunnen vertellen.

50

Hij zat op de passagiersstoel van haar Volvo-stationcar. Hij kon zijn ogen amper openhouden. Hij wilde niets liever dan wegdrijven in een narcosewaas.

'Je vindt het hopelijk niet erg dat ik je zo snel uit het ziekenhuis heb gehaald,' zei Andrea. 'Ik moet weer naar kantoor.'

'Blij dat ik er weg ben. Ik deed geen oog dicht door al dat gepiep.'

'Ik heb vanmiddag een belangrijke vergadering met een stichting die ons een paar miljoen dollar wil schenken. Dus ik zal op mijn best moeten zijn.'

'Vandaar je chique jurk?'

'Precies.' Ze gaf richting aan en trapte het gaspedaal in om een langzame vrachtwagen te passeren. 'Rick, wat is er met je gebeurd?'

'Ik... ik ben beroofd.'

'Beroofd?'

'Ik beging de vergissing dat ik hem wilde tegenhouden.'

Er volgde een lange stilte. 'Je bent beroofd in Marblehead.' Het klonk niet overtuigd.

'Precies.'

Opnieuw een stilte. 'Oké. Ze pikten je portemonnee, maar niet je iPhone.'

'Je kunt andermans iPhone niet gebruiken als er een wachtwoord op zit.'

'Raar.' Ze keek in de achteruitkijkspiegel en toen weer naar de weg. 'Wil je langs je huis om wat spullen op te halen?'

'Mijn huis?'

'Kleren of wat dan ook.'

'O, juist. Nee, ik woon daar niet.'

'Ja, al dat stof... ik kan het je niet kwalijk nemen. Waar logeer je?'

Hij wist het even niet meer. Er waren zoveel hotels en B&B's geweest. 'O ja, het DoubleTree. In Soldiers Field Road. Maar ik red me voorlopig wel.'

'Red je je ook als ik je alleen maar afzet en een tijd wegblijf?'

'Ik heb mijn pijnstillers, ik ben overal op voorbereid.'

Een paar minuten later zei ze iets wat niet echt tot hem doordrong en het volgende wat hij wist was dat ze stopten voor haar huis in Fayerweather Street.

Enige tijd later – uren misschien, maar hij wist het niet zeker – werd hij wakker en zag een paar ogen die hem van dichtbij aankeken.

'Wauw,' zei iemand. Een kinderstem. Waarschijnlijk de eigenaar van de starende ogen.

Het was een jongen met haren als een ragebol en gekleed in een T-shirt van de Red Sox. Rick tilde zijn hoofd van het kussen en het deed pijn. Zijn hoofd bewegen deed pijn. Het was niet alleen de fysieke handeling van het bewegen van zijn hoofd, de spieren in zijn nek. Dat was al erg genoeg, maar er was ook nog een stekende hoofdpijn. Zijn ogen voelden aan alsof er van binnenuit naalden in werden gestoken.

'Heftig,' zei het kind. 'Je ziet eruit als Jabba the Hutt.'

'Wie ben jij?'

'Ik ben Evan.'

'Evan die zeven is?'

'Ik ben nu acht. Ik ben pas jarig geweest.'

'O ja, met al die Goldfish. Hoe was je feestje?'

'Leuk.'

'Leuke dingen gekregen?'

'Legosets.'

'Ja? Welke?'

'AT-AT Walker van *Star Wars*.'

'Cool. Waarom ben je niet op school?'

'Ik kom net thuis.'

'Waar is je mama?'

'Nog aan het werk. Meestal komt ze pas om zes uur thuis.'

'Laat ze je alleen van school naar huis lopen?'

'Oma brengt me thuis. Maar wat is er met jou gebeurd? Je lijkt wel een monster.'

'Bedankt. Ik had ruzie met iemand die een honkbalknuppel had.'

'Een honkballer?'

'Niet precies. Maar hij had best een goede zwaai.'

'Doet het pijn?'

'Ja.'

'Waar? Op je gezicht?'

'Bijna overal. Wat me eraan doet denken dat het waarschijnlijk tijd is om een van mijn gelukspillen te nemen. En ik moet naar de wc. Evan, is hier ergens een wc?'

'Ja.'

'Waar?'

Evan wees naar de deur.

'Oké.' Rick probeerde zijn knieën te buigen, zijn benen op te tillen, maar daar waren blijkbaar spieren in zijn onderrug voor nodig, die nog te stijf en te pijnlijk waren. Ze schoten waarschuwende dolken van pijn af.

'Kan ik helpen?' vroeg Evan.

'Het gaat wel.' Het lukte Rick uiteindelijk uit bed te komen door de chenille sprei open te slaan en zijn gestrekte benen rond te draaien. Hij had een ziekenhuispyjama aan, die ze hem in het ziekenhuis moeten hebben aangetrokken. De kleren die hij aanhad toen hij werd aangevallen, hadden ze in een plastic tas meegegeven. Ze waren opengeknipt.

Hij hinkte als een stokoude man over het tapijt, de gang in en naar het toilet. Daar ontdekte hij dat plassen pijn deed – ongetwijfeld als gevolg van de Foley-katheter – en dat zijn urine roze was. Ze hadden hem gewaarschuwd dat die roze kon zijn vanwege de gekneusde nieren. De uitsmijter van Jugs had Ricks linkernier een opdonder gegeven. Ze zeiden dat het roze zou verdwijnen.

Toen hij weer in de logeerkamer kwam, zat Evan op de grond op hem te wachten.

'Het doet vast heel veel pijn,' zei Evan.

'Ik kan in elk geval lopen,' zei Rick.

'Niet echt,' zei Evan. 'Niet echt goed.'

Rick glimlachte. 'Dat is zo.' Hij liet zich, kreunend en grommend, naast Evan op het tapijt zakken.

'Oma zei dat je een vriend van mama bent.'

'We hebben samen op school gezeten.' Hij stak zijn arm uit naar het nachtkastje en vond een potlood met de woorden GEOMETRY PARTNERS. 'Wil je een kunstje zien?'

'Jippie!'

Hij vouwde zijn handen alsof hij bad en schoof het potlood in de holte tussen zijn duimen. Zijn linkerhand functioneerde niet echt en straalde pijnkrampen uit. Maar het was net als fietsen: je verleerde het nooit. Zijn spiergeheugen compenseerde de pijn. Hij draaide zijn linkerhand rond en eindigde met zijn handen plat boven op het potlood en met verstrengelde duimen. Snel en mysterieus.

'Cool,' zei Evan met grote ogen. 'Laat mij eens proberen.'

Maar hij merkte dat het echt coole van de potloodtruc was dat het onmogelijk was als je het zelf probeerde.

'Wacht,' zei Evan terwijl hij ermee worstelde. 'Wacht.'

Rick keek goedmoedig en geduldig toe.

'Wacht,' zei Evan nogmaals, langzaam gefrustreerd rakend. 'Wacht. Ik kan het. *Arg!* Doe het nog eens!'

Rick pakte het potlood aan, sloeg zijn duimen eromheen, draaide zijn handen soepel om en eindigde met de rug van zijn handen naar boven gekeerd en het potlood eronder.

'Kun je het langzamer doen?'

'Natuurlijk.' Rick zwenkte en draaide langzaam.

Evan probeerde het een paar keer. 'Wat is de truc?'

'Er is geen truc.'

'Jawel. Kun je het me laten zien?'

'Natuurlijk.' Rick pakte het potlood. 'Begin met je duimen zo te kruisen, oké?'

'Oké.' Evan keek aandachtig toe, met halfopen mond, gehypnotiseerd.

Rick had er een minuut of vijf voor nodig om het hem te leren, ongeveer even lang als meneer Clarke, alias Antholis, indertijd nodig had gehad om het Rick te leren.

'Het lukt!' zei Evan opgewonden. 'Ik heb het door!'

'Je hebt het door.'

'Maar het is geen truc! Ik dacht dat het een truc was, maar het is geen truc!'

Rick lachte. 'Zal ik je eens iets zeggen, Evan. Je bent een stuk slimmer dan ik op jouw leeftijd. Je hebt het door. De truc is dat het geen truc is.'

'Hai, mannen.'

Rick keek op en zag Andrea in de deuropening staan, met een groot glas rode wijn in haar hand. Hij realiseerde zich dat ze er al een minuut of twee stond, alleen maar toekijkend.

'Hai, mama!' zei Evan en hij sprong overeind. 'Wil je een truc zien?'

51

'Ik zou je wel een glas wijn willen aanbieden,' zei Andrea even later, toen Evan weer naar zijn kamer was gegaan om zijn huiswerk te maken, 'maar ik denk dat het niet goed samengaat met je pijnstillers.'

'Waarschijnlijk niet.'

Ze ging op het bed zitten. 'En ik denk dat het ook niet in de smaak zou vallen. Het is niet bepaald een DRC.'

Hij keek haar aan en zag een vage glimlach. Het duurde even voordat hij zich de bijnaam van Domaine de la Romanée-Conti herinnerde. 'Waarom heb ik het gevoel dat je het me lastig maakt?'

Ze grinnikte. 'Ik weet het, niet eerlijk in jouw toestand.'

Ze stroomde evenzeer over van zelfvertrouwen als ze vroeger onzeker was geweest. Ze was volwassen geworden. Misschien dat de jaren die ze had doorgebracht in de hel die Goldman Sachs was haar hadden gehard. Maar dat nieuwe zelfvertrouwen had haar niet arrogant of onhebbelijk gemaakt; het had haar gepolijst, een glans gegeven, een levendigheid die ze eerder nooit had. In elk geval niet voor zover Rick het zich herinnerde.

'Ik verdien het.' Spotten met hun absurd slecht verlopen afspraakje leek vooruitgang. Hij probeerde overeind te komen. 'Kun je me een handje helpen?' Hij stak zijn linkerhand op, bedacht zich en stak zijn rechter uit. Ze trok en hij kwam kreunend overeind terwijl zijn gebroken sleutelbeen trilde van pijn. Hij ging naast haar op de rand van het bed zitten. 'Hoe ging het met de grote geldschieter?'

'Het had niet beter gekund. Ik denk dat ze behoorlijk over de brug zullen komen. Dan kunnen we een stel nieuwe docenten aannemen en iPads kopen voor alle kinderen... Hé, bedankt dat je zo lief was voor Evan.'

'Geen punt. Hij lijkt me een leuk joch.'

'Is ie ook. Echt. Heb je nog steeds zo'n pijn?'

'Ik voel me beter,' loog hij. Zelfs ademen deed zeer.

Het was een vergissing geweest dat hij met haar mee was gegaan, maar de pijnstillers hadden zijn oordeel vertroebeld, zijn wilskracht ondermijnd, hem veel meegaander gemaakt dan gewoonlijk. Hij had niet goed nagedacht. Als hij in Andrea's huis bleef, bracht hij haar en haar zoontje in gevaar.

En omdat hij net nog een paar oxycodontabletten had ingenomen ging alles wat trager.

'Goed. Luister. Je zei onderweg naar huis dat je beroofd was en geprobeerd had je je belager van het lijf te houden.'

'Ja.'

'Het probleem is dat ik het niet geloof. Je bent niet in Marblehead op straat overvallen. Sorry. Je had Central Square moeten zeggen. Dorchester, Roxbury misschien. Maar niet Marblehead.'

Hij wendde zijn blik af.

'Wat is er in werkelijkheid gebeurd?'

Hij aarzelde en vertelde het haar toen.

Hij had er bijna een kwartier voor nodig, af en toe onderbroken door een vraag van Andrea. Hij praatte langzaam als gevolg van de medicijnen. Toen hij klaar was had ze tranen in haar ogen en ze leek boos. Wat hij geen van beide verwacht had.

'Je denkt toch niet dat hij je probeerde te vermoorden?'

'Net zomin als ze mijn vader twintig jaar geleden probeerden te vermoorden.'

'Hoe bedoel je dat? Dat ze je wilden verminken?'

'Misschien wilden ze weten waar het geld is. En ik denk dat het ook als waarschuwing bedoeld was. Hij had me makkelijk kunnen vermoorden als hij dat had gewild.'

'Een waarschuwing.' Haar ogen schoten vuur. 'Waarvoor?'
'Om te stoppen met graven. Niet langer te proberen iets bloot te leggen wat ze geheim willen houden.'
'En wil je die waarschuwing ter harte nemen?'
Rick ademde diep uit en zweeg lang tijd. 'Ik weet het niet,' zei hij naar waarheid.
'Ken je iemand bij de politie?'
Hij knikte. 'Ik had goed contact met iemand van de FBI die daar nog steeds werkt. Maar ik heb niet genoeg om mee naar de FBI te gaan. Nog niet in elk geval.'
'Oké. Je zei dat degene die je mishandelde uitsmijter was bij die stripclub.'
'Klopt.'
'De eigenaar van die club – je denkt niet dat hij achter de aanval zat?'
'Nee. De uitsmijter en de mannen die me ontvoerden – de man met de klavertatoeage – horen allemaal bij dezelfde bende. Ik denk dat hij die mannen toegewezen krijgt als gorilla's.'
'Door wie?'
'Door wat hij "de gevestigde machten" noemt. Ik denk dat hij een ex-verslaafde is die doet wat hem gezegd wordt. Ik denk niet dat hij weet wie er aan de touwtjes trekt.'
'Dus wie trekt er wél aan de touwtjes? Wie zijn de gevestigde machten?'
'Degene die achter een failliet bouwbedrijf zit, Donegall. En degene die achter de Donegall Charitable Trust zit. Maar dat is een doodlopende weg. En reken maar dat ik gezocht heb. Ik was onderzoeksjournalist, weet je nog?'
'Hoezo doodlopend?'
'Donegall Construction bestaat niet meer. Is failliet gegaan.'
'Maar failliet betekent niet per definitie een doodlopende

weg. Weet je nog, ik werkte met problematische activa. Bij een faillissement komen hopen bedrijfsdossiers kijken. Er is een bewindvoerder en een curator...'

'Volgens wat ik op internet heb gevonden is de curator een lege vennootschap.'

'O. Raar. En die liefdadigheidsinstelling? Non-profitorganisaties moeten belastingformulieren invullen en zo.'

'Ik heb niets gevonden over de Donegall Charitable Trust.'

'Nou, daarmee kan ik je helpen. Ik leid een non-profitorganisatie. Ik weet hoe die dingen gaan. Wacht even.'

Een paar minuten later kwam ze terug met een Dell-laptop onder haar arm. Ze klapte hem open, streek een paar haarlokken van haar voorhoofd en stopte ze achter haar rechteroor. Hij begon weg te drijven en had steeds meer moeite om te begrijpen wat ze zei.

'Oké, er zijn een aantal websites voor non-profitorganisaties... een die GuideStar heet... en de Donegall Charitable... O, dit is raar.'

'Wat?'

Ze zei iets over 'formulier 990' en 'de fiscus', en toen verdween hij weer in een zwarte mist van uitputting en verdovende middelen.

'Rick?' zei ze.

'Hier ben ik.'

'Het staat ingeschreven in Reno, Nevada. Het adres is van een advocatenkantoor dat ik ken. Het wordt gebruikt voor miljoenen bedrijfsadressen, ondernemingen met beperkte aansprakelijkheid die de eigendom willen verdoezelen. Het is in wezen een postbus. Een lege bv.'

Hij begreep niet waar ze naartoe wilde. Een gedachte schemerde en verdween, zoals zo'n transparante vis die je alleen kunt zien als het licht erop valt.

Ze zei: 'Ik heb nog nooit gehoord van een non-profitinstelling die zichzelf zo onvindbaar maakt. Iemand heeft iets te verbergen en ze gaan grondig te werk. Hoe zit het met die Alex Pappas?'

'Pappas?' zei hij met zware tong en hij probeerde zich te concentreren.

'Hij weet wie de leiding heeft.'

'Pappas is niet... hij zal niet...'

'Er moet een manier zijn om het uit hem te krijgen. Of meer over hem te weten te komen. Hij is ons beste breekijzer.'

Het *wij* viel hem op, maar hij zei niets. Zijn onvaste greep op wat ze zei verslapte en ze begon wartaal uit te slaan. 'Alex Pappas' en 'ontmoeting' en nog iets.

'Rick?'

Hij opende zijn ogen. 'Hier ben ik.'

Maar toen hij zijn ogen opnieuw opende was ze weg.

Hij sloot zijn ogen en toen hij ze weer opende keek hij op zijn horloge. Het duurde even voordat hij begreep hoe laat het was. Volgens zijn horloge was het bijna drie uur, maar was dat 's middags? De gordijnen in de kamer waren dicht, maar hij zag de duisternis eromheen en besefte dat het midden in de nacht was.

Hij slaagde er met enige moeite in overeind te komen en tastte op het nachtkastje naar zijn telefoon. De accu was voor 19 procent opgeladen. Langzaam en omzichtig opende hij de Uber-app en stelde de afhaallocatie in.

Een kwartier later zat hij in een taxi en onderweg kreeg hij het telefoontje waarvoor hij al die tijd al bang was geweest.

52

'Het plan is gewijzigd,' zei Rick tegen de taxichauffeur. 'Ik wil naar het Alfred Becker-verpleeghuis in Brookline.'

'Waar?' De chauffeur stopte langs de weg en toetste het Becker-verpleeghuis in in zijn smartphone.

Rick voelde dat zijn hart langzamer klopte toen hij naar het verkeer keek, de voorbijglijdende gebouwen, en alles leek ver weg en klein. Hij was in gedachten verzonken. Twintig minuten later, maar het leken er twee of drie, reed de taxi de ronde oprit van het Alfred Becker op.

Hij stapte voorzichtig uit, hinkte naar de ingang en duwde met zijn rechterhand de glazen deuren open. De vrouw achter de receptiebalie negeerde hem zoals ze iedereen negeerde. Hij meldde zich en liep door de brede hoofdgang, langs de liften. Alles keek trager en onwerkelijk, als in een droom.

Toen hij de vleugel van zijn vader bereikte, kwam hij een van de verpleegkundigen tegen, Carolyn, die hem in het voorbijgaan verbaasd aankeek. Heel even begreep hij niet waarom, toen herinnerde hij zich hoe zijn gezicht eruit moest zien. De mooie Caribische verpleeghulp, Jewel met de hindenogen, drentelde heen en weer voor de gesloten deur van Lenny's kamer. 'Wat is er met u gebeurd, meneer Rick?'

'Ik heb een ongeluk gehad, maar ik voel me goed.'

'Het ziet er... heel erg uit.'

'Het is minder erg dan het lijkt.'

Ze raakte zijn arm aan en zei: 'Het spijt me van uw vader.'

Ze opende de deur. Hij lag op zijn rug. Toen Rick hem zag maakte zijn maag een diepe duikeling. Hij slaakte onwillekeurig een kreet, met zachte, gesmoorde stem: 'O.'

Hij had niet verwacht dat Lenny er zo vredig uit zou zien,

maar het was zo. De boze gelaatsuitdrukking leek te zijn verdwenen nu hij dood was. Zijn mond hing open, een klein beetje. Zijn door staar vertroebelde ogen keken naar niets. Rick stak zijn goede hand uit en streek Lenny's oogleden dicht. De huid was bleek en wasachtig, doorschijnend, en voelde koel aan.

'Pa,' zei hij. 'Het spijt me.'

'Hij is in zijn slaap overleden, uw vader,' zei Jewel. 'Ik ben bij hem langsgegaan toen mijn werktijd begon, om middernacht, en hij zat tv te kijken. Later ging ik opnieuw langs en vroeg hem of hij de tv uit wilde zetten omdat het zo laat was, en hij zei niets, maar hij leefde nog. Ik heb de tv uitgezet en het licht uitgedaan en hem ingestopt en zo. Toen ik om halfvier ging kijken, was hij overleden.'

'Hij is in zijn slaap overleden,' zei Rick haar na, om maar iets te zeggen. 'Dat is fijn.'

'Ik heb de dokter gebeld. Maar we hebben gewacht tot u er was om de begrafenisonderneming te bellen. Hebt u een begrafenisonderneming die u kunt bellen?'

'Begrafenisonderneming? O. Ja, nee. Hoe heet die grote ook alweer, Orlonsky and Sons?' De grote begrafenisonderneming in Beacon Street in Brookline. Hij herinnerde zich dat hij langs de Griekse zuilen was gekomen, ORLONSKY & SONS MEMORIAL CHAPEL in zwarte letters.

Ze knikte. 'Orlonsky, ja, we zullen ze bellen. Uw vader... hij was een heel aardige man, uw vader.'

'Dat was hij. Wat was... de doodsoorzaak?'

'Ik denk dat de dokter hartfalen zal zeggen. Misschien ging hij te vaak weg van hier.' Het duurde even voordat hij begreep wat ze bedoelde. Ten slotte drong het tot hem door: Lenny's heen-en-weergereis naar Charlestown moest belastend voor hem zijn geweest.

Toen Jewel weg was ging Rick in de stoel naast het bed zitten en dacht een ogenblik na. Hij voelde zich log en gepijnigd. De pijn was teruggekomen. Het was tijd voor een nieuwe pijnstiller, maar hij moest nog wat langer alert blijven.

Toen pakte hij zijn telefoon en liep de gang op. Aan de Westkust was het drie uur vroeger: één uur in de ochtend. Misschien was ze nog wakker, maar waarschijnlijk sliep ze.

De telefoon ging zes keer over voordat ze opnam.

'Wendy,' zei hij. 'Hoe laat kun je in Boston zijn?'

Een halfuur later – verrassend snel – kwam er iemand van de begrafenisonderneming, een jongeman in een donkere coltrui. Hij ging meteen aan de slag, liet het bed behendig zakken, bracht het lichaam over op een brancard en legde er een quilt overheen die hij had meegebracht.

Rick huilde niet.

Hij had zijn vader willen vertellen hoezeer hij hem bewonderde, maar het was te laat.

53

Tegen de tijd dat hij de formulieren en de paperassen voor de overlijdensakte had ondertekend, en de overlijdensadvertentie voor de kranten had opgesteld, was het halfzes in de ochtend. Lenny was geen orgaandonor. Hij had altijd gedacht dat, als de artsen een orgaandonorkaart in je portemonnee vonden, ze niet meer zo hun best deden om je te redden. Er viel weinig te ondertekenen.

Rick nam een langzaam voorthobbelende taxi en keerde

terug naar het DoubleTree. De pijn was met verdubbelde kracht teruggekeerd. Maar hij kon geen pil nemen voordat hij elders zijn intrek had genomen.

Hij had één koffer en wat kleren om in te pakken, wat toiletspullen in de badkamer, verder niet veel.

Hij dacht aan de begrafenis van zijn vader. Wie waren Lenny's overgebleven vrienden? Hij had bijna twintig jaar in een verpleeghuis gewoond, niet tot communiceren in staat. De meesten van zijn vrienden waren na een paar maanden gestopt met hun bezoekjes. Er was meneer Clarke/Herbert Antholis, maar die kon niet in het openbaar verschijnen. Lenny's secretaresse, Joan, maar zijn vader had redenen gehad om haar niet te vertrouwen. Wie nog meer?

Een paar minuten over zes in de ochtend ging zijn telefoon.

Het was Andrea. 'Rick, is alles goed? Waar ben je naartoe gegaan? Kwam het door iets wat ik zei?'

Hij had enkele antwoorden gerepeteerd, maar geen ervan leek juist. *Ik wilde je niet in problemen brengen* klonk alsof hij een martelaar was. *Ik ben volledig hersteld* klonk misleidend.

'Het gaat wel,' zei hij. 'Het leek me voor jou en Evan beter als ik er niet was.'

'Dat is belachelijk. Zit je in een hotel?'

'Mijn vader is overleden.'

'O, Rick, wat erg. Wanneer is het...?'

'Ik werd midden in de nacht gebeld. Hartfalen.'

'Dus daarom... Wat kan ik doen?'

Hij sprak haar niet tegen. Ze hoefde niet te weten dat hij was weggegaan voordat hij door het verpleeghuis was gebeld. 'Niets. Bied Evan mijn verontschuldigingen aan. Hij zou me laten zien hoe je *Minecraft* moet spelen. Zeg dat het een andere keer wordt.'

Rick wilde een ander hotel zoeken, want dat was zijn gewoonte geworden, maar het kon niet. Sinds zijn portemonnee was gejat had hij geen creditcards, geen rijbewijs. Het DoubleTree had zijn kaartgegevens, dus hij zat goed totdat hij uitcheckte. Morgen zou hij vervangende creditcards ontvangen die hij kon gebruiken.

Hij had nog zo'n tienduizend dollar in contanten en hij voelde zich niet in staat naar de opslagruimte te gaan om meer te halen, niet voordat hij zich sterker voelde. Gelukkig had hij al zijn creditcards afgelost, dus na een paar uur aan de telefoon had hij nieuwe creditcardnummers die hij kon gebruiken zodra hij ze kreeg.

Hij nam een pijnstiller en sliep vijf uur.

Tegen de tijd dat hij wakker werd was de begrafenisonderneming geopend. Hij inspecteerde zichzelf in de badkamerspiegel terwijl hij zich waste. De blauwe plekken op zijn gezicht begonnen weg te trekken, vager te worden, met groene en gele tinten eromheen. Zijn linkeroog was nog dik, maar veel minder dan eerst. Hij had niet langer constante hoofdpijn. Hij begon te genezen, maar telkens als hij bewoog, zelfs om een kop koffie op te tillen, voelde hij de pijn. Het deed pijn als hij hoestte, gromde of lachte. Het was alsof hij was gemaakt van gebroken glas in een zak.

Hij nam een taxi naar de begrafenisonderneming en koos een eenvoudige houten kist uit, en nog steeds huilde hij niet. De begrafenisondernemer bood aan een rabbi te vragen om de dienst de volgende dag te leiden. Rick en zijn vader waren geen van beiden belijdend, maar Rick concludeerde uiteindelijk dat zijn vader het zo zou hebben gewild. Het zekere voor het onzekere.

Hij ging terug naar het hotel en sliep nog wat tot hij wakker werd van het rinkelen van zijn mobiele telefoon. Hij keek op de telefoon hoe laat het was. Hij had zeven uur geslapen.

Het was Wendy. Ze was net in Boston aangekomen. Ze had een Alaska Airlines-vlucht genomen vanuit Bellingham – haar minst favoriete luchtvaartmaatschappij, zei ze nadrukkelijk – met een korte overstap in Seattle. Rick vertelde haar dat hij een paar dagen geleden een auto-ongeluk had gehad, zich nu goed voelde, maar rust nodig had. Hij zou haar morgen treffen bij de begrafenisonderneming.

'Is Sarah bij je?'

'Nee. Ze kan het restaurant niet in de steek laten.' Rick had Sarah precies één keer ontmoet, een paar jaar geleden, op hun bruiloft.

'Hé, Rick. Hoe is hij gestorven?'

'Hartfalen, zeggen ze.'

'Misschien maar het beste. Sinds zijn infarct hield zijn kwaliteit van leven niet over.'

'Waarschijnlijk niet.'

Hij gaf haar het adres van de begrafenisonderneming en vroeg haar daar om tien uur te zijn. De begrafenis begon om elf uur.

'Hé, Rick?'

'Ja?'

'Zal ik eens iets raars zeggen?' zei Wendy. 'We zijn nu wees.'

54

'Jezus, Rick, wat is er met jou gebeurd?' zei Wendy.

'Ik zei toch al, ik heb een ongeluk gehad.'

'Ja, maar... je ziet eruit alsof je gevochten hebt, en dik verloren.'

Rick haalde zijn schouders op en kreunde toen zijn ribben gilden van pijn.

'Ik zou je wel een knuffel willen geven, maar ik heb het idee dat het je pijn zou doen.'

'Ja, laat maar.'

Ze waren in de lobby van Orlonsky & Sons Memorial Chapel, die er met zijn groene kamerbrede tapijt en ingelijste stillevens van fruit uitzag als een woonkamer in de voorstad, de deftige kamer die niemand ooit gebruikt.

Wendy was klein en knap, maar ze begon mollig te worden, met een grote, bijna moederlijke boezem. Ze had het postuur van hun moeder, maar zag er nu ze begin dertig was al uit als hun moeder toen die in de vijftig was. Ze had roodomrande ogen.

'Ik geloof dat ik onderweg aan één stuk door gehuild heb,' zei ze. 'De man die naast me zat begon zenuwachtig te worden.'

Rick knikte. Hij was niet van plan haar te zeggen dat hij niet had gehuild.

'Het was voor jou veel makkelijker doordat je in de buurt woonde,' zei ze. 'Jij zag hem in elk geval eens per week. Ik moest het schuldgevoel dragen dat ik hem maandenlang niet zag. Ik had je bijna willen vragen of je wist wat zijn laatste woorden waren, maar toen realiseerde ik me dat zijn laatste woorden achttien jaar geleden waren.'

De rabbi was jong, te jong om de ernst en het gezag te hebben die zijn functie vereisten. Hij arriveerde een paar minuten na hen, in een vlaag koude wind. Hij stelde zich voor, condoleerde hen met hun verlies en ging hen toen voor naar een klein vertrek naast de ruimte waarin de dienst werd gehouden – Rick zag de grenenhouten kist op een baar naast een bloemstuk – en nam de plechtigheid met hen door. 'Ik heb uw vader uiteraard niet gekend, maar het klinkt alsof hij een geweldige man was.'

'Ja,' zei Wendy.

Ik heb hem evenmin gekend, dacht Rick, maar hij zei alleen maar: 'Dat was ie.'

De rabbi scheurde een smal zwart lint doormidden en speldde het op Wendy's kraag. Toen deed hij hetzelfde met Rick. De rabbi zei dat het gescheurde zwarte lint hun verlies symboliseerde, een scheur in het weefsel van het gezinsleven.

Ze betraden de rouwkapel, waar zich enkele mensen hadden verzameld. Het verbaasde hem dat er iemand was. Jeff Hollenbeck was er, in een slecht passend grijs pak dat hij kennelijk zelden droeg. Andrea Messina, wat hem verraste. (Holly was in Miami, maar als ze in de stad was geweest zou ze niet gekomen zijn.) Joan Breslin en haar man. De overigen waren mensen van Lenny's leeftijd, vrienden van hem, van wie er een paar hem vaag bekend voorkwamen.

En, net binnenkomend, Alex Pappas.

55

In plaats van plaats te nemen naast Wendy op een van de twee gereserveerde stoelen voor in de kapel, liep Rick, snel en pijnlijk hinkend, rechtdoor naar de achterkant van het vertrek. Pappas zag hem aankomen en bleef staan. Hij droeg een zwart pak met een kraakhelder wit overhemd en een zilvergrijze das.

'Gecondoleerd met je verlies,' zei Pappas.

Verrekte klootzak dat je bent, dacht Rick. *Wat doe je hier, verdomme? Is dit je ererondje?*

'Bedankt voor je komst,' zei Rick.

De man had kennelijk geregeld dat het verpleeghuis achttien jaar lang was betaald. Was hij desondanks verantwoordelijk voor de verwonding die die zorg nodig had gemaakt? Rick kon het niet bewijzen.

Alex Pappas had Lenny tientallen jaren lang gekend en Rick was niet bepaald een geweldige zoon geweest. Hij had het recht niet de man uit de rouwkapel te gooien, al wilde hij het nog zo graag. Nog niet, tenminste. Zijn woede bij het zien van de man was nagenoeg uitsluitend gebaseerd op veronderstellingen.

'Ik ben hier om mijn respect te betuigen aan een collega van de broederschap,' zei Pappas. Zijn ogen, vergroot door zijn sterke hoornen bril, keken Rick strak aan.

'Wat, een collega-fixer?' zei Rick minachtend.

'Je zegt het alsof je stront hebt geproefd,' antwoordde Pappas. 'Nou, laat me je iets vertellen. Zonder mannen zoals je vader zou er in deze wereld niets gebeuren. Omdat onze wereld verdomme te ver kapot is. Dingen storten in, Rick, zo gaat het nou eenmaal. Het kan me niet schelen of het het Witte Huis is, het Kremlin, het Vaticaan of het Elysée, er zou niets gebeuren zonder de man achter de man, de man met de Rolodex, de man die het geheime wachtwoord kent, de man die het karwei klaart nadat er handen zijn geschud. Want de machinerie begeeft het altijd en de raderen moeten gesmeerd worden en er beweegt niets zonder de man in de machinekamer.'

'En dat ben jij,' zei Rick sceptisch.

'Wat denk je dat Sint-Paulus anders was dan een fixer? Hij stelde een paar mensen precies op tijd voor aan de Romeinse keizer Constantijn en voordat je het wist was een kleine cultus uit de eerste eeuw een wereldgodsdienst. De enige reden waarom deze verdomde kapotte wereld om zijn verwrongen as draait is omdat fixers elke morgen opstaan en doen wat ze doen. En laten we nu eens zien of we jouw situatie kunnen fixen.'

'Ja hoor, ik heb geen behoefte aan jouw gefix.'

'Laat me uitpraten, Rick. Ik wil je een voorstel doen.'

'Een voorstel.' Hij kon Pappas pittige cologne ruiken.

'Ja. Als we elkaar onder vier ogen kunnen spreken, heb ik een voorstel dat je waarschijnlijk interessant zult vinden.'

'We kunnen nu meteen praten.'

'Goed dan. Ik zal het kort houden. Wat jou is overkomen' – hij wees met gespreide hand – 'had nooit mogen gebeuren.'

Rick kon zich niet inhouden en zei: 'Dat tuig van je heeft goed werk geleverd. Maar je hebt een fout gemaakt door me in leven te laten. En ik geef het niet op.'

'Het spijt me dat je denkt dat ik iets te maken had met wat je is overkomen. Dat heb ik niet. Maar ik kan je garanderen dat het nooit meer zal gebeuren. Ik zal erop toezien.'

'O ja?' Rick glimlachte kil. Hij hoorde het gedempte zoemen van Pappas' BlackBerry.

'Absoluut. Je hebt waarschijnlijk van alles over me gehoord, maar één ding dat je nooit zult horen, is dat ik mijn woord breek. Mijn woord is me heilig. Je hebt mijn persoonlijke garantie dat je met rust zult worden gelaten.'

Rick wist dat er een voorwaarde moest zijn. Hij was ervan overtuigd. 'En anders?'

'Het enige wat ik vraag is dat je ermee stopt.'

'Stopt?'

'Je vader heeft je een aardig bedrag nagelaten. Hou het. Het is van jou. Maar staak je kruistocht en ik kan je garanderen dat je niets meer zal overkomen.' Hij zweeg. 'Ben ik duidelijk?'

Rick keek hem aan en wendde toen zijn blik af. Hij wist niet wat hij moest antwoorden.

'Je vader zou het zo gewild hebben, Rick. Hij heeft jullie geld nagelaten, opdat jij en je zus royaal kunnen leven. Niet opdat je iets zou overkomen. Daarom doe ik je dit voorstel, en laat me duidelijk zijn: het is eenmalig. Ter nagedachtenis aan je vader. Je hebt wat je wilde. Je hebt gewónnen. Laten we nu verdergaan. Bewandel de vreedzame weg en anderen zullen dat ook doen.'

Pappas stak zijn hand uit. 'Afgesproken?'

Rick dacht: *Pappas biedt aan me af te kopen en waarom ook niet, verdomme?*

Zijn vader was dood. Doorgaan had geen zin. De strijd was gestreden.

Het was eerlijk gezegd een opluchting.

'Je weet wat het juiste is,' zei Pappas. 'Ga gewoon door met je leven.'

Na een paar seconden knikte Rick en gaf Pappas toen een hand. 'Afgesproken,' zei hij.

56

Hij was nu veilig, hij was er tamelijk zeker van. In elk geval zo veilig als mogelijk was.

Ondanks Alex Pappas' gehuichel – dat hij onschuldig was, een eerlijke tussenpersoon in plaats van een aanstichter – geloofde Rick hem. Ze hadden Rick aangevallen omdat hij per se iets wilde blootleggen wat zij wilden begraven. Als hij stopte met graven vormde hij geen bedreiging meer.

Hoewel wie 'ze' waren nog steeds een raadsel was. 'Ze' waren degenen voor wie Pappas werkte. Zolang ze niet achter Rick aan kwamen, hoefde hij niet te weten wie ze waren.

Hij hoefde niet meer van hotel naar hotel te gaan. Anderzijds had hij geen dak boven zijn hoofd. Een hotel zou voorlopig het beste zijn wat hij kon doen. Misschien zou hij ooit weer een stel zijn met Andrea, ditmaal als twee gelijken die het alle twee moeilijk hebben gehad en het te boven zijn gekomen. Misschien zouden ze samen een degelijk, groot huis kopen in Francis Ave in Cambridge.

Misschien ook niet.

Het punt was dat hij nu geld had. Ruim drie miljoen dollar was vast zakgeld voor een rijkaard, een hedgefondsmagnaat, maar in Ricks ogen was het veel. Als hij het deelde met zijn zus, wat alleen maar eerlijk leek, was het nog steeds 1,7 miljoen dollar. Misschien geen fortuin, maar genoeg om een toekomst te kopen. En het maakte die handdruk met Pappas wat draaglijker.

Hoe dan ook, het was maar net hoe je ertegenaan keek, toch? Misschien had Pappas gelijk en had Rick inderdaad gewonnen. Het geld was nu van hem, van wie het oorspronkelijk ook was geweest, of het nu schoon of vuil was of schoon én vuil. De oorlog was afgelopen. Lenny was dood en er was geen reden om door te vechten.

Rick voelde zich beter, fysiek. Het deed nog steeds pijn als hij bewoog, of als hij hoestte, maar niet zo heftig meer. Zijn blauwe plekken werden paars. Hij deed wat boodschappen. Zijn nieuwe creditcards waren aangekomen. Hij ging naar de afdeling motorvoertuigen om een nieuw rijbewijs te halen. Hij overwoog even het DoubleTree te verlaten en in het Mandarin of het Four Seasons in Back Bay te trekken. Hij had tenslotte meer dan drie miljoen dollar op voorraad. Waarom zou hij het er niet navenant van nemen?

Maar het leek verspilling. Het DoubleTree was prima.

Hij reed naar de opslagruimte. Hij was ervan overtuigd dat hij niet meer werd gevolgd, maar hij kon de ingesleten gewoonte om de parkeergarage te inspecteren, in de spiegels te kijken niet zomaar afschudden. Hij werd niet gevolgd voor zover hij kon zien. Hij opende de opslagbox, pakte een paar stapeltjes geld en reed toen naar het oude huis. Hij moest een paar schulden voldoen.

Niemand pakte hem beet, niemand volgde hem. Er was niemand.

Hij was veilig.

Hij nam Marlon en Santiago apart, een voor een, en gaf hun elk duizend dollar in een DoubleTree-envelop. 'Bedankt,' zei hij. Was duizend dollar te weinig? Ze hadden tenslotte zijn leven gered. Hij was hun veel meer verschuldigd. Oké, ze hadden zijn leven per ongeluk gered; ze waren eigenlijk van plan geweest zijn geld te pikken. Maar hoe het ook was gegaan, ze hadden zijn leven gered. Daar ging het om.

Marlon bekeek hem van top tot teen en zei: 'Iemand heeft je bont en blauw geslagen. Hebben ze je eindelijk te pakken gekregen?'

'Het moest uiteindelijk wel gebeuren,' zei Rick.

'Ja? Zeg maar wie het was.'

Rick schudde zijn hoofd. 'Het is voorbij,' zei hij.

Ze waren gipsplaten aan het monteren. Marlon mat stukken gipsplaat van twee meter veertig bij een meter twintig af met een tekenhaak en sneed ze door met een hobbymes. Jeff bevestigde met behulp van een elektrische schroevendraaier stukken Sheetrock op de kale binten.

Rick wachtte tot Jeff klaar was met het vastschroeven van een stuk Sheetrock. 'Jullie zetten er vaart achter,' zei hij.

'We zouden binnen een week klaar moeten zijn,' zei Jeff. 'Eerst dit, daarna nog plamuren en schilderen en daarna de vloeren en dan is het gebeurd.'

'Geweldig,' zei Rick. Hij was niet van plan er ooit weer te

gaan wonen. Zodra het klaar was, gooide hij het in de verkoop.

Maar voordat het verkocht werd zou hij erdoorheen moeten lopen en alle persoonlijke spullen, alles wat waarde had, moeten weghalen. Er kon inmiddels niet veel meer zijn. Wendy was een paar jaar geleden geweest met een verhuiswagen. Hij had alles wat belangrijk voor hem was meegenomen, voornamelijk kinder- en schoolboeken. Maar Lenny's spullen waren achtergebleven. Dat was het meeste. Kleren om weg te geven, een paar oude dossierkasten om te doorzoeken en het meeste weg te gooien. Hij had een heleboel oude lp's, voornamelijk folkzangers uit de jaren zestig, zoals Pete Seeger, de Weavers, Judy Collins. Hipsters verzamelden tegenwoordig lp's. Hij kon waarschijnlijk binnen een paar minuten een paar kratten kwijt bij de *Back Bay*. Al zou hij Judy Collins waarschijnlijk houden. Verder waren er de boeken van zijn vader, uit zijn werkkamer, die allemaal in dozen naar het souterrain waren gebracht.

'Hé, Jeff, heb je even?' vroeg Rick.

'Wat is er?' zei Jeff. 'Alles goed?'

'Minder slecht dan het lijkt.'

'Je weet wie het gedaan heeft, is het niet?'

Rick knikte. 'Ja, en daarom wil ik je zeggen: vergeet wat ik je zei over vragen stellen.'

Jeff keek verbaasd.

'Over de Big Dig. Ik vroeg je of je toevallig iemand kende... Ik zeg alleen maar: niet doen.'

'Oké, je zegt het maar,' zei Jeff. 'Laat me je iets vragen. Voor hoeveel is dit huis verzekerd?'

Rick schudde zijn hoofd. 'Ik weet het niet, driehonderdduizend misschien?'

'Het is nu al veel meer waard. Je zou het tot anderhalf miljoen moeten verhogen.'

'Zoveel? Wauw.'
'Doe het meteen, man.'
'Oké, Jeff, bedankt... doe ik.'
Hij liep naar beneden om de spullen vluchtig te inventariseren. Onderweg kwam hij door de keuken. Alle oude potten en pannen hingen nog aan haken aan het geperforeerde bord, nu bedolven onder sneeuwwit stof. Hij streek met zijn vinger over de gietijzeren steelpan. Het stof was aan een restje olie blijven plakken. Het was de pan die Lenny altijd gebruikte om salami en eieren te maken voor Ricks ontbijt, een paar keer per week, na de dood van mama. Rick was niet bijzonder dol op salami en eieren, maar hij had ooit de fout begaan te zeggen dat het lekker was en Lenny had het telkens weer voor hem gemaakt.

Het souterrain stond vol troep, oud speelgoed waar Rick Lenny ooit om had gesmeekt, dat hij gewoon móést hebben. Dingen die ooit van het allergrootste belang waren geweest, een of twee keer waren gebruikt en toen afgedankt. Schipbreukelingen van vergane hartstochten. Sneeuwschoenen. Een mountainbike. De elektrische gitaar, het drumstel, de olieverf, de scheikundedoos. Rick wist niet of hij Lenny ooit had bedankt.

Hij vond de dozen met het etiket WERKKAMER. In de meeste ervan zaten wetboeken. Hij had geen idee of het rommel was of waarde had. In een van de dozen vond hij een bekend uitziend boek: *Walden and Other Writings* door Henry David Thoreau, met een stofomslag dat typisch jaren zestig was, een krullerig, hip Peter Max-achtig lettertype. Rick had het vaak op zijn vaders bureau zien liggen, geopend bij een van Thoreaus korte essays. Soms las Lenny er 's avonds uit voor. Hij citeerde graag een van Thoreaus gezegden: 'De meeste mensen leiden een leven van stille wanhoop.' Rick vroeg zich af of zijn vader een leven van stille wanhoop had geleid.

Waarschijnlijk wel. Hij had in elk geval de beat van een andere drummer gehoord, dat was zeker.

Rick had eens iets gemeens, iets kwetsends tegen Lenny gezegd, hij wist niet meer wat, en had gewacht hoe zijn vader zou reageren. Maar Lenny leek zichzelf tot zwijgen te dwingen. Een zucht, toen de opeen geknepen lippen. De korte hoofdbeweging. Pa had een hekel gehad aan conflicten.

Het gewicht van verzwegen dingen: eerst was het licht, als een laagje sneeuwvlokken. Mettertijd werd het zwaar, als een aangestampte sneeuwlaag van twee meter.

Dat boek van Thoreau zou hij houden, al had hij zijn vaders enthousiasme over Thoreau nooit gedeeld. Het was belangrijk geweest voor Lenny, dus het was belangrijk voor Rick.

Hij zag zijn vaders computer en verwijderde de hoes. Hij zou hem weg moeten doen. Hij sloot hem aan en startte hem. Hij knarste en kreunde en ten slotte verschenen er groene letters op het scherm. Hij haalde een van de 5¼-inch-floppy's uit een doos, schoof hem in de diskdrive en wachtte tot de directory was geladen.

CORRESPONDENTIE/ZAKELIJK was de naam van een map. CORRESPONDENTIE/PRIVÉ heette een andere.

Hij opende Correspondentie/Privé. Het was een vreemd gevoel. Hij snuffelde in de privécorrespondentie van zijn vader. Was dat oké nu hij dood was? Verloor je je recht op privacy als je stierf?

Misschien. Maar het voelde nog steeds als een inbreuk. Er waren allerlei brieven aan vrienden, uit de tijd dat mensen nog brieven schreven in plaats van e-mails te verzenden. De meeste namen kende hij niet of slechts vaag.

Toen werd zijn blik naar een bestandsnaam getrokken: Warren_Hinckley_brief.doc.

Warren Hinckley was de rector van de Linwood Academy. Waarom had zijn vader rector Hinckley in hemelsnaam een brief geschreven? Rick kon de verleiding niet weerstaan en opende het bestand.

Er verscheen een document, groene letters op het donkergrijze scherm.

Geachte heer Hinckley.

Tot mijn schrik vernam ik tijdens ons telefoongesprek van vandaag dat u overweegt mijn zoon van de Linwood Academy te sturen.

Rick kon zijn ogen niet geloven. Was hij bijna van school getrapt? Dat had hij nooit eerder gehoord. Zijn vader moest deze strijd hebben geleverd zonder hem iets te vertellen. Met bonzend hart las hij verder:

Ik ben enorm trots op mijn zoon. Voor wat hij deed toen hij dat artikel over het plagiaat van dr. Kirby publiceerde was echte moed nodig. Hij 'hield zich niet aan de regels', zoals de meeste mensen zouden hebben gedaan. Dat is zo. Ja, hij is verplicht elke aflevering van de schoolkrant aan u voor te leggen voor formele goedkeuring. Door dat niet te doen – door een artikel te publiceren waarin een flagrant geval van plagiaat door een lid van uw staf werd onthuld zonder het eerst door u te laten inzien – overtrad hij willens en wetens een futiele regel en zette daarmee zijn toekomst op het spel. Publicatie van het artikel zou hem in problemen brengen en dat wist hij. Maar in plaats van van school gestuurd te worden zou hij moeten worden geprezen voor zijn intelligentie en zijn moed.

Het overtreden van schoolprotocollen verbleekt bij het plagiaat door een geacht lid van uw staf – dat toevallig tevens uw vriend is. Op een school die zich tot doel stelt haar leerlingen de juiste levenswijze bij te brengen, is plagiaat een veel ernstiger overtreding.

Mijn zoon overtrad de regels om iets groters te bereiken. Hij gaf blijk van een moed die de meeste mensen ontbreekt. Hij is dapperder dan u en ik. Als de Linwood Academy mijn zoon van school stuurt, kunt u een gerechtelijke procedure verwachten en alle begeleidende publiciteit die de school in een ongunstig daglicht zal stellen.

Leer uw leerlingen alstublieft niet zich aan de regels te houden als er belangrijke principes in het spel zijn.

Hoogachtend,
Leonard J. Hoffman.
Advocaat

Rick las de brief drie keer, stomverbaasd. Zijn vader had het voor hem opgenomen. Rick voelde iets nats op zijn gezicht en hij probeerde de tranen weg te knipperen. Wat had hij zijn vader verkeerd begrepen!

En toen hij dacht aan de vader die hij nooit had gekend, brak er iets in hem en eindelijk huilde hij.

Hij huilde om de man die hij had verloren. Om de man die hij nu pas begon te kennen.

Rick ging naar het Charles Hotel en haalde de BMW uit de parkeergarage. Onderweg naar het huis kwam er iets over hem en hij nam opzettelijk een verkeerde afslag en even later reed hij door Mass Ave in zuidelijke richting door Boston. Hij reed doelloos rond. Hij wilde alleen maar rondrijden. Hij voelde dat hij, als ijzervijlsel naar een magneet, naar Geometry Partners in Dorchester werd getrokken. Het onderbewustzijn heeft zo zijn eigen doelen.

Hij stond voor het oude bakstenen magazijn waarin de kantoren van Geometry Partners waren gevestigd. Een jong, Zuid-Amerikaans uitziend tienermeisje daalde de trap naar de hoofdingang af.

Het meisje had staartjes en praatte opgewonden tegen een jongen van ongeveer haar leeftijd, rond de veertien. Ze grinnikte en hij zag haar brede glimlach en heel even dacht hij dat ze Graciela Cabrera was, de pianiste op die oude videoband.

Het dode meisje.

Ze leek precies Graciela.

Graciela, die achttien jaar geleden samen met haar ouders was omgekomen tijdens dat afschuwelijke ongeluk in de Ted Williams Tunnel. Graciela, wier dood het gevolg was van slordig werk en in de doofpot was gestopt. Graciela, wier tragische, volstrekt onnodige dood Lenny Hoffman had achtervolgd en ertoe had geleid dat hij eindelijk in opstand was gekomen, geweigerd had een afkoopsom aan te bieden. Lenny had geweigerd zichzelf te verkopen. Hij kon het niet.

Anders dan Rick.

Natuurlijk, dit jonge meisje was Graciela niet. Graciela zou nu tweeëndertig zijn geweest. Een vrouw. Misschien zelf ook moeder.

Hij voelde dat zijn maag in ijs veranderde.

Hij wilde al dat geld houden en zijn leven weer oppakken. *Ik wil alleen mijn leven weer oppakken*, dacht hij, het vreselijke cliché.

Maar ergens was hij een stijfkoppige verdomde idioot.

Kap ermee. Dat was het verstandigste. *Leid je leven. Ga door.* Hij wist wat het verstandigste was.

Maar opeens voelde Rick zich niet erg verstandig.

57

Gloria Antunes, de directeur van de Hyde Square Community Partnership, was beleefd maar vastbesloten.

'Meneer Hoffman, ik zei toch dat ik niets kan bijdragen.' Ze droeg een blauwe paisley omslagdoek om haar schouders en dezelfde grote oorringen als de laatste keer dat hij haar zag.

'Toch wel,' zei hij. 'U komt al voor in mijn artikel. De vraag is alleen hoe groot de rol is die u erin speelt. Dat is aan u.' Hij zwaaide met een dvd van de videokopieerzaak in Newbury Street. Ze kon niet weten wat er op die dvd stond – hij had een kopie gemaakt van de oude VHS-band die Manuela Guzman, Graciela's pianolerares, voor hem had afgespeeld. Maar hij zwaaide ermee als een aanklager in de rechtbank met een bewijsstuk.

'Ik begrijp u niet.'

'Geef me vijf minuten van uw tijd en u zult het begrijpen.'

'Ik kan u er twee geven.'

Rick haalde zijn schouders op en liep haar kantoor binnen. Hij ging voor haar bureau zitten en toen ze erachter zat gaf hij haar de dvd.

Ze pakte hem aan. 'En?' Ze hield haar hoofd scheef.

'Speel hem af op uw computer.'

'Wat is het?'

Maar ze legde de dvd in de diskdrive van haar pc.

Terwijl de opname begon vertelde Rick: 'Dat is het meisje. Gabriela Cabrera.'

Hij zag het in haar betraande ogen. Dat effect had de opname. Op hem, op Lenny, en nu op Gloria Antunes. De opgelatenheid van het meisje en haar innemende, pure liefheid.

Rick ging verder, boven het geluid uit. 'Aanvankelijk eiste u een onderzoek naar het ongeluk waarbij de Cabrera's om het leven waren gekomen. Nadat uw organisatie een aanzienlijke gift kreeg van de Donegall Charitable Trust, deed u er opeens het zwijgen toe. Ik weet dit omdat mijn vader degene was die dat had geregeld.'

Die laatste zin improviseerde hij, maar hij wist onmiddellijk dat hij het goed had geraden. Ze had geen idee van wat zijn vader Rick na al die jaren kon hebben verteld. En als ze een cheque had gekregen van Pappas en niet van Lenny, zou ze niet weten wat er achter de schermen was gebeurd.

'U kende dit gezin. Het meisje. Nietwaar?'

Gloria knikte. Haar ogen waren rood. Ze sloot ze. 'Verschrikkelijk.'

'Het is vast heel moeilijk.'

'Wat is vast heel moeilijk?'

'Met uzelf leven. In de wetenschap van wat ze is overkomen.'

Toen haar tranen begonnen te stromen wist Rick dat hij tot haar was doorgedrongen.

Of het nu kwam door de video-opname of door Ricks bluf, zijn suggestie dat hij veel meer wist dan het geval was, ze stortte uiteindelijk in. Ze had achttien jaar met haar schuldgevoelens geleefd, de schuldgevoelens over haar stilzwijgen. De Donegall Charitable Trust was nog steeds een van haar belangrijkste financiers, maar er waren nu ook andere. Dat was niet zo geweest toen er alleen Gloria Antunes was, buurtactiviste, voordat de Donegall-trust had aangeboden een eigen organisatie te financieren.

Wettelijk gezien had ze geen misdrijf gepleegd. Maar ze werd achtervolgd. De verantwoordelijkheid die ze voelde was een morele, de last van al die jaren van stilzwijgen over wat er op een avond in een tunnel in Boston met het gezin Cabrera was gebeurd.

Nu was ze eindelijk bereid openlijk te praten.

58

'Ik heb nog eens over je voorstel nagedacht,' zei Rick.

Het zonlicht was fel in Pappas' kantoor, weerkaatst door de voorwerpen op zijn bureau, de koperen kap van zijn bureaulamp, het zachtglanzende zilver van de fotolijsten. In het felle licht liet Pappas maar één indruk achter: rood. Hij bloosde permanent en de huid was overdekt met een spinnenweb van adertjes.

'Nóg eens over nagedacht?' Hij zei het geamuseerd, alsof Rick hem had verteld dat hij clown wilde worden, met een ironische ondertoon, tussen aanhalingstekens.

'Mijn vader kon tegen het eind praten en hij vertelde me een interessant verhaal. En nu hij er niet meer is kan ik er gerust een artikel over schrijven.'

Pappas keek hem lange tijd aan. Toen grinnikte hij breed. 'Oké, Rick, ga door. Een artikel over wat?'

'Over hoe het gezin Cabrera achttien jaar geleden is omgekomen.'

'Wie?'

'Het gezin Cabrera.'

Pappas haalde zijn schouders op en schudde zijn hoofd. 'Moet ik die mensen kennen?'

'Ze reden midden in de nacht vanaf Logan Airport door de Ted Williams Tunnel toen er iets op hun auto viel. Een lichtarmatuur van veertig kilo, zwaar genoeg om de voorruit te verbrijzelen en ze tijdelijk te verblinden. En ze waren op slag dood.'

'Het is een triest verhaal, Rick. Maar een triest verhaal dat twintig jaar geleden is gebeurd. Je moet iets pakkends hebben. Wat kan het onze lezers nu nog schelen?'

'Ik denk dat het een interessante manier is om te laten zien hoe crisisbeheersing in zijn werk gaat. Want het was een crisis die je briljant hebt "beheerst". Je beheerste haar recht de vergetelheid in. Je moest wel, want als het verhaal ooit naar buiten zou komen, zou dat het einde hebben betekend voor je cliënt, Donegall Construction. Het zou tot een geruchtmakende rechtszaak hebben geleid. Strafvervolging ook. En geen opdrachten meer van de stad Boston. Een paar miljoen dollar was niets voor een bouwonderneming die algauw tegen honderd miljoen dollar aan advocatenkosten had aangekeken en misschien gevangenisstraf voor een paar van de medeplichtigen.'

Pappas lachte, lang en luidkeels. 'Schitterend. Je hebt een talent voor fictie, hebben ze je dat ooit verteld? Heb je ooit een carrière als romanschrijver overwogen, nu je carrière als journalist helaas voorbij is? Begon je vader tegen je te praten, Rick? Hij kon verdomme geen twee woorden zeggen, de arme man.'

Hij moest een informant in het verpleeghuis hebben, dacht Rick. Minstens een van de verpleegkundigen stond op zijn loonlijst. 'Maar niet alleen mijn vader. Ook een heel dappere vrouw, een buurtactiviste die bereid is voor het eerst openlijk te praten.'

'Rick, laat me je een verhaal vertellen. Een boeddhistische parabel eigenlijk.'

Rick glimlachte. Weer een van Pappas' verhalen.

'Twee rondtrekkende monniken willen een rivier oversteken. Op de oever staat een jonge vrouw die zegt: "Alstublieft, broeder-monniken, kunt u me naar de overkant dragen? De rivier is te diep." De jonge monnik keert zich af. Ze mogen namelijk geen vrouwen aanraken. Maar de oudste monnik zet haar op zijn rug en brengt haar naar de overkant. De monniken vervolgen hun tocht, over heuvels en door dalen, en al die tijd klaagt de jongste monnik: "Waarom heb je dat gedaan? Je weet dat we geen vrouwen mogen aanraken. Wat je deed was in strijd met onze voorschriften." En maar door, kilometer na kilometer. Wil zijn mond maar niet houden. Ten slotte kijkt de oudste monnik hem aan en zegt: "Ik heb die vrouw op de oever achtergelaten. Het lijkt erop dat jij haar nog steeds draagt."'

Pappas' gezicht stond bijna vriendelijk. 'Wat ik bedoel, Rick, is dat je het van je af moet zetten. Voor je eigen bestwil. Laat het achter op de oever en ga door met je leven. Ik zeg je dit omdat je vader iemand was die ik respecteerde en ik vind dat ik hem dat verschuldigd ben. Wil je jezelf opofferen voor iets waarvan je dénkt dat het twintig jaar geleden misschíén is gebeurd? Wie is daarmee geholpen? Wiens leven red je? Wat voor goeds kan eruit voortkomen?'

'Het is een belangrijk verhaal,' zei Rick onverstoorbaar.

Pappas liet alle quasi-welwillendheid varen. 'Je schrijft geen artikel, Rick. Ik ken je. Je bent nog steeds de onderkruiper die zich verkoopt aan de hoogste bieder. Waar hoop je op? Een hogere afkoopsom? Wil je nogmaals een miljoen, zodat je chique kleren kunt kopen en indruk kunt maken op het zoveelste leeghoofdige fotomodel? En waarom zou je het daarbij laten? Waarom zou je niet telkens weer terugkeren naar de bron, steeds meer vragen, toch? Nu, zoals ik op de begrafenis van je vader zei, het was een eenmalig aanbod.'

'En ik sla het af. Ik ga dit artikel publiceren, met of zonder jouw medewerking. Maar ik zou liever jouw kant van het verhaal willen horen. Ik heb al ontdekt dat Donegall een van je cliënten was.'

'Donegall Construction is twintig jaar geleden failliet gegaan!'

'Boekhoudkundige trucjes. Ze zijn actiever dan ooit.' Dat laatste, wist hij, was slechts een gok. Dat was het deel dat Pappas moest onthullen, wat er van Donegall Construction was geworden. 'We weten dat je na het ongeluk contact hebt gehad met *The Boston Globe*. Als mijn verhaal ergens niet klopt, zou ik het nu willen horen. Dit is je kans.'

Pappas keek heel even alsof hij het serieus overwoog.

Toen zei hij, bedroefd zijn hoofd schuddend: 'Ik heb je het winnende lot gegeven, beste vriend. Ik heb je mijn persoonlijke garantie gegeven dat alles goed komt. En nu kom je hiermee? Je zit tegenover me, afgetuigd, bebloed en onder de blauwe plekken, hinkend als een oude vrouw, en je zegt dat je weer wilt meespelen?'

'Het is geen spel,' zei Rick. 'Ik bied je een kans om open kaart te spelen. Je kunt bevestigen of ontkennen. Wat je me vertelt kan invloed hebben op wat ik schrijf.'

Pappas' glimlach was breed en stralend. 'Dit is mijn grote kans, hè? Nee, het is allemaal geschiedenis en zoals ze zeggen wordt de geschiedenis geschreven door de overwinnaars. En jij, jongen, bent geen overwinnaar. Als het leger van de Geconfedereerden de slag bij Gettysburg had gewonnen, zouden we nu dan de verjaardag van Lincoln vieren? Elke gebeurtenis kan op tientallen manieren worden uitgelegd. Maar de ultieme werkelijkheid wordt bepaald door de overwinnaar. Noem het het realiteitsbeginsel. Je vader had verdomme een gezond gevoel voor realiteit. Jammer dat je niets van hem hebt geleerd.'

Rick deed zijn notitieblok dicht. 'Bedankt voor je tijd.' Hij stond op en liep naar de deur.

'Weet je wat jouw probleem is?' riep Pappas hem na. 'Je hebt nooit iets van je vader geleerd.'

'O nee?' zei Rick bij de deuropening. 'Misschien heb ik te veel geleerd.'

59

'Hoe ging het?' vroeg Andrea. Ze leunde achterover in een fauteuil in Ricks suite in het DoubleTree. Ze droeg een zwarte spijkerbroek, een kraakheldere witte blouse en grijze instappers. Ze had zich niet opgemaakt. Haar haren waren opgestoken en werden met een band bijeengehouden. Haar houding maakte duidelijk dat dit een zakelijke bespreking in Ricks hotel was, meer niet. Maar de manier waarop ze in de stoel zat was eerder ontspannen dan zakelijk.

'Ongeveer zoals ik verwacht had. Hij reageerde met dreigementen en spot.'

'En hoe reageerde jij?'

'Hij dacht waarschijnlijk dat hij me had afgeschrikt. Daar is ie goed in. Dat is zijn ding.'

'Mooi zo. Laat hem denken wat hij wil denken.'

Hij keek op zijn horloge. 'Waarschijnlijk een goed moment om terug te gaan.'

'Het is ruim een uur geleden, niet?'

Hij knikte en liep de kamer uit.

In het kantoor waar de Pappas Group was gevestigd wilde de beveiliging Rick niet in de lift laten stappen. Ze wilden per se mondelinge goedkeuring. Rick belde hem.

'Alex Pappas graag. Met Rick Hoffman.'

'Het spijt me, meneer Hoffman. Meneer Pappas is niet op kantoor.'

'Dat geeft niet. Ik heb iets in zijn kantoor laten liggen. Ik ben beneden.'

Drie minuten later stond hij in de receptie van de Pappas Group. Een vrouw van in de vijftig, met een aanzienlijke taille en koperkleurige haren, kwam naar hem toe en stelde zich voor als Pappas' administratieve assistente, Barbara. Hij liep met haar mee naar Pappas' kantoor. 'Hij is net weg voor een ontmoeting elders,' zei Barbara.

'Het duurt maar even,' zei Rick. 'Ik weet bijna zeker dat ik mijn telefoon heb laten liggen.'

'Ik heb niets gezien.'

Hij liep naar de gecapitonneerde stoel waarin hij had gezeten. En jawel hoor, daar was ie, ingeklemd tussen het zitkussen en de armleuning van de stoel. Ricks iPhone.

'O, mooi,' zei Barbara opgelucht.

'Zoiets raak je liever niet kwijt,' zei Rick terwijl hij het toestel in zijn zak stopte.

'O, praat me er niet van,' zei Barbara. 'Ik zou in zak en as zitten.'

Pas toen hij bij de lift was pakte hij zijn telefoon weer en drukte op Stop van de opname-app. Eén uur en zesenveertig minuten. Toen opende hij het submenu 'Gesproken memo's' en selecteerde de meest recente. Hij drukte op Afspelen en hield het toestel aan zijn oor. Hij hoorde Pappas' stem, vaag maar verstaanbaar.

'Ja, Barbara,' zei Pappas. *'Ik moet Thomas Sculley spreken. Kun je hem aan de telefoon krijgen?'*

Enkele seconden later klonk de stem van zijn secretaresse. *'Meneer Sculley, lijn één.'*

Een ogenblik later: *'Thomas,'* zei Pappas. *'We hebben een probleem.'*

60

Andrea werd bleek toen ze de eerste woorden van de opname hoorde.

'Thomas Sculley. Mijn god.'

Rick keek haar aan.

'Herinner je je nog de financier met wie ik laatst heb geluncht en wiens naam ik niet wilde noemen?' vroeg ze. 'Dat was Thomas Sculley.'

Thomas Sculley was een belangrijk man in Boston, een projectontwikkelaar en aannemer wiens Bay Group de skyline van Boston had getransformeerd. Hij was ook een groot filantroop, wiens naam op verschillende ziekenhuisvleugels stond, en mede-eigenaar van de Boston Red Sox. Toen Lenny TMS-therapie had gekregen, was dat in het Sculley Pavilion van Mass General Hospital geweest. Rick had alle profielen over Sculley gelezen. Hij kende het verhaal in grote lijnen. Sculley was tientallen jaren geleden vanuit Ierland naar Amerika gekomen met *niet meer dan een schop en een kruiwagen*, zoals elk profiel het leek te zeggen. En was van kleine aannemer opgeklommen tot een van de grootste projectontwikkelaars in de staat. Sculleys bedrijf zou binnenkort de hoogste wolkenkrabber van Boston bouwen, op de plek van de oude Combat Zone.

'Hoelang zijn jullie al in gesprek?'

'Het ging bliksemsnel. De directeur van hun stichting nam contact met ons op, drie of vier weken geleden.'

'Na ons roemruchte diner in het Madrigal?'

'Een paar dagen daarna. Je denkt toch niet...?' Ze hield haar hoofd scheef. 'Ik weet het niet. Het moet toeval zijn.'

'Ergens denk ik dat het geen toeval was,' zei Rick.

Ze knikte moedeloos. Ze zweeg tien tot twintig seconden. Toen haalde ze diep adem. Ze knikte nogmaals, maar dit-maal zag ze er anders uit. Vastbesloten.

Ze beluisterden de opname een paar keer. De accu van de iPhone was leeg, dus ze plugden hem in om hem op te laden terwijl ze hem gebruikten. Ze konden niet alles verstaan wat Pappas zei. Alleen als hij zijn stem verhief om iets te bena-drukken werden zijn woorden verstaanbaar. Maar ze had-den eigenlijk alles wat ze nodig hadden. Een naam: Thomas Sculley.

De miljardair en filantropische aannemer over wie hij moest schrijven.

Het gesprek, gevoerd via een luidsprekertelefoon, duurde nog een paar minuten. Pappas sprak met Sculley af in diens kantoor in State Street. Toen sprak Pappas met zijn assis-tente en vroeg haar zijn twee volgende afspraken af te zeg-gen.

'Overweeg je serieus een artikel te schrijven?' vroeg An-drea.

'Doodserieus.'

Ze glimlachte. 'Dat is de oude Rick Hoffman,' zei ze. 'On-versaagd. Ik mag het wel.'

'Het lijkt alleen maar zo.'

'We moeten nu bewijzen dat Sculley banden had met Donegall Construction. Ik heb ontdekt dat Sculley is opge-groeid in Belfast, Ierland, in een straat die Donegall heette.'

'Dus je kunt hem in verband brengen met Donegall in Noord-Ierland?'

'Nou ja, luister... verborgen bedrijfsmiddelen en lasten opsporen was mijn werk. Maar verbanden zoeken tussen twee bekende dingen is veel makkelijker dan uitzoeken wat er achttien jaar geleden is gebeurd met een bedrijfje zoals Donegall. Ik weet nu in elk geval hoe en waar ik moet beginnen.'

'Kun je het nú?'

'Natuurlijk.'

Terwijl ze op haar laptop typte belde ze haar zoon om hem welterusten te zeggen. Toen ging Ricks telefoon over. Hij herkende het nummer van Jeff. Hij keek op zijn horloge: bijna acht uur 's avonds.

'Jeff?'

'Ja, Rick, luister. Ik ben nog in je huis. Ik... ik heb iets voor je.'

'Je hebt iets?' Rick wist niet waar Jeff het over had.

'Over die kwestie waar je me naar vroeg. Ik ben hier nog een halfuur.' Een klik en de verbinding werd verbroken.

Andrea vroeg Evan of hij klaar was met zijn huiswerk en zei dat hij wat langer mocht opblijven als hij nog wat in zijn boek van Mike Lupica wilde lezen.

Toen ze ophing zei Rick: 'Ik moet naar het huis toe.'

61

De keukendeur stond open, wat betekende dat Jeff er nog was, hoewel het laat was. Hij zag licht in het trappenhuis naar de eerste verdieping. Alles rook doordringend naar een of ander oplosmiddel.

'Jeff?'

'Hierboven,' klonk Jeffs stem van de hoger gelegen verdieping.

Rick klom de trap op. De geur van oplosmiddelen werd sterker.

'Ik ben op de tweede,' riep Jeff.

Jeff was bezig in een hoek van de gang, naast Ricks oude slaapkamer. Naast hem stond een korte ladder onder een groot gat in het plafond. Rick keek om zich heen. De gipsplaten waren aangebracht en klaar om geschilderd te worden. Er stonden een paar grote emmers met een of andere vloeistof en een paar die vol lappen zaten.

'Is dat oplosmiddel van de vloerenleggers?'

'Precies. Ze hebben wat afbijtwerk gedaan voordat ze gingen schuren. Luister, ik heb iets voor je, maar ik wil je eerst iets laten zien wat ik vandaag heb gevonden.' Hij leek zenuwachtig.

'Wat is er mis?'

'Je hebt een serieus probleem,' zei Jeff.

Je hebt geen idee, dacht Rick. 'Wat dan?' vroeg hij. 'Iets bouwkundigs?'

'Ginds.' Jeff wees naar de ladder. Anderhalve meter hoog, vijf sporten, in de hoek van de gang recht onder het gat in het plafond. Rick kon de dakbalken zien, het oude stucwerk. 'Wil je naar boven gaan en een kijkje nemen?'

Rick beklom de ladder en tuurde in het gat in het plafond. Het was er donker en hij kon nauwelijks iets onderscheiden. 'Wat moet ik zien?'

'Er is aardig wat termietenschade.'

Rick tuurde dieper in het donker. 'Waar?'

'Het is allemaal voorbij,' zei Jeff, nu vlak achter hem.

'Hoezo voorbij?'

Jeff sprak zacht, met dikke, verstikte stem, alsof hij niet uit zijn woorden kon komen. 'Luister, Rick, ik heb navraag gedaan zoals je wilde en ik heb een paar heel interessante dingen gehoord.'

Rick kon hem niet volgen. Had Jeff het nog steeds over termieten?

'Het lullige is,' ging Jeff verder, 'als je vanaf het begin wat guller was geweest, zou hun aanbod minder aanlokkelijk zijn geweest, klootzak dat je bent.'

'Welk aanbod?'

Op het moment dat het tot Rick doordrong was het net te laat. Jeff had een balk in zijn hand en haalde naar hem uit, naar zijn romp.

Rick probeerde weg te duiken, maar op de bovenste sport van de ladder liep hij het risico zijn evenwicht te verliezen en te vallen.

De balk raakte zijn ribben en Rick schreeuwde: 'Wel verdomme!' Toen hij van de ladder dreigde te vallen, haalde Jeff nogmaals naar hem uit.

Rick dacht: *Niet mijn hoofd!*

Hij hoorde de klap voordat hij hem voelde, de gillende pijn in zijn voorhoofd voelde, bloed proefde, en toen niets...

... Toen hij bijkwam lag hij ineengedoken op zijn rug, met zijn neusgaten vol rook, en hij hoestte diep. Hij had er heel even geen idee van hoe hij daar kwam en hoelang hij bewusteloos was geweest.

Hij hief zijn hoofd op en keek om zich heen. Overal om hem heen knetterden en likten vlammen. De hitte verschroeide zijn huid. Grote oranje vlammen dansten en sprongen aan deze kant van de gang, verslonden de maagdelijke wanden, de vloeren, klommen omhoog langs de nieuwe gipswanden, verzengden ze en krulden het papier om.

Het huis stond in brand.

Onvast en wankelend kwam Rick overeind. Toen hoorde hij een *woesj* toen het vuur een nieuwe emmer vol van oplosmiddel doordrenkte lappen ontdekte en met vingers van gemorste vloeistof over de vloer tastte. De emmers met oplosmiddel, realiseerde hij zich, waren de brandversneller. Ze waren allemaal omgegooid en voedden de gulzige vlammen.

Hoe had dit kunnen gebeuren?

Door de kolkende zwarte rook heen zag hij de rug van Jeff. Rick keek vol verbazing toe. Jeff zat op zijn knieën, met zijn rug naar Rick. Hij had een aansteker in zijn hand en stak meer van het oplosmiddel aan. Naast hem stond een ton vol afval, stukken hout en proppen papier. Jeff pakte dingen uit de ton om als aanmaakmiddel te gebruiken.

Jeff stak niet zomaar het huis in brand dat hij wekenlang gerenoveerd had. Hij probeerde Rick te vermoorden.

Hij wilde hem achterlaten om levend te verbranden.

Ricks hart ging tekeer. Hij snapte niet precies wat Jeff deed en waarom, maar dat deed er niet meer toe.

Hij sprong op Jeff af en smeet hem omver. De aansteker viel op de grond. Jeffs telefoon, die aan zijn riem hing, gleed over de vloer. Rick zette zijn knieën in Jeffs nek.

'Ze hebben je overgehaald, hè?' riep Rick. 'Ze hebben je verdomme omgekocht!'

Jeff kwam overeind en zwaaide met zijn vuist naar Rick, raakte hem midden op zijn borst. 'Verdomde inhalige klootzak, verrekte leugenaar. Je zei dat het veertigduizend dollar was? Eerder drieënhalf miljoen!'

Rick kreunde, maar sloeg met zijn vuist tegen Jeffs linkeroor.

Jeff was langer en waarschijnlijk sterker. Hij haalde opnieuw uit, nu naar Ricks maag, maar Rick draaide zich weg en de klap trof zijn schouder. Hij zat vol blauwe plekken en had overal pijn, maar hij werd gedreven door een golf van woede en adrenaline. Toen Jeff op hem af sprong stak hij zijn hand uit en griste een balk uit de ton. Hij zwaaide er uit alle macht mee naar Jeffs hoofd. Jeff wendde zich op het laatste moment af en het balkje knalde hard tegen de zijkant van zijn gezicht. Rick hoorde de klap, het breken van bot.

'Mijn oog!' gilde Jeff en hij greep naar zijn gezicht. Bloed gutste uit zijn linkeroogkas.

Maar Rick stopte niet. Hij haalde uit en zwaaide de balk opnieuw naar Jeff, sloeg hem boven op zijn hoofd en Jeff ging neer. Een *woesj* en een andere hoop van oplosmiddel doordrenkte lappen vatte vlam.

Rick stond wankelend op. De brand woedde nu overal om hem heen, aan alle kanten van de gang en kroop naar de trap naar de eerste verdieping. Hij zag Jeffs telefoon op de grond liggen en raapte hem in een opwelling op. Zijn eigen telefoon hing in het hotel aan de oplader en hij moest het alarmnummer bellen.

Jeff was blijkbaar van plan geweest de brand aan te steken en via de trap te ontsnappen. Maar nu was het te laat. De vlammen hadden hen omsingeld.

Hij rende naar de slaapkamer, waar het vuur nog niet was aangekomen, maar de rook wel, en rukte het raam open. Vanaf de tweede verdieping omlaag springen zou riskant zijn. Onder hem was geen gazon, maar het asfalt van de oprit.

Toen herinnerde hij zich de taxusboom, nog geen meter van het raam, verwilderd en niet gesnoeid. Hij stond niet recht onder het raam, maar het scheelde niet veel. Jaren geleden, toen zijn moeder nog leefde, glipte hij weleens naar buiten door uit het raam te leunen en opzij te springen, zodat hij een tak kon pakken en zich naar het asfalt kon slingeren. Maar hij was indertijd een jonge tiener en veel leniger. Niet verzwakt door een bijna fatale afranseling.

Hij haalde diep adem en zijn luchtpijp werd verzengd door de hitte van de rook. Hij werd verscheurd door een hoestbui. Hij draaide zich om en zag dat het vuur nu over de drempel kroop. Het greep sneller om zich heen dan hij verwacht had; het oplosmiddel had de brand aangewakkerd. Vlammentongen maakten de wit geschilderde muren zwart en de oude verflaag barstte. Zijn hart bonsde.

Hij wilde Jeff gaan halen en hem naar buiten sleuren, maar de brand was te ver gevorderd. Een poging om Jeff te redden zou waarschijnlijk zijn eigen doodvonnis betekenen. Hij draaide zich weer om naar het raam. Hij wist dat het de enige uitweg was. Maar wat vroeger, voor een tiener, een opwindende uitdaging was geweest, leek nu bloedlink. Hij zou uit het raam moeten springen, schuin naar rechts, in de hoop dat hij een boomtak kon pakken voordat hij op de grond smakte.

Hij haalde de telefoon uit zijn zak. Misschien moest hij nu het alarmnummer bellen, voor het geval hij op de grond viel en opnieuw het bewustzijn verloor.

Hij opende Jeffs telefoon en zag een sms-bericht.

Klus geklaard?

Hij toetste het alarmnummer in. 'Brand,' zei hij met verstikte stem. Hij kon nauwelijks ademhalen. 'Clayton Street twee vierentachtig in Cambridge.'

Hij had geen tijd om meer te zeggen. Hij klapte de telefoon dicht en stopte hem in zijn zak. Toen draaide hij zich om naar het geopende raam. De dichtstbijzijnde takken van de taxus waren tamelijk dichtbij, een halve meter lager en ruim een meter naar rechts.

Spring of je zult levend verbranden.

Recht onder hem was de oprit. Een val zou waarschijnlijk zijn dood betekenen. Als hij naar rechts sprong en meteen naar de takken greep...

Hij voelde dat de vlammen zijn rug verzengden. Hij hoorde ze achter zich bulderen. Rook bolde op.

Het was nu of nooit.

Hij hees zich op – moeizamer dan vroeger, en de pijn verlamde hem bijna – en stortte zich met bonzend hart naar voren. Hij voelde de takken langs zijn lichaam schrapen en graaide met beide handen. De tak in zijn linkerhand brak meteen, maar die in zijn rechterhand hield het. De tak boog door en Rick graaide met zijn linkerhand naar een dikkere, dichter bij de stam. Zijn handen zaten onder de schrammen en sneden, maar hij wist een dikke tak vast te pakken net toen die in zijn rechterhand afbrak. Hij viel, hing alleen aan zijn linkerhand en bungelde onder de bladeren. Zijn lichaam schokte van pijn en zijn armen trilden van de inspanning. Hij graaide wanhopig om zich heen, vond alleen lucht, graaide nogmaals en pakte een andere tak. De takken schramden zijn gezicht en zijn armen toen hij zich liet zakken en toen brak de tak in zijn linkerhand en hij viel.

Hij landde hard op de oprit, op zijn knieën, maar zijn val was enigszins gebroken door het gebladerte. Het deed pijn, maar niets vergeleken met wat hij onlangs te verduren had gehad.

Hij zakte in elkaar, ademde diep in en uit en hoestte en hoestte. Zijn keel voelde aan alsof ie verbrand was. Hij hoestte opnieuw, haalde ten slotte diep adem en wachtte tot zijn hoofd niet meer tolde.

Zodra hij kon haalde hij Jeffs telefoon tevoorschijn en sms'te één woord: `Gebeurd.`

62

Hijgend strompelde hij naar zijn auto. Zijn keel deed pijn door de rook en zijn ogen prikten.

Hij moest weg zien te komen voordat de brandweer er was. De brand leek zich te beperken tot de tweede verdieping, maar het bouwskelet was van hout en zou snel en makkelijk worden verteerd. Hij hoorde sirenes, wat betekende dat ze er elk moment konden zijn. Misschien konden ze het huis redden.

Hij vroeg het zich af. Hij hoopte het.

Andrea was in zijn hotelsuite toen hij terugkeerde. 'Ik denk dat ik het heb, de...' Ze zag hem, nam hem op. 'Shit, Rick, wat is er met jou gebeurd? Gaat het?'

Zijn gezicht en zijn haren waren zwart beroet. Hij zag eruit als een schoorsteenveger. Hij had aandacht getrokken in de lobby. 'Ik heb nieuwe kleren nodig.'

'Waar was je?'

'Doet er niet toe. Zeg wat je gevonden hebt.'

'Ik moet het je laten zien. Maar waar ben je gewéést?'

Hij vertelde haar een beetje, ging toen naar de badkamer, draaide de douche open en liet hem stromen. Hij kwam weer naar buiten en begon zijn van rook verzadigde kleren uit te trekken. Hij deed het zonder terughoudendheid; ze hadden elkaar eerder naakt gezien. Ze wendde haar blik niet af.

'Je stinkt naar rook.'

'Vertel wat je hebt gevonden.'

Ze praatte tegen hem terwijl hij zich douchte. 'De sleutel was B&H Packing, een vleesverpakkingsbedrijf. Sculleys Bay Group heeft blijkbaar een stuk of tien dochterondernemingen en twee daarvan zijn grotendeels in handen van een non-profitinstelling die de Donegall Charitable Trust heet. Waaronder een vleesverpakkingsbedrijf in het zuiden van Boston. Het papieren spoor leidt dus rechtstreeks naar Thomas Sculley.

'Mooi zo. Dat is fantastisch. Fantastisch.'

Toen hij klaar was met douchen droogde hij zich af en stonk hij nog steeds naar rook.

'Kun je de Twitterberichten van de brandweer van Cambridge openen?' vroeg hij.

Tegen de tijd dat hij aangekleed was riep ze hem naar haar laptop.

BRANDWEER CAMBRIDGE@CAMBRIDGEMAFIRE

Nieuws: brand woedt in huis in West-Cambridge. Brandweer rukt uit naar Clayton Street 284 wegens brandmelding.

'*Woedt* zal wel betekenen dat de brand niet onder controle is,' zei ze.

'Ik weet het niet. Zeggen ze iets over een dode?'

Alsof de Twitterfeed van de brandweer van Cambridge hem kon horen verscheen er een nieuwe tweet op het scherm:

BRANDWEER CAMBRIDGE@CAMBRIDGEMAFIRE
Brand Clayton Street 284 eist helaas 1 slachtoffer.

'Hij is dood.'

'Wie?'

'Mijn oude vr... buurman. Hij is in de brand omgekomen.'

'O, mijn god.'

'Wacht even. Ze zullen aannemen dat ik degene ben die is omgekomen. Tot Jeffs lichaam geïdentificeerd is.'

'Dat levert je uitstel op, niet? Hoelang kan dat duren?'

Hij haalde zijn schouders op. 'Een dag misschien. Misschien minder. Ik weet het niet.'

Ze zag dat zijn ogen nat waren. 'Hij probeerde je te vermoorden. Als je hem niet had tegengehouden, zou het jouw lijk zijn geweest daar in het huis.'

'Desondanks. Ik heb iemand gedood.'

'Hij stak je huis in brand en probeerde je te vermoorden omdat ze hem een betere deal aanboden dan een deel van de opbrengst van je huis.'

'Ik moet naar de FBI,' zei hij.

63

Ditmaal ontmoette hij speciaal agent Donovan in de receptie van het FBI-kantoor in Boston, op de vijfde verdieping van Center Plaza 1, het lelijke gebouwencomplex uit de jaren zestig dat Government Center heette.

'Ik kan je niet mee naar kantoor nemen,' zei Donovan. 'Zullen we ergens een kop koffie gaan drinken?'

'Nee,' zei Rick. 'Dit is officieel. Zet me in een verhoorruimte.'

Donovan snoof. 'Heb je gekampeerd?'

Rick leverde desgevraagd zijn iPhone en rijbewijs in bij de vrouw achter het glas. Jeffs Nokia hield hij achter. 'Deze is voor jou,' zei hij en hij stopte hem in Donovans hand.

'Wat is dat?'

'Het zijn sms-berichten en waarschijnlijk telefoontjes van de man die Jeff Hollenbeck heeft betaald om me te vermoorden.'

In het beveiligde gebied liet Donovan Rick plaatsnemen in een klein vertrek met een kleine tafel en vier stoelen. Er hing niets aan de muren. Daarna ging hij weg om de Nokia aan een technicus te geven. Vijf minuten later kwam hij terug met twee koppen koffie. 'Ik heb melk in de jouwe gedaan. Ik wist het niet zeker. Zo goed?'

'Prima.' Rick vertelde hem over Jeff en de brand, maar Donovan viel hem na een paar minuten in de rede. 'Wacht even, Rick. We moeten eerst een paar procedurele dingen afhandelen. Als ik een nieuwe zaak start, moet ik een voorlopig onderzoek instellen.'

'Het is poging tot moord en brandstichting. Je zou hier genoeg bewijzen moeten hebben om de zaak aan de aanklager voor te leggen en toestemming voor een arrestatie te krijgen.'

Donovan keek hem bijna meesmuilend aan en bedacht zich toen. Hij kende Rick in elk geval goed genoeg om te weten dat die geen dingen uit zijn duim zoog. Ze hadden eerder informatie gedeeld. Ze respecteerden elkaar. 'Laat maar eens horen wat je weet.' Er werd op de deur geklopt. 'Dat is snel,' zei Donovan. Hij stond op en deed de deur van het slot.

Een magere, bleke man van in de veertig, kalend, nerdy bril, gaf Donovan een stuk papier. De technicus kende zijn rol in de organisatie en kleedde zich navenant. 'Sakkerju,' zei Donovan. 'Bedankt, John.' Hij deed de deur dicht.

Hij bleef staan en sloeg zijn armen over elkaar. 'Dat ging snel om enkele redenen. De Nokia-klaptelefoons downloaden in enkele seconden tijd naar Cellebrite. Bovendien is dit een Sprint-telefoon en Sprint heeft een portal exclusief voor de politie, dus de gesprekken waren in een mum van tijd getraceerd.'

'En de sms'jes?'

'Ze hebben voorzorgsmaatregelen getroffen. De sms-berichten kwamen van een gesimuleerd nummer. Het is makkelijk te doen en zowat onmogelijk te traceren. Duurt in elk geval eeuwen. Er zijn twee oproepen binnengekomen van hetzelfde geblokkeerde nummer.'

'En vanwaar dat "sakkerju"?'

'Het is het nummer van iemand over wie we een gesloten dossier hebben. Een zekere Emmet Boyle in Lynn, Massachusetts. Een Ierse illegaal.'

Rick vroeg zich af of het de man was met de klavertatoeage. 'Een gesloten dossier?'

'Om allerlei redenen. Niet genoeg bewijs. Prioriteiten. Wie zal het zeggen? Maar het is een zware jongen.'

'Wat hebben jullie over hem?'

'Onbewezen beschuldigingen wegens brandstichting, moord in opdracht. Hij komt uit Belfast, Noord-Ierland. Vermoedelijk lid van een bende Ierse immigranten, vroeger geassocieerd met het Provisional Irish Republican Army, de IRA.'

'De terroristen.'

'De een zijn terrorist is de ander zijn vrijheidsstrijder,' zei Donovan. Hij was ook Iers, realiseerde Rick zich. Politiek is een beladen onderwerp.

'Maar ik dacht dat dat IRA-gedoe achter de rug was.'

'De IRA is tien jaar geleden gestopt met de gewapende strijd. Waarna enkele tamelijk bekwame moordenaars werk moesten zoeken.'

Rick schudde zijn hoofd. 'Wat wil zeggen...? Zijn het huurmoordenaars?'

'Huurgorilla's.'

'Ingehuurd door wie?'

'Als we dat wisten, hadden we een geopend dossier.'

'Waar is de telefoon?'

'In het technisch laboratorium. Het is bewijsmateriaal.'

'Bewijs waarvoor?'
'Ik heb nu in elk geval genoeg voor een voorlopig onderzoek.'
'Zoals ik al zei: je hebt genoeg voor een arrestatie. En ik heb mijn telefoon nodig.'
Er verscheen een rimpel op Donovans voorhoofd. 'Wat wil je, Rick... die telefoon of een FBI-onderzoek?'
'De telefoon en een arrestatie. Ik heb dat toestel niet officieel aan de FBI gegeven, dus ik heb het graag terug.'
Heel even leek het alsof er sprake was van een patstelling, maar Donovan wist dat Rick gelijk had. 'Ik zal zien wat ik kan doen.'
Ruim tien minuten later kwam hij terug. Hij had waarschijnlijk een discussie gehad met een superieur. Donovan overhandigde Rick de telefoon. 'Je hebt een sms'je.'
Hij opende de telefoon.

Ontmoeting om 7 zoals afgesproken.

Ricks maag draaide zich om. Ze dachten nog steeds dat hij Jeff was, maar hij kon niet overtuigend Jeff zijn als hij de eerder gemaakte afspraken niet kende. Na een ogenblik sms'te hij terug: Kan niet verschijnen waar ik iemand ken. Verander trefpunt in Dunkin' Donuts, Zuid-Boston.
Hij hield zijn adem in en wachtte op een antwoord. Het kwam een paar minuten later.

Welke locatie?

Opgelucht sms'te hij: Old Colony Ave.

64

De Dunkin' Donuts in Old Colony Avenue stond midden op een groot parkeerterrein, waardoor het een handige plek was om af te spreken. En het was een drukke straat, wat ook een voordeel was. Had hij zich laten vertellen. Rick was geen deskundige.

Hij zat in zijn gehuurde Saturn met uitzicht op de ingang. Hij droeg een Red Sox-pet en was nauwelijks te herkennen.

Hij zag de klanten naar binnen gaan.

Een tiener met een ernstige vorm van acne. Een man met bril en een slecht passende blazer, die boekhouder had kunnen zijn. Een dikke vrouw van in de twintig in broekpak. Hij wierp een tweede blik op een man die eruitzag alsof hij met zijn handen werkte, maar concludeerde dat het waarschijnlijk een bouwvakker was.

Hij had alleen maar fragmentarische herinneringen om op af te gaan. Een klavertatoeage op de pols van de man en veel meer niet. Hij had hem alleen van dichtbij gezien. Leerachtige handen. Maar de man op wie hij wachtte zou stevig gebouwd zijn en in de vijftig of ouder, misschien dichter bij de zestig. Rick was twintig minuten te vroeg, maar het zou hem niets verbazen als de man – Klaver, zou hij hem noemen – ook vroeg was gekomen. Hij zou om zich heen kijken, waarschijnlijk een rondje rijden voordat hij aan zijn koffie begon.

Toen, om vijf voor zeven, liep er een man met grote, doelbewuste passen over het trottoir naar het restaurant. Het leed geen twijfel dat het Klaver was. Een man van rond de zestig met een stierennek en een harde blik, gekleed in een duur uitziend zwartleren jack en een pet van grijze tweed. Hij had een mopsneus, een gemelijk smoel en grote handen. Hij zag eruit als een harde klootzak. Hij kauwde kauwgom. De pet verraadde hem. Het was een platte pet, een havenarbeiderspet met een smalle klep. Het had net zo goed een neonreclame met een pijl kunnen zijn.

De man tuurde om zich heen en ging toen naar binnen.

Rick stapte uit, vergewiste zich ervan dat Klaver niet keek, en stak de straat over.

Recht aan de overkant was een buurtkroeg met een groene luifel met daarop een Guinness-logo, en een groengeverfde deur. Er waren vier of vijf klanten. Die aan de bar leken stamgasten. Het raam in de voordeur bood een goed uitzicht op de Dunkin' Donuts.

Hij sms'te Klaver.

`Zag een bekende in DD. Ontmoet me in bar overkant straat.`

Hij vroeg zich af of deze verandering van plannen alles zou verpesten. Hij keek door het raam van de bar.

Maar nog geen minuut later kwam Klaver naar buiten. Het was moeilijk te zeggen of hij nijdig was of dat zijn gezicht altijd zo stond.

Hij stak de straat over en kwam de bar binnen. Zijn ogen schoten van links naar rechts. Hij wist vast hoe Jeff eruitzag; ze hadden elkaar waarschijnlijk eerder getroffen.

Rick zat op een bank naast de bar.

Dertig seconden later gleed de blik van Klaver over Ricks gezicht en dwaalde verder.

Een ogenblik later keerde hij terug en vestigde zich op Rick.

Een moment van herkenning en toen glimlachte hij vals.

Hij kwam naar de bank van Rick en liet zich naast hem glijden. Rick voelde iets wat in zijn zij porde. Hij trok wit weg.

Klaver boog zich naar hem toe en fluisterde iets in Ricks oor. Rick rook de kappersgeur en voelde de klamme adem van Klaver.

'Dus het is het lijk van die ander in het huis, niet het jouwe. Dapper ventje, dat moet ik je nageven. Maar zo stom als een ezel.'

Ricks hart sloeg op hol. Hij wist dat het zover was en dat het op allerlei manieren kon aflopen. Hij probeerde dapper te kijken, maar kon een licht trillen van zijn linkeroogspier niet onderdrukken.

'We doen het zo, jochie,' fluisterde Klaver. 'Jij en ik gaan stil en rustig weg. De veiligheidspal van mijn negen millimeter is overgehaald. Ik zal niet aarzelen om een kogel in je ruggengraat te jagen.'

Rick slikte en knikte.

Het wapen in de jaszak van Klaver porde hard in Ricks ribben.

'Sta na mij op en als je probeert me een kunstje te flikken zal het de laatste keer zijn.'

Klaver stond op van de bank en Rick liet zich eraf glijden, met een ijl gevoel in zijn hoofd en bonzend hart.

Klaver hielp hem opstaan, pakte hem bij zijn elleboog en trok hem ruw overeind.

Dit was, besefte Rick, het stomste wat hij ooit had gedaan. Moed stond gelijk aan domheid. Hij keek koortsachtig om zich heen, maar liep door. Hij was op sterven na dood. De arm van Klaver lag om zijn schouder. Ze konden twee vrienden zijn die te veel hadden gedronken.

Klaver duwde de voordeur open en Rick voelde een vlaag koude lucht in zijn gezicht.

Hij haalde diep adem en zei toen onverstoorbaar: 'Je bent omsingeld.'

Klaver lachte minachtend.

Drie mannen in blauwe FBI-jacks doken op uit het niets. Toen ze 'FBI' riepen, liet Rick zich zoals hem gezegd was op de grond vallen. Hij voelde het asfalt tegen zijn gezicht schuren.

Klaver verzette zich niet eens. Hij wist dat het zinloos was.

Toen Rick opstond zag hij dat Klaver hem vervuld van haat aankeek. 'Verrekte klootzak,' zei hij. 'Je beseft niet wat je net hebt gedaan.'

65

Rick was verrast – aangenaam – dat hij de onthulling zo snel kon schrijven. Hij kende de materie van haver tot gort.

Desondanks had hij er de hele nacht voor nodig. Hij werd gedreven door cafeïne en verontwaardiging.

's Morgens mailde hij het artikel naar Dylan op de redactie van *Back Bay*.

Een halfuur later ging Ricks telefoon.

'Dylan.'

'Man, meen je dat?'

'Nou en of.'

'Als ik dit plaats kan het me mijn baan kosten.'

'Dylan, ik zou je niet in een positie willen brengen waarin je...'

'Nee, nee,' viel Dylan hem in de rede. 'Ik zie het als een voordeel.'

Het was de ene onbenullige speech na de andere geweest. Het hoofd van de Boston Redevelopment Authority die pochte over de Olympian Tower – 'met driehonderdzestig meter en vijfenzestig verdiepingen het hoogste gebouw in Boston'– en de burgemeester had het gehad over 'deze glanzende zilveren toren op de plek waar eens Bostons verderfelijke Combat Zone was'. Een blaaskapel speelde een mars van John Philip Sousa. Confetti, hoog in de lucht geblazen door zes confettikanonnen, dwarrelde neer over de vips. De tv-schijnwerpers maakten amper verschil op deze stralende, zonnige dag.

Eerste spaden waren dodelijk saai, hoeveel confetti je er ook in pompte, of je nu een zilveren spade gebruikte of een gouden. Iedereen wilde een deel van de eer voor zich opeisen. Niemand wilde er echt zijn. Er werd geen grond omgespit. Alles was theater.

Thomas Sculley begreep dit instinctief. Hij had talloze eerstespadeceremonies meegemaakt voor de gebouwen die hij had neergezet. Zijn woordje was dan ook gezegend kort.

De burgemeester had Sculley voorgesteld als 'een man met een unieke filantropische inslag'. Sculley, gekleed in een prachtig blauw pak, had de microfoon overgenomen en slechts enkele zinnen gezegd.

'Toen ik tweeënvijftig jaar geleden vanuit Belfast in dit land aankwam met slechts een schop en een kruiwagen, had ik me in geen miljoen jaar kunnen voorstellen dat ik op zekere dag op één podium zou staan met de burgemeester van Boston. Ik had me nooit kunnen voorstellen dat mensen ooit zouden wachten om de woorden uit mijn mond te horen. O, wacht. Mijn vrouw herinnert me eraan dat ze dat niet doen.' Beleefd gelach. 'Dus zonder verdere plichtplegingen, laten we de eerste spade in de grond steken voor het prachtigste gebouw in de prachtigste stad ter wereld!'

Andrea was niet voor de plechtigheid uitgenodigd, maar er was slechts een kort telefoontje naar Sculleys kantoor voor nodig geweest om een uitnodiging voor haar en een gast los te peuteren. Geometry Partners zou tenslotte kantoorruimte krijgen in de Olympian Tower. Zij was er ook om te vieren.

Nadat de hoogwaardigheidsbekleders onder donderend applaus een paar symbolische scheppen zand hadden verzet, schuifelde Andrea naar het lage podium. Ze was mooi gekleed in een witte jurk en zag er zelfverzekerd uit, maar Rick zag dat ze zenuwachtig was. Natuurlijk was ze zenuwachtig.

Verslaggevers dromden om de burgemeester heen. Sculley lieten ze nagenoeg met rust. Ten slotte zag Andrea de kans schoon. Ze schuifelde naar Sculley en gaf hem een opgevouwen stuk papier.

Rick keek gespannen toe toen Sculley verbaasd naar het papier staarde, grinnikte en een leesbril uit zijn jaszak haalde. Hij fronste zijn voorhoofd.

Hij las het briefje. Het waren maar een paar zinnen. Hij keek op van de pagina en naar Andrea. Daarna liet hij zijn turende blik over het publiek glijden, van rechts naar links en van links naar rechts.

En toen zag hij Rick.

Sculleys glimlach vervaagde. Zijn gezicht was nietszeggend, maar Rick wist zeker dat hij in Sculleys ogen iets zag wat grensde aan angst.

66

Sculley ging voor naar een kleine witte tent naast het podium, waar werknemers van de Bay Group glossy brochures over de Olympian Tower uitreikten aan de media en beoogde investeerders.

Enkele werknemers herkenden hem toen hij dichterbij kwam en gingen rechtop zitten. Een jongeman stond met een van ontzag vervulde glimlach op. 'Meneer Sculley, waarmee kan ik u van dienst zijn?'

'Kan ik over deze tent beschikken?' vroeg Sculley.

Het duurde even voordat het tot zijn werknemers doordrong dat hij wilde dat ze de tent ontruimden, maar toen kwamen ze snel in actie.

Andrea hield zich op de achtergrond. Sculley glimlachte naar haar en zei: 'Meneer Hoffman en ik zullen even babbelen.' Ze knikte en liet de twee mannen de nu lege tent binnengaan.

'Zullen we gaan zitten?' zei Sculley en hij gebaarde naar een kleine kaarttafel waarop een hoge stapel Bay Group-brochures lag.

Rick schudde zijn hoofd. 'Het hoeft niet lang te duren.'

Het viel hem opnieuw op hoe verweerd Sculleys gezicht van dichtbij was. Het was het gezicht van iemand die heel zijn leven handarbeid had verricht in de buitenlucht, hoewel hij dat waarschijnlijk sinds zijn twintigste niet meer had gedaan.

'Je ziet er gehavend uit, jongen,' zei Sculley. Hij wees naar de blauwe plekken op Ricks gezicht. 'Misschien moet je het wat rustiger aandoen, als je begrijpt wat ik bedoel.'

'Ik voel me prima,' zei Rick. 'Ik leef.'

'We hebben dat gesprek nooit gevoerd, jij en ik.'

Rick glimlachte. 'Ik voer het nu. U zei tegen Mort Ostrow dat u de "Rick Hoffman-behandeling" wilde omdat u me persoonlijk wilde ontmoeten. Me de maat nemen. En tegelijkertijd liet u me door uw tuig angst aanjagen. Een soort tweeledige aanpak. Omdat u iemand bent die het zekere voor het onzekere neemt.'

Sculley haalde zijn schouders op.

'Ik denk dat u mijn vader hebt gekend, nietwaar?'
'Absoluut.'
'U hebt twintig jaar betaald voor zijn verzorgingshuis.'
'En nu kom je me bedanken?'
'Ik ben eigenlijk gekomen omdat ik eindelijk aan dat artikel over Thomas Sculley toe ben gekomen. Maar het is enigszins veranderd sinds ik begon.'
'Zo, hoe bedoel je dat?'
'In mijn artikel beschrijf ik hoe u de dood van het gezin Cabrera in de Ted Williams Tunnel in 1996 in de doofpot stopte. Hoe u mensen afkocht – een politieman, de nabestaanden, zelfs een wijkactiviste – om er zeker van te zijn dat niets uw zegetocht belemmerde.'
Sculleys gezicht verraadde niets. 'Wat een schitterend verhaal. Een groots en fantastisch verhaal.'
'Niet zo fantastisch. Gelukkig heeft mijn vader bewijzen achtergelaten voor de afkoopsommen die hij namens u regelde.'
'Hoffman toch!' bulderde hij met een joviale glimlach, alsof Rick hem een geweldige mop had verteld. 'Het lijkt wel alsof je me bedreigt! Me afperst!'
'Helemaal niet. Ik ben journalist en ik moet een verhaal afmaken. Noem het de "Rick Hoffman-behandeling".'
Sculley staarde hem een ogenblik aan. 'Laat me je iets vragen, Hoffman, iets wat ik altijd al aan een journalist wilde vragen. Wat drijft je?' Hij staarde Rick aan en hield zijn hoofd scheef. 'Echt waar, wat drijft je? Waarom kies je ervoor langs de zijlijn te staan, naar de actie te kijken? Waarom kiest een intelligent man zoals jij ervoor in het publiek te staan en niet in de ring? Ik heb het nooit kunnen begrijpen.'
Rick glimlachte. 'Toen ik studeerde kwam er een befaamd journalist om een praatje te houden en een van de studenten stelde hem diezelfde vraag. Wat drijft u? En die journa-

list zei: "Ik ben gewoon iemand die wil weten hoe het verhaal afloopt." Ik heb het altijd een mooi antwoord gevonden.'

'Je bent een vreemde vogel, Hoffman.'

'Laten we het dus hebben over die afkoopsommen.'

Sculley snoof. 'Afkoopsommen? Weet je wie er moest worden omgekocht om de Big Dig te verwezenlijken? Iedereen! Iedereen met een klacht werd afgekocht. De overheid kocht airco's en geluiddichte ramen, en zelfs nieuwe matrassen voor huiseigenaars in het North End die niet tegen het lawaai van de bouw konden. Er moeten wel tienduizend mensen zijn omgekocht. Zo gaat het nou eenmaal, jongen. Je bent niet hierheen gekomen om me dáárnaar te vragen.'

'Laat ik het dan gerichter stellen. Uw imperium heeft slachtoffers geëist. Hoe kunt u verdomme 's nachts slapen?'

Sculley liep rood aan. 'Heb je enig idee hoe die tunnel de stad heeft veranderd? Het verkeer in Boston was een lachertje, een nationale mop. Voor een rit door het centrum moest je een halfuur uittrekken. Nu duurt het drie minuten. Een rit naar de luchthaven gaat vijfenzeventig procent sneller. De Big Dig was het grootste, meest complexe en technisch gesproken meest uitdagende bouwproject in de geschiedenis van dit land.'

'Dat zeggen ze, ja.'

'Zijn er een paar arme drommels omgekomen door de Big Dig? Jongen, bij de bouw van de Hoover Dam zijn honderd mensen omgekomen. Bij de aanleg van het Erie Canal duizend. Bij de aanleg van de transcontinentale spoorlijn zijn vierhonderd Chinezen verongelukt. En wat denk je van het Panamakanaal? Een van de grootste ingenieursprestaties in de geschiedenis? Daarbij zijn *dertigduizend* mensen om het leven gekomen. Ambitieuze projecten kosten altijd levens, jongen. Het is niet anders. Heb je ooit de grote piramides van Gizeh bezocht?'

Rick schudde zijn hoofd.

'Ze benemen je de adem, absoluut. Maar niemand die ze ziet stort tranen om de duizenden mannen die tijdens de bouw ervan zijn gestorven. Een farao had een visioen en dat is wat blijft. Zijn visioen. Weet je wat er zou gebeuren als ze zouden proberen de piramides nu te bouwen? Er zou verdomme een onderzoek komen naar de milieubelasting, een klachtencommissie, en we zouden niet meer hebben dan een schap vol mooie blauwdrukken. De wereld is vol van kleine mensen die de groten willen vastbinden.'

Een vrouw stak haar hoofd in de tent. Sculley stak een hand op en ze verdween onmiddellijk weer.

'Als kleine mensen grote dingen in de weg staan,' ging Sculley verder, 'wie denk je dat er dan het veld moet ruimen?'

'De kleine mensen? Zoals mijn vader, bedoelt u?'

Er verscheen een woedende blik op Sculleys gezicht. 'Dat was zíjn beslissing.' Toen wierp hij Rick een venijnige blik toe, een slang die naar een muis kijkt. 'Weet je wat het verschil is tussen iemand zoals je vader en iemand zoals ik?'

'Zeg het maar,' zei Rick bijtend.

'Kleine mensen wachten altijd op hun kans. Grote mannen grijpen die kans. Grote mannen zeggen ja tegen het leven. Het zijn geen neezeggers. Je staat elke dag voor de beslissing: zeg je ja of zeg je nee? Grijp je de kans? Heeft je vader je drie miljoen dollar nagelaten? De vloek van de kleine erfenis. Niet genoeg geld om iets mee te doen. Net genoeg geld om dingen níét te doen. Dus de vraag voor jou is: wat zou je kunnen doen met dértig miljoen?'

'Gisteren probeerde u nog me te laten vermoorden en nu biedt u me dertig miljoen dollar aan?'

'Ik denk dat ik mensen goed kan inschatten, van dichtbij

en oog in oog. Je hebt ballen. Je bent slim. Maar de vraag is: heb je het soort lef dat ja zegt tegen een kans? Dertig miljoen; iemand met verbeeldingskracht kan een en ander doen met zo'n bedrag. Droom wat, jongen. Je kunt er alles mee doen wat je wilt. Een eigen persbureau beginnen. Een eigen kantoorgebouw kopen. Je kunt ervoor kiezen een van de alfa-apen te zijn of je kunt een microscopische luis in de pels zijn. Wat wordt het?'

Hij legde een arm op Ricks schouder en keek hem doordringend aan. 'Weet je, er is een gezegde in mijn vak: degenen die kunnen, bouwen. Degenen die niet kunnen, leveren kritiek. Dus mijn vraag aan jou is: wat voor man ben je? Wil je een van de grote jongens zijn, degenen die iets groots bouwen? Of degenen die alleen maar dingen willen afbreken? Want het is nog niet te laat voor je. Een nieuwe dag, een nieuw besluit. Je hebt de kans om de hoofdprijs te pakken, op de wervelwind te rijden en iets bijzonders te doen. Pak je hem? *Ben je die man?*'

'Niet echt, nee. Ik ben gewoon de man die wil weten hoe het verhaal afloopt.'

Er kwam een man de tent binnen en Sculley stak zijn hand weer op en zijn ogen fonkelden van woede.

'Ik zei, laat ons met rust,' snauwde hij.

De man verroerde zich niet.

Rick zag de man in het blauwe FBI-jack, speciaal agent Donovan, in de tentopening staan. Rick knikte glimlachend, stak een vinger op en vroeg hem even te wachten.

'Wat moet dit verdomme voorstellen?' vroeg Sculley, maar hij leek het te begrijpen. Hij draaide zich om en staarde Rick aan.

'Ik kan mijn artikel niet afronden zonder een of andere reactie van u,' zei Rick. 'Dat is een soort stelregel voor me.' Hij pakte zijn iPhone en opende hem. 'Zo niet, dan staat alles klaar. Voor publicatie, bedoel ik.'

Sculleys gezicht was paars geworden. 'Ik geloof je niet.'

'Ik zal zeggen dat meneer Sculley weigerde commentaar te geven.'

Rick toetste een telefoonnummer in en toen Dylan bij *Back Bay* opnam zei hij: 'Zoals ik al schreef weigert meneer Sculley commentaar te geven. Het feest kan beginnen, Dylan. Ga je gang.'

'Het is gebeurd,' bevestigde Dylan enkele seconden later.

'Als dit chantage is,' zei Sculley, 'lukt het nooit. Je zou niet durven.'

'Het is al gebeurd,' zei Rick.

'Jongen, je hebt je lot zojuist bezegeld.'

'Úw lot in feite. En mijn vriend in het windjack staat klaar om u erheen te begeleiden.'

'Je zult nooit krijgen waar je op uit bent,' zei Sculley met schorre stem.

'Nou ja, ik denk dat ik het net heb gekregen. Ik weet in elk geval hoe uw verhaal afloopt. Ik heb het namelijk zelf geschreven.'

Een jaar later

Andrea dronk geen wijn, maar was niet bereid te zeggen waarom niet.

Rick schonk zichzelf een plastic glas in uit de doos.

'Ik weet dat hij niet aan je strenge eisen voldoet, Rick,' zei ze.

Hij grinnikte. 'Zijn er geen wettelijke grenzen gesteld aan grapjes over wijn?'

'Wat mij betreft ben je nog steeds een legitiem doelwit.'

Het feest werd druk bezocht door werknemers, donoren en potentiële donoren van Geometry Partners. De aanleiding was de opening van de nieuwe locatie van Geometry Partners in Somerville, die het Leonard Hoffman House was genoemd, gewaarborgd door een anonieme gift van een miljoen dollar. Aan de muur hingen Geometry Partner-posters (MAAK DE SOM; BEREKEN DE HOEKEN; HET KLOPT ALLEMAAL).

Evan was door het dolle heen van druivensap en koekjes en als hij niet *Minecraft* speelde rende hij rond, botste tegen gasten op en gooide glazen omver.

Thomas Sculley zat in een federale gevangenis en had nog tien jaar voor de boeg. Acht als hij zich goed gedroeg. Alex Pappas zat eveneens in de gevangenis, maar zou veel eerder vrijkomen. Hij had het op een akkoordje gegooid met de aanklager: anderhalf jaar gevangenisstraf in ruil voor volledige medewerking. Voor een volledige bekentenis. Het verbaasde Rick niet dat Pappas een gunstige deal had gesloten.

Maar het deerde hem nauwelijks. Nadat het Thomas Sculley-artikel was verschenen en door veertig persbureaus was overgenomen, kon Rick kiezen uit verschillende aanbiedingen, waaronder een van een non-profitwebsite voor het openbaar belang die onderzoeksjournalistieke projecten financierde, en een van *The Wall Street Journal*. Hij koos uiteindelijk voor de onderzoeksjournalistieke website, wat hem de mogelijkheid bood zijn artikelen in Boston te schrijven. Zijn huidige project was een onderzoek naar corruptie in de procedure waarmee de FDA geneesmiddelen goedkeurde.

Het was een vreemd gevoel vader te worden – stiefvader in feite – de rol aan te nemen in plaats van op de gebruikelijke manier tot het vaderschap te promoveren. Maar tegelijkertijd voelde het goed aan.

Het huis in Clayton Street was te ernstig beschadigd om nog te redden. Rick deelde de verzekeringsuitkering met Wendy. Met het geld dat na de gift aan Geometry Partners overbleef plus zijn salaris van de website was geld geen probleem.

De reporter van *Back Bay* klampte hem aan. Het was een jonge vrouw die Lindsay heette en eruitzag als twaalf, met een wijde kabeltrui en een zware schildpadbril. 'Komt het uit dat we het interview nu doen?' vroeg ze.

'Natuurlijk,' zei Andrea, 'maar misschien kunnen we straks praten. Er is een hoop om te bespreken aangaande ons slagingspercentage, afgezet op een aantal verschillende assen en...'

'Weet je,' zei Lindsay, 'ik heb maar negenhonderd woorden, dus ik ga er niet erg diep op in. Het is meer een soort lifestyleartikel over een van Bostons machtige koppels.'

'Oké,' zei Andrea.

'Fantastisch. Dus jullie zijn net getrouwd?'

Andrea liet haar trouwring zien. Ze waren pas een maand geleden getrouwd, in het stadhuis.

'Dus hoe doen jullie dat allemaal? Dat is wat ik wil weten.' Ze richtte zich tot Rick. 'Voor je artikel over Thomas Sculley heb je een George Polk Award voor onderzoeksjournalistiek gekregen, ja? En dan was er nog je artikel over smeergeld in de wapenindustrie.' Ze keek Andrea aan en zei: 'En jullie hebben een kind en Geometry Partners is vast meer dan een fulltimebaan. Plus dat het razendsnel uitbreidt, toch, met vestigingen in Washington, DC en New York City? Hoe doen jullie dat? Wat is de truc?'

Rick en Andrea keken elkaar aan.

'De truc is,' zei Rick, 'dat het geen truc is.'

Dankwoord

Ik ben een aantal mensen dankbaar voor hun grootmoedige hulp bij de research voor dit boek. Voor hun hulp met allerlei medische aspecten: mijn broer dr. Jonathan Finder, dr. Amy Goldstein van het Children's Hospital in Pittsburgh, dr. Carl Kramer, Margaret Naeser, hoogleraar neurologie aan de Boston University School of Medicine, Eileen Hunsaker van het Aphasia Center van het Massachusetts General Hospital Institute of Health Professions, dr. Joan Camprodon en met name dr. Mark Morocco. Met juridische kwesties: Allen Smith en Nick Poser. Met public relations: Doug Bailey en George Regan. Met het renoveren van het ouderlijk huis: Bruce Irving en Doug Hanna, en Eileen Lester van S&H Construction.

Met de Big Dig was Sean Murphy van *The Boston Globe* enorm behulpzaam; dank ook aan John Durrant van de American Society of Civil Engineers, Timothy Finley van Semke Forensic en met name Gary Klein van Wiss, Janney, Elstner Associates. (Enkele details van dit mammoetproject zijn gemakshalve gewijzigd.)

De acht jaar oude Henry Buckley-Jones was een vroegwijze en geduldige geïnterviewde. Dank ook aan Harry 'Skip' Brandon van Smith Brandon, Jay Groob van American Investigative Services, Lucia Rotelli, Bill Rehder, Bruce Holloway en Declan Burke. Voor hun hulp met technische details: Jeff Fischbach, Mark Spencer van Arsenal Experts en Kevin Murray. Met forensische accountancy Eric Hines van de

StoneTurn Group. Zachary Mider van Bloomberg News verschafte intrigerende informatie over schimmige non-profitinstellingen. Mijn dankbaarheid geldt opnieuw Clair Lamb, Karen Louie-Joyce en de onvervangbare Claire Baldwin. Bij Dutton mijn dank aan Amanda Walker, Christine Ball, Carrie Swetonic, Stephanie Kelly en met name Ben Sevier. Ik ben dankbaar voor de liefhebbende steun van mijn vrouw, Michele Souda, en onze dochter, Emma J.S. Finder. Het meest van al dank aan mijn agent, Dan Conaway van Writers House, en mijn broer Henry Finder.